Zavod za znanost o književnosti
Zbornici

Recenzenti
Aleksandar Flaker
Dunja Fališevac
John Elsworth
Igor Smirnov
Richard Davies

Zajednički projekt Sveučilišta u Zagrebu
i
Sveučilišta u Petrogradu
Autotematizacija u književnosti

Voditelji projekta
Magdalena Medarić
Askoljd B. Muratov

Tajnica projekta
Jadranka Brnčić

CIP-Katalogizacija u publikaciji
Nacionalna i sveučilišna biblioteka, Zagreb
UDK 82.01 (082)

AUTOTEMATIZACIJA u književnosti / uredila Magdalena Medarić. - Zagreb : Zavod za znanost o književnosti, 1996. - 270 str. ; 25 cm. - (Zbornici / Zavod za znanost o književnosti)

Bibliografija iza većine radova. - Kazalo. - Summaries ; Rezjumei.

ISBN 953-6108-88-7

960409032

Objavljivanje ovog Zbornika omogućili su
Minstarstvo znanosti i tehnologije Republike Hrvatske
i Zaklada Otvoreno društvo

AUTOTEMATIZACIJA U KNJIŽEVNOSTI

Uredila

Magdalena Medarić

Zavod za znanost o književnosti
Zagreb 1996.

PREDGOVOR

Zbornik radova naslovljen *Autotematizacija u književnosti* posvećen je problemu suodnosa književnog teksta i "ja" toga teksta. Implicitno i eksplicitno postavljeni odnos između autora ili njegova djela predstavlja, kako mi se čini, jedan od dominantnih problema u suvremenoj teoriji književnosti. On je, uostalom, reflektiran i u nizu novijih istraživanja koja se bave teorijskim pitanjima – označenim često i novom terminologijom (*autoreferencijalnost*; *autometaopis* i sl.) ili svježe akcentuiranim područjima istraživanja (žanr *autobiografije*; proces *autointerpretacije* i sl.). Riječ je zapravo o zanimanju za fenomen u umjetnosti, posebno književnosti, koji nije povijesno ograničen, nego je on postojao i ranije, u povijesti književnosti i umjetnosti uopće. Dakako, u najnovije vrijeme ta je pojava radikalizirana i osviještena, posebno u djelima i pratećoj kritici tzv. postmodernizma. Zbog te činjenice i raspored znanstvenih priloga u zborniku polazi od kronološkog načela u odnosu na predmet istraživanja, dakle analize pojava autotematizacije kod pojedinog pisca, ili u pojedinom razdoblju, od srednjovjekovlja do postmodernizma.

Kao skup individualnih znanstvenih priloga zbornik ne pretendira na metodološku ujednačenost. Njegova je osnovna nakana potvrditi pretpostavku kako je riječ o pitanju odavna relevantnom za konstituiranje i recepciju smisla umjetničkog djela. Činjenica da su u našem zborniku najnoviji književni tekstovi metodološki opisani pomoću najnovijih termina ne znači da se analizirane pojave same po sebi ne javljaju u književnosti i ranije.

Rad na zborniku *Autotematizacija u književnosti* počeo je zapravo "davno", odnosno još prije početka zadnjeg rata na ovim prostorima, i to u okvirima međusveučilišne suradnje koju s hrvatske sttrane reprezentira Odjel za inozemnu suradnju Rektorata Sveučilišta u Zagrebu. Zagreb i Petrograd bili su povezani i institucionalno što je zapravo bila potvrda njihove neprijeporne sličnosti. Misli se, dakako, na njihovu tradicijsku kulturnu ulogu unutar vlastitih država; oba su grada, naime, bili i (osporavane) metropole i "prozori u Europu" iz čega su proistekle mnoge bliskosti u mentalitetu i svjetonazoru njihovih stanovnika, znanstvenika i umjetnika napose. Suradnja između Zagrebačkog i Petrogradskog Sveučilišta na zajedničkim znanstvenim projektima bila je tradicionalna i ja se nadam kako će rezultati jednog od zajedničkih projekata, objavljeni napokon dvojezično, u zbornicima publiciranim i u Zagrebu, i u Petrogradu, biti povod da se ta tradicija održi i u budućnosti.

Razgovori o tome kojim književnoznanstvenim pojmom obuhvatiti područje zajedničkih znanstvenih interesa počeli su davno prije usvajanja konačne teme. Prvi se takav pokušaj definiranja odigrao, koliko se sjećam, u jesen 1989. godine. Vraćali smo se, naime, zajedno vlakom, s međunarodnog skupa posvećenog pitanjima ruske avangarde koji su te jeseni zagrebački rusisti organizirali u Opatiji. U jednom od kupea, gdje smo si kratili vrijeme ugodno razmjenjujući književnopovijesne anegdote (npr. o boravku Antona Čehova i Vladimira Nabokova u Opatiji; o Žirmunskom i Tomaševskom, kao nastavnicima naše suputnice Ljudmile A. Jezuitove) pao je i prvi prijedlog za buduću zajedničku temu – naime, "autometaopis". Temu smo uskoro odlučili proširiti na šire područje autoreferencijalnih pojava pa smo je odredili kao područje "autotematizacije u književnosti". Projekt smo završili u najtežim okolnostima, i to zahvaljujući postojanju znanstvene i osobne solidarnosti koje ne poznaju granice. Veseli me što će uskoro zbornik *Autotematizacija* izaći i na ruskom jeziku u izdanju Petrogradskog Sveučilišta.

Željela bih na kraju, zahvaliti svim suradnicima – autorima znanstvenih priloga u ovom zborniku, pa i onima koji su poslali svoj tekst samo za rusku verziju zbornika u Petrogradu (Dubravka Oraić Tolić). Zahvaljujem i stručnim recenzentima, prevoditeljima tekstova sa stranih jezika i na strane jezike: Maji Bratanić, Tatjani, Buzujevoj, Sonji Ludvig, Ireni Lukšić, Nataši Vidmarović te kolegi Branku Erdeljcu za jezične savjete. Ruska imena i prezimena transkribirana su prema tradicionalnom pravopisu, jer mislim da je on više, u tom smislu, poštovao duh hrvatskog jezika nego neki najnoviji pokušaji prenošenja ruskih imena transliteracijom.

Zahvaljujem osobito tajnici projekta Jadranki Brnčić.

Svima koji su pridonijeli objelodanjivanju ove knjige srdačno zahvaljujem.

U Zagrebu 15. srpnja 1995.

Urednica

AUTOBIOGRAFIJA NA KUŠNJI SREDNJOVJEKOVLJA

ANDREA ZLATAR

I. Teorijske pretpostavke

Autobiografija je, bez sumnje, jedan od realiteta moderne kulture. Na način na koji je prešutno vezana za književnost, jednako je srođena s modernošću: u njezinu se povijest nerado zagledava dalje od Rousseaua. Antički autobiografski tekstovi imaju status izuzetaka i proučavaju se samo na margini interesa za korpus antičke književnosti. Istraživanje koje bismo naslovili "Autobiografija u srednjem vijeku" od samoga bi početka bilo u paradoksalnoj situaciji: ono što bi trebalo biti njegovo tematsko usredištenje pokazuje se kao preslab (ili prevelik) okvir. Fluidnost žanrovskog pojma i nemogućnost formalizacija autobiografije, spajaju se s kronologijskom glomaznošću srednjega vijeka, njegovom poetičkom raslojenošću i izostajanjem temeljnih i čvrstih termina: srednovjekovna književnost, ideja autora i originalnosti, složeni odnos oralne i pisane medijevalne kulture.

Kako onda pristupiti određenju pojma srednjovjekovne autobiografije, bez pojma srednjega vijeka, bez pojma književnosti? Čak i kada bi pridjev srednovjekovni imao snagu čvrstoga označivača, sintagma *srednjovjekovna autobiografija* u sebi bi nosila protuslovlja vezana uz svoj drugi član. Pojam autobiografije još je mlađi od pojma srednjega vijeka, postoji od konca

18. stoljeća i od svoga nastanka u sebi nosi ideju autobiografije kao književnog žanra[1]: sabiranje niza tekstova pod zajednički nazivnik, čin imenovanja s rodotvornom snagom. Do 18. stoljeća moglo se o sebi pisati na različite načine, i naslovljavati vlastite životopise različitim imenima:[2] *Povijest mojih nedaća*, *Ispovijesti*, *Iz moga života*... Naslovi djela nerijetko su u sebi sadržavali i signale svoje buduće žanrovske klasifikacije. Osim toga, autori nisu bili opterećeni oblikotvornim zakonitostima: iz pripovijedanja o sebi lako se moglo prijeći u pripovijedanje o nekome ili nečemu drugom, iz tuđega životopisa moglo se prijeći u vlastiti, iz opće povijesti u privatnu, iz filozofije u priču, iz vizije u opis.

Velika imena književnosti, poput Rousseaua i Goethea iznijela su u prednji plan svijesti o književnosti mogućnost postojanja *autobiografije kao žanra*, a *Ispovijesti* su postale oglednim primjerkom novonastale vrste. Međutim, razmjerno je kratko trajala ta vjera u postojanje žanrovski specifične grupe tekstova kojima je tema život njihova autora: niti dvije stotine godina smirenog vjerovanja u jasne granice što autobiografiju dijele od svih drugih tekstova, posebice onih što također počinju s retrospektivno usmjerenim iskazom pripovjedača u prvome licu jednine. Sedamdesetih godina ovoga stoljeća došlo je do aposteriornog razaranja ideje o autobiografiji kao o jedinstvenom žanru. S jedne strane,

1 Georg Misch je identificirao prve uporabe pojma autobiografije: Herder (kao *Selbstbiographien)* 1796, Robert Southey 1809. *(auto-biography)* i Larousseov rječnik 1864. koji upotrebljavajući pojam "autobiografija" njezino tvorenje, bez preciznoga upućivanja, pripisuje Englezima (Misch, I,5). O postepenom uvlačenju pojma autobiografije u teoriju (psihoanalizu, književnu teoriju) početkom ovoga stoljeća opširnije piše Spengemann (1980, 187 i d.).

2 Kasnija stoljeća odijelila su naslov od žanrovskoga određenja: slobodan izbor naslova ima strogo zadani podnaslov "autobiografija".

književnopovijesni je materijal otežavao stvaranje jedinstvenog korpusa autobiografskih tekstova: što raditi s "autobiografijama" prije Rousseaua, treba li ih naprosto podvrgnuti naknadnom imenovanju iako one same nisu imale svijest o žanrovskoj pripadnosti; a s druge strane čak i unutar povijesno ograničenog korpusa tekstovi nisu zadovoljavali iole strože formalne zahtjeve. Na posljetku, jedina granica koja se činila čvrstom, granica koja je razgraničavala područje fiktivnog od nefiktivnog, književnost od historiografije, i po logici koje je i autobiografija imala svoje jasno područje (za razliku od romaneskne izmišljene priče ona je bila zasnovana na istini), postala je u ovome stoljeću nesigurnom.

Do 19. stoljeća retorika je uspješno pokrivala raznorodna područja poput historiografije i romana, pod zajedničkim nazivnikom pripovijedanja. *Historia, argumentum* i *fabula*[3] razlikovali su se prema svome istinosnom statusu, ali su svi pripadali području pojma *narratio*. Historiografija i memoari (uključujući autobiografiju) bili su pod okriljem retorike (Gossman, 1978, 5) određeni kao pripovijedanje onoga što se doista dogodilo. Njihovo zajedništvo s fikcijom išlo je po liniji modusa pripovijedanja, a od fikcije ih je razlikovao stupanj istinosti/vjerodostojnosti nasuprot pojmu mogućega/izmišljenoga što je temeljio fikciju. Devetnaesto stoljeće nadredilo je kriterij istina/laž, stvarno/izmišljeno, kriteriju tekstualnog razlikovanja priče od drugih načina izlaganja. Tako je historiografija pripala znanstveno zamišljenom području verificiranja i pozitivistički poimane istine, a roman području umjetnosti i umjetničke fikcije. Međutim, autobiografija ne prelazi zajedno s historiografijom u područje pozitivno zamišljenih znanosti, ona potiskuje zahtjev za "onim što se dogodilo", i pojačavajući zahtjev literarnosti približava se moderno shvaćenom pojmu književnosti. Status povlaštene referencijalnosti ipak ostaje u njezinoj pozadini,

3 Za opširnije tumačenje Ciceronove podjele vidi: Novaković (1980, 7).

i tako autobiografija počinje postojati na raskrižju historiografskog i fikcionalnog, kao hibridni modus njihova nesvjesna susreta.

Istodobno je autobiografija prolazila kroz proces emancipacije od sebi srodnih oblika. Terminologijski najprije je pojam memoara pokrivao političke i privatne zapise (tako je bilo riječi o "osobnim memoarima") i tek je koncem 18. stoljeća došlo do emancipiranja autobiografije u užem smislu od memoara. taj je proces bez sumnje sukladan procesu emancipacije historiografije od retorike: memoari se vežu uz historiografski, a autobiografija uz literarni pol. O razgraničenosti pojmova memoarsko i autobiografsko nije moguće govoriti jednoznačno: dok ih neki autori pokušavaju jasno razgraničiti (Neumann), drugi ih drže nerazdruživima (Misch). U priznanju stanovitih razlika između tih dvaju "tipova" teksta ipak se podudaraju i jedni i drugi: u memoarskim je zapisima riječ o osobi koja je redovito javni djelatnik (ponajčešće u političkom i državnom poslu), sudionik u zbivanjima što ih opisuje, katkad i njihov središnji akter, ali s namjerom tzv. "objektivnog" pripovijedanja, s namjerom pasivnog prenošenja zbivanja. Gledište autora postoji, ali je statično i kloni se vidljivoga "subjektiviziranja" pripovijedanja. Memoarski su zapisi, osim toga, od početka namijenjeni javnosti i javnom čitanju, s nerijetko prisutnom historiografskom tendencijom: njihovi se autori ponašaju kao "osobni" povjesničari. Memoaristi računaju s interpersonalnom poviješću, dok za autobiografa cijela povijest postoji da bi se on ("ja") imao gdje događati.

Autobiografski tekst u užem smislu obilježava, nasuprot memoarima, istaknutu prisutnost sebevidnoga pripovjednog gledišta. Neumannovim riječima, *aktivni* odnos prema onome što se oko autobiografa zbiva (Neumann, 1970, 9–38). Autobiografija je fokusirana na svoga autora s pomoću centripetalnih sila, memoari su više centrifugalni, njihov se autor razasipa u svojim javnim društvenim obličjima. Ako profesija presudno određuje tip autobiografskoga diskursa, onda će političarima pripadati većinom memoari, a umjetnicima autobiografije u užem smislu. Centripetalnost autobiografije, njezina fokusiranost na jednu osobu navela je teoretičare da pojam referencijalnosti zamijene pojmom autoreferencijalnosti, ali ne u semantičkom smislu[4] – perspektiva autoreferencijalnosti u ovom slučaju znači prijenos referencijalnosti od drugih na sebe, na ljudsko biće koje samo sebi biva predmetom pisanja.

Središnji položaj što ga zauzima autobiografija, položaj koji podrazumijeva jasne odgovore na pitanja što je književnost i što je historiografija podsjeća na smještenost srednjega vijeka, kao mračne i glomazne tvorevine nejasnih kontura, između dvaju jasnih i načelno poetički "čistih" razdoblja, poput antike i renesanse. U cjelokupnoj se povijesti književnosti nijedno drugo razdoblje ne imenjuje prema svome *položaju između* dviju epoha. Slična je situacija s određenjem autobiografije, koja nije niti historiografija niti fikcija, a kada je riječ o srednjovjekovnoj autobiografiji, tada nam se upitnici postavljeni na svakom od dijelova te sintagme međusobno umnožavaju. Kako, onda uspostaviti korpus srednjovjekovnih autobiografskih tekstova, na temelju kojih načelnih odredbi, kada nam nedostaju određenje srednjega vijeka, srednjovjekovne književnosti i srednjovjekovne historiografije. Srednjovjekovna autobiografija ne može biti uključena u srednjovjekovnu književnost, niti prem njoj suprotstavljena naprosto zato što ne postoji teorijski definiran korpus srednjovje- kovne književnosti.

Jedini realitet kojim raspolažemo jest realitet tekstova što su prošli kroz povijesnu selekciju i njezinu prikrivenu klasifikaciju: ono što je do nas došlo na neki je način već uređeno i "samo po sebi" nadaje modus recepcije. Naše čitanje srednjovjekovnih tekstova regulirano je dijelom i od strane srednjovjekovnih centara literarne

4 Semantika književnosti pojmom autoreferencijalnosti pokušava osigurati ontologijski status književnosti izvan dihotomije referencijalnog i nereferencijalnog.

distribucije: mi, naime, imamo na raspolaganju uglavnom samo one tekstove što su ih oni sami htjeli sačuvati. Pri njihovu daljnjem klasificiranju možemo se služiti nizom kriterija, od banalnih kriterija abecednog ili kronologijskog redoslijeda do tematskih, funkcionalnih, ili, na posljetku, žanrovskih klasifikacija. U žanrovskom ih smislu povezuje *naša* žanrovska svijest kojom ih naknadno usustavljamo. Usprkos nemaloj moći te klasifikatorske svijesti, srednjovjekovna je autobiografija još mnogo neodređenija vrsna oznaka nego što su to, primjerice, *renesansna komedija* ili *romantička novela*. Realitet tekstova srednjovjekovne autobiografije predočen nam je u opsežnoj studiji Georga Mischa *Geschichte der Autobiographie*, objavljivanoj polovicom ovoga stoljeća, koja razdoblju srednjega vijeka posvećuje četiri od osam svezaka, punih 2300 stranica.[5] Dok je u uvodnim stranicama prvoga dijela *Povijesti autobiografije* Misch opisao raznolikost formi koje poprima antička autobiografija, ne sumnjajući da u predrazumijevanju postoji jedinstvena određenost "antičkoga", prelazeći na medijevalnu problematiku napominje kako nema zadovoljavajuće definicije srednjega vijeka i da taj nedostatak odlučno prosuđuje o egzistenciji našega pojma.

Današnje proučavanje medijevalne autobiografije mora se, dakle, suočiti s dvije krajnosti: jedna je Mischevo istraživanje, a druga kratak Zumthorov tekst s karakterističnim upitnikom *Autobiographie au moyen âge?*, upitnikom što upućuje na temeljnu dvojbenost Mischeva i svakog sličnog pothvata. Iako postoji niz monografskih studija posvećenih poznatijim srednjovjekovnim autorima, poneki pregledni članak ili studija što obuhvaća povijesni razvoj autobiografije, pa logičnim hodom povijesti razdoblju

5 Mischeva povijest autobiografije započinje s natpisima na egipatskim grobnicama, a završava – prisilno – s Rousseauom budući da je autora smrt spriječila u dovršenju sveobuhvatnog pothvata pisanja povijesti autobiografije "do naših dana".

srednjega vijeka biva posvećeno nekoliko stranica ili, maksimalno, jedno poglavlje[6], nitko se nije prihvatio ponavljanja Mischeva posla iz eventualne drugačije teorijske perspektive.

Pregledavanjem bibliografija kako medijevistike tako i teorije autobiografije, zapravo će se vrlo rijetko susresti članak posvećen srednjovjekovnoj autobiografiji. I jednim i drugim istraživačima ta je tema više atipični izuzetak nego egzemplarni fenomen. Tako sjecište srednjovjekovlja i autobiografije biva negativno označeno, poput dvaju snopova silnica sa suprotstavljenim nabojem interesa koji se međusobno poništavaju. Jer sagledani odvojeno, srednjovjekovlje i autobiografija u posljednjih četrdesetak godina neobično su snažna temstaska žarišta što na sebe vezuju pažnju mnogobrojnih istraživača, povjesničara te teoretičara i povjesničara književnosti. U preglednom i bibliografski usmjerenom članku o autobiografiji James Olney (1980)[7] nas obavještava kako se od sredine pedesetih godina gotovo iz dana u dan, nevjerojatnom brzinom povećava broj studija o autobiografiji. Kada bi neki bibliograf medijevističkih radova imao pravo komentirati vlastiti posao, vjerojatno bi ga popratio riječima nalik na Olneyeve: *na mome stolu svakoga se dana množe radovi o srednjem vijeku, rastu nepregledni nizovi bibliografskih jedinica.* Usprkos svemu tome, onaj tko počinje proučavati srednjovjekovnu autobiografiju u svome će se radu presudno morati od početka do kraja oslanjati na Mischevu *Povijest autobiografije.* U iscrpnost njegovih studija doista nema potrebe sumnjati, no kako je moguće da sav u njima predočeni tekstovni materijal nije u međuvremenu potakao drugačiju teorijsku interpretaciju?

6 Za članke vidi u bibliografiji pod: Lehmann, Weintraub, Duby. Specijalistička je studija Mischu prethodeća knjiga Elisabeth Burr *The Autobiography: A Critical and Comparative study,* Boston-New York, 1909.

7 Bibliografsku studiju zahvaljujemo i Spengemannovoj knjizi (1980).

Bilo bi možda nepravedno prikazanu istraživačku situaciju nazvati "sustavnim zanemarivanjem", no još bi manje prikladno bilo reći da je riječ o slučajnom potiranju interesa. Pretpostavimo, nasuprot tome, da postoje stanoviti teorijski razlozi što i medijeviste i "autobiograf-o-loge" odbijaju od onog istog materijala što je Mischu bio poticajan za više od 2000 stranica analize. Što se uopće pak zbiva pokušamo li taj materijal integrirati u suvremeni teorijski kontekst: što "viri" iz njegova okvira? Što zapravo znači "integrirati u suvremeni teorijski kontetkst" – radi li se o aplikaciji žanrovskog sistema, o pokušaju genologije da preimenovanjem ili samo imenovanjem uvede red u genologijski neuređen tekstovni prostor? Na posljetku, kakve nam odgovore nude teoretičari na pitanje "što je autobiografija?" ili "kako definirati žanr autobiografije?" Možemo li se uopće negdje zaustaviti prije radikalnog skepticizma koji pitanja "što" i "kako" destruira pitanjima "je li moguće" i "postoji li uopće"?

II. Autobiografija kao žanr?

Svi misle da znaju što je autobiografija,
ali se ni dvoje ljudi ne može složiti
što doista ona jest.

(James Olney)

Očita nejedinstvenost formalnih obilježja autobiografije, njezina sklonost poprimanju različitih "oblika" (pripovjednih i nepripovjednih, proznih i stihovanih, literarnih i neliterarnih) navodi teoretičare na odustajanje od identifikacije temeljnih svojstava forme na temelju kojih bi bilo moguće uspostaviti *žanr* autobiografije. Zanimanje za raznolikost oblikotvornih osobina potiskuje potragu za definicijom žanra, a termin autobiografija počinje postojati mimo genologijske problematike: on više ne funkcionira na razini književnih vrsta (kao komedija, novela), a ne može biti uzdignut do razine roda (kao epsko, lirsko, dramsko). Ipak, počinje se upotrebljavati uglavnom u svome izvedenom, pridjevskom obliku – *autobiografski* diskurs, akt, figura i više se ne postavlja pitanje na temelju koje supstancije (žanrovske?) jest izveden taj pridjev. Tako Paul Jay (1985) u prednji plan svoje analize autobiografskih tekstova s početka ovoga stoljeća stavlja *evoluciju forme*, a potiskuje pretpostavljeni problem: evolucija forme *čega?* Pojam žanra autobiografije on zamjenjuje pojmom "autobiografske kvalitete", Paul de Man (1979) konceptom "autobiografije kao figure", Philippe Lejeune (1975) "autobiografskim ugovorom", Elizabeth Bruss (1973) "autobiografskim aktom", Mirna Velčić (1990) "autobiografskim diskursom", Avrom Fleishman (1983) "autobiografskom aktivnošću".

Paul de Man eksplicitno smješta problem u shvaćanje autobiografije kao jednog od književnih žanrova, budući da sama ideja žanra znači problematičnu konvergenciju historijskog i estetičkog. Nasuprot tome, De Man tvrdi: "Autobiografija nije žanr ili modus, nego je figura čitanja ili razumevanja koja se pojavljuje, u određenom stepenu, u svim tekstovima" (De Man, 1988, 121). Načelna razlika između De Mana i drugih teoretičara[8] što izostavljaju pojam žanra, jest u tome što oni jedan pojam naproso zamjenjuju drugim, zadržavajući referencijalnu ograničenost na nizu (već otprije) određenih tekstova, dok De Man *autobiografsko* proširuje na mogućnost svih tekstova.

Vrlo je teško oteti se dojmu vrtnje u krugu ovih izvoda: svejedno je li riječ o ugovoru, figuri, diskursu ili kvaliteti, uvijek se kao ključna riječ pojavljuje pridjev *autobiografski*, pridjev izveden iz nevidljivog i neuhvatljivog a hipostaziranog pojma autobiografije. Kao da nas potiskivanje supstantiva oslobađa samoga pojma i njegove usidrenosti u ideji autobiografije kao žanra. O čemu dru-

8 S izuzetkom M. Velčić.

gome onda svjedoči niz obuhvatnih povijesti autobiografije s podudarnim referentnim tekstovima ako ne o postojanju relativno koherentnog korpusa utemeljenog na ideji žanra?

Za razliku od naziva žanrova koji sami po sebi govore malo ili niša o "prirodi" imenovane vrste (kao što je, primjerice, slučaj s romanom), žanrovski naziv *autobiografija* nudi svoju vlastitu definiciju: netko sam piše o svom životu. Pridjevski dio *auto*- (αυτοσ - grč. sam) dodan je na otprije postojeću složenicu *biografija: pisati o (nečijem) životu*. Umjesto biografske razdvojenosti autora i "junaka", subjekta i objekta pisanja, autobiografija predočuje podudaranje tih dviju instancija. Nastanak toga termina novijega je datuma i podudara se naravno s nastankom žanra: ponovimo tezu o rodotvornom karakeru imenovanja. Međutim, termin autobiografije zadužio je njezinu sudbinu u cijelom povijesnom opsegu. Teorija autobiografije upozorila je na specifičnu tročlanost toga termina: čini se da su tokom povijesti "žanra" autori mijenjali mjesto i jačinu naglasaka na svakome od pojedinih dijelova: ja pišem svoj *život* (antika i srednjovjekovlje); *ja* pišem svoj život (renesansa, prosvjetiteljstvo - Rousseau, romantizam); ja *pišem* svoj život (moderna autobiografija). Asinkrono ili ravnomjerno naglašavanje jednoga od triju članova složenice (*ja, život, pisanje*) navelo je i teoretičare autobiografije, upozorava Olney (1980, 19–23) da svoje idejne konstrukte razvijaju slijedeći premještanje tih naglasaka, a katkad i "propisujući" koji od dijelova mora biti u žarištu.

Najprvo (pedesetih i šezdesetih godina) interes je bio usmjeren, primjećuje Olney, na područje pojma *bios*, na životno događanje kao predmet pisanja, autorsko jastvo nije bilo propitivano, a akt pisanja nije se uopće primjećivao. Zatim je postalo problematično *ja* koje piše (konac šezdesetih i sedamdesete godine), a na posljetku sam čin pisanja (od konca sedamdesetih do naših dana). No, takva kronologija teorijskog razvoja upozorava na činjenicu da se teorija autobiografije razvila razmjerno kasno, da je autobiografija gotovo stotinu i pedeset godina postojala bez teorijske refleksije o sebi.

Razloge zašto se teorija relativno dugo nije zanimala za autobiografiju (odnosno, zašto u vremenskom smislu autobiografski tekstovi postoje mnogo dulje nego što su bili teorijski promatrani) Olney svodi na tri temeljna:

– neliterarnost (ili "niži stupanj" literarnosti, ako se to uopće smije reći) autobiografije,

– neformaliziranost tekstova,

– sklonost autobiografije k samorefleksiji, pa se time smanjuje potreba za naknadnom i izdvojenom refleksijom.

Val teorijskog interesa za autobiografiju otvorio je pedesetih godina Guy Gusdorf studijom o *transformaciji iskustva* u literaturu.[9] Takvom je jasnom postavkom bilo zadano razumijevanje autobiografije sve do polovice šezdesetih godina. Raznolikost iskustava odnosno različitost života što čine materijal za literarnu tranformaciju, sagledana je kao razlog formalne nejedinstvenosti: raznolikost formi proizlazi iz različitosti života što se u njima prikazuju.[10] Iako je svejstan da autobiograf živi u iluziji o "objektivnosti" pisanja vlastite povijesti, Gusdorf ostaje u uvjerenju da u autobiografiji imamo posla sa životom, koji je odigran prije nego što je napisan. Gusdorfova definicija nešto je stiliziranija verzija uvriježenoga (naivnoga ili idealnoga?) shvaćanja autobiografije: *autor, koji je ujedno i junak priče, hoće osvijetliti svoju prošlost tako da iscrta strukturu svoga bića kroz vrijeme.*

Subjektivnost autobiografije on pomiče samo do granice toga da autobiograf piše o sebi *kako sam sebe vidi*, a za razliku od histo-

9 Riječ je o knjigama pod naslovom *Le découverte de soi* (PUF, 1948) i *Mémoire et personne* (PUF, 1950). Gusdorfove ideje navodimo prema Olneyevu prikazu (1980).

10 Ta se raznolikost, prema Gusdorfu, načelno ipak dade svesti na dva oblika, konfesionalni i apologetski.

riografskoga ili biografskoga teksta Gusdorf uzima autobiografsku blizinu romanu i njezin (rusoovski) prosvjetiteljski karaker. U Gusdorfa odzvanja špicerovska linija razumijevanja jedinstvenosti stila i čovjeka, pri čemu se osobnost postavlja i kao uzrok i kao posljedica stila. Kao svoje prethodnike Gusdorf osjeća Mischa i Diltheya, dakle onu struju koja svom proučavanju daje metafizičke pretpostavke: ideju humaniteta, ideju povijesnog razvoja i razvoja individualiteta.

Prvenstvo Diltheyevih spisa[11] o autobiografiji nije tek kronologijske prirode. U obzoru njegove filozofijske teorije autobiografija nema marginalno i slučajno mjesto, nego je dio u cjelovito postavljenom sustavu. Cjelokupna flozofijska Diltheyeva teorija o postojanju duhovne svijesti povijesnih epoha te o potrebi utemeljenja društvenih znanosti, očituje se u teoriji povijesti, a autobiografija je predstepenica povijesti.

Dilthey pišući o autobiografiji postavlja hermeneutički krug predrazumijevanja: nije moguće poći od žanra autobiografije, nego od ideje života. "Autobiografija je samo jedna samorefleksija čoveka o njegovom životnom toku, koja je dobila književni izraz. Ali takva samorefleksija obnavlja se na izvesnom stepenu u svakoj individui.(...) Samo ona omogućuje istorijsko viđenje. Moć i širina vlastitog živoga, kao i energija refleksije o njemu – temelj je istorijskog viđenja. Jedino ona omogućuje da se ulije drugi život beskrvnim senkama prošlosti. Njena povezanost s bezgraničnom potrebom čoveka da se unese u tuđu egzistenciju, da u njoj izgubi vlastito ja - čini velikog povesničara" (1980, 262).

11 "Doživljavnje i autobiografija" prvi je dio Diltheyeva "Plana za nastavak studije o izgradnji istorijskog sveta u duhovnim naukama". U nacrtu iste cjeline sabiru se problemi autobiografije, biografije, sklopa života, doživljavanja, razumijevanja i tumačenja. (Dilthey, Wilhelm /Diltaj, Vilhelm/, *Izgradnja istorijskog sveta u duhovnim naukama*, Begrad 1980, prev. D. Guteša).

Za Diltheya autobiografija je *"najviši i najpoučniji oblik u kome se susrećemo s razumevanjem života"* (261), i istodobno, predstupanj pravoga povijesnog razmišljanja. U autobiografiji se radi o historizaciji osobne povijesti, o njezinu eksterioriziranju, te samim time i socijaliziranju. Autobiografija za Diltheya, kao i kasnije za Mischa[12], predstepenica je socijalizacije samorazumijevanja sebe i pretpostavka za razumijevanje drugoga: povijest vlastitoga života model je kako za povijest nečijega tuđeg života tako i za univerzalnu povijest svijeta.

Diltheyeve teze nisu ostale bez utjecaja u daljnjem proučavanju autobiografije, ali su se više rabile za potvrđivanje veze između autobiografije i historiografije, a manje za uspostavljanje same teorije autobiografije. Dilthey, vidjeli smo, autobiografiju određuje kao *"samo jednu samorefleksiju čovjeka o njegovu životnom toku, koja je dobila književni izraz"*. Zadana je tema - vlastiti životni tok, zadan je i modus – samorefleksija, a književni izraz općenito se pridaje kasnije. Čini se, dakle, da je moguće imati samorefleksiju u neknjiževnom obliku, ali nije jasno da li to vrijedi i za autobiografiju. Dilthey, naime, autobiografiju bezupitno smještava u područje književnosti. Načelno se, ipak, o osobnoj povijesti može govoriti mimo njezina literarnog uobličenja: osobna povijest jest historija samospoznaje, refleksija čovjeka o sebi samome. Specifičnost autobiografije leži u tome što ima za predmet *nešto "pojedinačno"* i što je *onaj tko razumijeva tok života identičan s onim koji ga je stvorio* (261)[13]

12 Zašto prešutjeti konkretnu podlogu Mischeve vezanosti za Diltheya: Georg Misch oženio se Diltheyevom kćeri i ta svojtinska bliskost sigurno nije bila bez traga na teorijskoj razini.

13 Pitanje identiteta na ovome je mjestu za Diltheya pitanje fakticitea, a ne rezultat samospoznaje. Identitet je puka činjenica, dok neidentitet može biti proizvod samosviјesti.

U Diltheyevim razmatranjima o autobiografiji ključni su filozofijski poimani termini: čovjek, individuum, život, samorefleksija. Minimum književnoteorijskih opaski s njegove strane govori o neupitnosti ili nezanimljivosti literarnih svojstava autobiografije. Književna teorija, međutim, posljednjih je dvadesetak godina uprla svoje snage da sredstvima svoje metodologije i vlastitim pojmovnim aparatom opiše autobiografiju i izvede njezinu definiciju. Većina tih pokušaja kretala se u krugu od pokušaja do odustajanja od definiranja autobiografije kao žanra

Da priznanje nemogućnosti ostvarenja takva projekta nije posljedovalo odricanjem njegovih namjera, svjedoči kontinuirano djelo francuskoga teoretičara Philippea Lejeunea: od *Autobiographie en France* (1971), gdje pokušava uspostaviti žanr autobiografije na temelju ograničenja korpusa, preko *Le pacte autobiographique*, u kojem pojam žanra zamjenjuje pojmom ugovora, do *Moi aussi* (1986), knjige koja se bavi paraliterarnim oblicima autobiografije (mediji) etnologijskim proučavanjem. Iako se već prije suočio s problemom ograničenja korpusa i žanrovskog određenja, u *Le pacte autobiographique* (1975) Lejeune ne odustaje od potrebe sužavanja radnoga polja na razdoblje od Rousseaua do naših dana. Tako bivaju isključenim svi predrusoovski tekstovi potencijalno pripadni području autobiografije. Lejeune ne zaobilazi Mischev pothvat, ali ne nalazi dostatnih teorijskih potkrepa za njegovo opravdanje. Smatra ga duhovnim nastavkom projekta što su ga započeli još 1790. godine Herder i Goethe: stvoriti korpus svih autobiografskih tekstova napisanih u svim vremenima i svim zemljama, i pokazati u tome progresivno oslobođenje ljudskog individuuma (Lejeune, 1975, 314). Takvome projektu Lejeune ponajprije prigovara anakronijsku perspektivu, držeći da se njegovu vlastitom proučavanju autobiografije u kontinuitetu posljednjih dvjesto godina ne može staviti primjedba anakronijske perspektive.

Lejeune, bez sumnje, nije jedini koji vjeruje da mi danas pripadamo istome vremenskom luku, možda doduše njegovome krajnje suprotnom polu, ali u svakom slučaju istoj epohi, epohi *moder-*

niteta, na čijem je početku bio Rousseau. Nasuprot tome, proučavanje autobiografije u antici i srednjem vijeku optužuje se za prelazak iz područja historije žanrova u metafiziku time šo se autobiografija shvaća odviše široko (pričanje vlastitoga života kao jedan od temeljnih izraza ljudskosti, jedna od njegovih najviših točaka). Lejeune smatra da Mischevim analizama nedostaje historijske pertinencije, čak i onda kada se suočavaju s konkretnim naslagama historije. U posebnom slučaju srednjovjekovne autobiografije, Lejeune potpuno preuzima (isto, 315) negativno intonirane Zumthorove stavove: nije legitimno proučavati autobiografiju u srednjem vijeku na način da se regrupiraju tekstovi što nisu imali nikakav odnos među sobom. *Vita* Guiberta od Nogenta pripada tradiciji augustinovskih ispovijesti, a *Historia calamitatum* ekstraordinaran je i atipična slučaj što s prvim nema nikakve veze, a ponajmanje ima žanrovske srodnosti. Lejeune se stoga priklanja Zumthoru koji pokazuje[14] ne samo da u srednjem vijeku nije ispunjen nijedan od uvjeta (moderne) autobiografje, nego da ti uvjeti nisu još ni postojali: nije postojao pojam autora, nije postojala književna autoreferencijalna uporaba prvoga lica, nije postojala razlika između fikcije i historije. Zumthor smatra da su dva osnovna odredbena momenta autobiografije "ja" i "nefiktivni govor", to jest referencijalna relacija, i da oni postoje tek od 12. stoljeća nadalje. Kritika započinje već od činjenice da srednjovjekovlje do 12. i 13. stoljeća ne poznaje osobna imena i prezimena kao oznake individualnosti: osobe nose vlastita imena kojima se umjesto prezimena dodaju oznake pripadnosti "od grada", "od samostana" ili "od pokrajine". Moderni pojam autora do 1200. ne može biti upotrebljiv, smatra Zumthor, do tada su autori bili samo produžene ruke

14 Problemu srednjovjekovne autobiografije Zumthor se "usputno" posvećuje u knjizi *Essai de poétique médiévale* (1972, 172–174), a zaseban mu tekst posvećuje tri godine kasnije, pod naslovom *Autobiographie au Moyen Age?* (*Langue, texte, énigme*), 1975).

anonimnosti. U cjelini je pripovijedanje u srednovjekovlju nepersonalno, a iznimke su više uočljive nego stvarne. Primjer uporabe u 1. licu, kao u *Roman de la Rose*, ne tumači se kao signal autobiografske referencijalnosti, nego kao univerzalizirana uporaba anonimnoga "ja". Granični su slučajevi i memoari pisani u trećem licu, te *peregrinatio* s narativnim sekvencijama memoarskog tipa, no ni u jednom od tih tipova tekstova ne postoji *je qui parle* nego prevladava *ça parle* teksta.

Iako odriče postojanje autobiografije kao srednjovjekovnog žanra, taj nas medijevist ne lišava potpuno mogućnosti da u tumačenju pojedinih slučajeva upotrijebimo "ključ" autobiografskoga čitanja, ali s vrlo suženim dosegom.

Identificirajući mjesta i načine na koje autor ipak ulazi u tekst (u lirici, ponajviše kod Guillaumea de Machauta) Zumthor analizira odnos *le* ***je*** *de la chanson et le* ***moi*** *du poète*. Očigledno autobiografskim tekstovima (poput Geralda iz Walesa ili Ivana iz Salisburyja) ne odriče (1975, 166) autobiografičnost, ali ih smatra marginalnima. U Zumhtorovu zaključivanju presudnu ulogu ima činjenica što među tekstovima na narodnim jezicima sve do 14. stoljeća nije moguće pronaći ništa usporedivo Abélardu, Geraldu ili Guibertu od Nogenta. Konačni je sud da i te nabrojene izuzetke dugujemo retrospektivnoj iluziji čitanja, koja zanemaruje kodove epohe. Nije nam čak ni dopušteno pomisliti kako su ti izuzeci oni što proizvode iluziju postojanja žanra autobiografije kroz stoljeća.

Usvajajući Zumthorove argumente, Lejeune ih prenosi na općenitu razinu svoje teorije u kojoj se problem definiranja žanra s obzirom na njegove "unutarnje", imanentne osobine, prenosi na razinu konteksta, i umjesto definicije autobiografije kao žanra mi dobivamo definiciju autobiografskog ugovora. Tako je nepostojanje autobiografskoga ugovora razlog odricanju postojanja autobiografije u razdoblju do Rousseaua. Lejeune slikarstvu postavlja status autoportreta (Lejeune, 1975, 315). Autoportret kao "žanr" funkcionira od 17. stoljeća, ali je jasno da su i tokom srednjega vijeka nastajali autoportreti. Međutim, on nisu imali "funkciju autoportreta", ni u socijalnom ni u estetičkom smislu, nisu imali analogno postavljen odnos prema portretima... – i to su razlozi što Lejeunea vode k zaključku da u srednjem vijeku nije postojao autoportret. Drugi njegov usporedbeni primjer jest primjer povijesti žanra pisma. Žanr pisma neprestano nas upozorava na neprestanu varijabilnost sistema žanrova i granica onoga što danas zovemo književnost: nema vječne biti pisma, radi se o fluktuirajućoj i kontingentnoj egzistenciji jednoga načina pisane komunikacije, koja u različitim sistemima zadobiva različite funkcije. Genologijske analize što izoliraju jedan element i slijede njegov trag u historiji imaju iluzivni karakter. Opasnost na koju Lejeune upozorava jest opasnost od uporabe ideje žanra kao invarijantne matrice: ta je invarijanta toliko jaka da se s pravom moramo bojati da nismo u stanju uočavati postojanje stvarnih varijanti, nego nam sve varijante postaju varijante jedne invarijante, a ne prave različitosti.

Druga vrsta iluzije koje se moramo čuvati jest iluzija o rođenju žanra (isto, 317). Umesto potrage za nastankom žanra, treba pratiti evoluciju sistema, što u našem slučaju znači - sve tragove autobiografskog pisma. Žanrovi su ionako rezultat redistribucije formalnih obilježja što već postoje u prijašenjm sistemu, ali su drugačije raspoređeni i imaju drugačije funkcije. Nije li Lejeune tako ponovno bliži Mischevoj polaznoj točki, a ne vlastitim postavkama? Ili je Georg Misch svoju *Povijest autobiograije* napisao u iluzivnoj perspektivi? Odupire li se materijal što ga prikazuje Misch Lejeuneovoj definiciji autobiografije i autobiografkog ugovora? Odgovori na sva ta pitanja pretpostavljaju podrobnije upoznavanje s Lejeuneovom koncepcijom autobiografskog ugovora.

U svome prvom radu o francuskoj autobiografiji Lejeune je autobiografiju poistovjetio s jednim posebnim tipom autobiografije, s onim što stavlja naglasak na postanak i razvoj osobnosti, i tako dobio model od kojega su se drugi tekstovi odvajali. U *Autobiografskom ugovoru* Lejeune autobiografiju definira kao *"Retrospektivni prozni tekst u kome neka stvarna osoba pripovijeda vlastito življenje, naglašavajući svoj osobni život a osobito povijest razvoja vlastite ličnosti"* (1975, 14)

Četiri su dakle određenja:

1. jezik: pripovijedanje u prozi
2. tema
3. identitet autora i pripovjedača
4. pozicija pripovjedača, identitet pripovjedača i glavnog lika u retrospektivi (što bi Genette nazvao autodijegetskim pripovijedanjem).

Osnovnu ideju autobiografskog ugovora Lejeune postavlja putem suodnosa pripovjedača, lika i, što je najvažnije, autor koji se potpisuje na koricama knjige i time presudno označava svoj tekst autobiografskim. Čitalačka recepcija ona je koja prepoznaje autobiografski ugovor što joj se nudi, i "potpisuje" ga sa svoje strane, pristaje na njega.[15] Iako Lejeuneovo određenje autobiografije ima dva tekstualna momenta (prozno pripovjedanje koje isključuje stihove, 1. lice pripovjedača), presudan je pragmatički aspekt ugovora, čime iz klasičnih književnoteorijskih prelazi u komunikacijske teorije.

Pravim teoretičarem autobiografije kao govornog čina možemo, međutim, nazvati Elizabeth Bruss.[16] Dok se Lejeune postavlja iz točke *sadašnjeg* čitaoca pred masom publiciranih tekstova, ona se želi postaviti na očišta publike razmještene u povijesnoj dijakroniji.

15 Paul de Man pojam "autobiografskog ugovora" između autora i čitaoca proširuje na korpus svih tekstova, navodeći nas na zaključak kako bi se svaka knjiga s "uočljivom naslovnom stranom" mogla smatrati autobiografskom.

16 Riječ je o njezinoj knjizi *Autobiographical Acts. The Canging Situation of a Literary Genre* (The Johns Hopkins University Press, Baltimore & London, 1976). Francuski prijevod temeljnoga teksta iz te knjige objavljen je prije njezina cjelovita objelodanjenja, još 1974, pod naslovom "L'autobiographie considerée comme acte litteraire" (*Poetique*, 1974/17, str. 14-26.).

Istodobno, Brussova pokušava formulirati pravila autobiografskog čina tako da budu iznad mogućih historijskih pomaka. Pravila su ista, ali se modeli autobiografskih činova razlikuju u historijskom slijedu, oni ne mogu biti isti, kako pretpostavlja Lejeune, u 18. i u 20. stoljeću. Tokom povijesti mijenja se položaj autobiografskog čina unutar okvira književnog sistema, i to s obzirom na četiri momenta (Bruss, 1976, 8):

1. varijabilnost prirode tekstualnih karakteristika koje signaliziraju žanr,

2. varijabilnost stupnja integracije generičke funkcije s drugim funkcionalnim aspektima teksta,

3. varijabilnsot književne vrijednosti žanra,

4. varijabilnost ilokutivne prirode generičke funkcije.

Iako autorica smatra da ne možemo govoriti o postojanju distinktivnog *književnog* ilokutivnog akta, o žanru se govori na razini ilokutivnosti. Razlozi za to leže u nemogućnosti da se na temelju opisa konstrukcije teksta (stil, forma, funkcija) dobiju dostatni signali za identifikaciju žanra. Umjesto toga, ona naznačuje situaciju unutar koje se odvija autobiografski čin i opisuje položaj njegova nosioca (isto, 10–11):

1. a) autobiograf uzima dvostruku ulogu, on je u podrijetlu subjekta teksta i podrijetlu strukture koju njegov tekst prezentira; on uzima odgovornost osobne kreacije i organizacije teksta;

b) pretpostavlja se da je individuum koji se otkriva u organizaciji teksta identičan individuumu na kojega se referira preko subjekta teksta;

c) postojanje toga individuuma, neovisno o tekstu, treba biti dostupno javnoj verifikaciji;

2. informacije - ispričani događaji u autobiografiji uzimaju se "kao da su se dogodili", kao da jesu ili bi trebali biti istiniti, jednako

tiču li se intimnih događaja ili događaja otvorenih promatranju publike; od publike se očekuje da prihvati iskaze kao istinite i ona je slobodna da ih provjerava;

3. bez obzira na to mogu li se opovrgnuti autorovi iskazi, ili sagledati iz nekog drugoga gledišta, autor se mora postaviti kao da vjeruje u ono što tvrdi.

Ilokutivna snaga autobiografskoga teksta počiva na autorovoj spremnosti da zadovolji sve navedene uvjete, te na povjerenju koje mu publika iskazuje.

Iako se u Lejeunea i Brussove mora uvidjeti prelazak od analize teksta na komunikacijske uvjete teksta, čini se da u njihovim stavovima odzvanjaju oni isti koncepti koji su se pojavili već u prvim i naivnim određenjima autobiografije. Što njihovu formulaciju autobiografskog ugovornog odnosa ili autobiografske situacije razlikuje od Gusdorfova i Diltheyeva inzistiranja na identitetu autora i junaka, ili od njihova shvaćanja autobiografije kao *transpozicije životnog iskustva*? Identitet autor/pripovjedač/lik i pretpostavku o provjerljivosti[17] onoga što se u tekstu prikazuje, pronalazimo u svih tradicionalnih teoretičara. Čini se da bi to bila dva odredbena elementa, invarijantna i nathistorijska, po kojima se autobiografski tekstovi mogu lučiti od svih drugih.

Bruss i Lejeune od Gusdorfa ili Mischa razlikuju se, međutim, na jednoj drugoj razini, na razini koja prethodi, a zatim i zahodi književnoteorijskom promišljanju – na metafizičkoj razini postavki o razvoju individuuma i njegove samosvijesti kroz autobiografske tekstove. Književni teoretičari svoje teorije pokušavaju očistiti od

17 Jedino Paul de Man opovrgava referencijalnu relaciju: "Jesmo li sigurni da autobiografija zavisi od referencije onako kako fotografija zavisi od svoga modela?" (De Man, 1989, 120)

natruha filozofskih pretpostavki; Elizabeth Bruss, štoviše, pretkazuje da će jednom možda biti i takvih vremena u kojima neće postojati ono što mi danas (odnosno, već nekoliko stoljeća) nazivamo individualnim identitetom. Jednako tako, smatra ona, pogrešno je poistovjetiti "ja" iz biblijskih psalama i "ja" grčkih historičara s "ja" jednoga takvog "modernog individuuma". Stoga se kao presudna razlika srednjovjekovnih autobiografija naspram modernih također može ispostaviti nedostatak poimanja individualiteta. Htio to Lejeune priznati ili ne, njegovo postavljanje jedinstvene epohe od Rousseaua do današnjih dana upravo je zamišljeno pod sjenom koncepta građanske monade individuuma. Hoćemo li onda srednjovjekovnu autobiografiju nazvati neindividualiziranom autobiografijom, ili bi to bila svojevrsna *contradictio in adiecto*? Budući da Lejeune ne iskazuje eksplicitno zahtjev za građanskim poimanjem individuuma, sve ostale njegove uvjete ispunjavaju i srednjovjekovni potencijalno "autobiografski" tekstovi:

1. pripovijedaju u prozi,

2. tema je vlastiti život (drugo je pitanje što npr. Guibert od Nogenta smatra pod "vlastitim životom"), također s naglaskom na poimanju razvoja osobnosti,

3. identitet autora i pripovjedača jasno je iskazan u naslovima (*Guiberti Novigentensis de vita sua*, primjerice)

4. pripovjedni odnosi pripovjedača i glavnoga lika mogu se razlikovati, u rasponu od neposrednog identiteta u 1. licu do skrivenog, posrednog identiteta u 3. licu (Lejeune priznaje mogućnost autobiografije u 3. licu); retrospektivno pripovijedanje je dominantno.

Naravno, za predstavnike pragmatičkih teorija problem identifikacije autobiografskoga teksta ne leži u njegovu ispunjavanju narativnih uvjeta, nego on leži u ispunjavanju pragmatičkih uvjeta autobiografskog ugovora, za utvrđivanje kojih nedostaje analiza kako autorske svijesti o produkciji tako i recepcijske svijesti publike.[18] Time se dakako, nužno upućujemo u prošlost, u povijest tekstova. Bez neposredne prisutnosti autora ili publike, oblici medijevalnoga autobiografskog ugovora trebali bi se dati razaznati iz tekstova u kojima se oni materijaliziraju.

Razmatranje prošlosti autobiografije isprepleće se, međutim, s iščitavanjem njezine pisane povijesti. Osuđenost na tekstove i njihovu stalnu međusobnu reinterpretaciju pokazuje tako svoju snagu: prije susreta s "izvornim" tekstovima susrest ćemo se uvijek s njihovom *historijom*. U njoj su se izvori vjerojatno i zamutili.

18 U opsežnoj studiji *Histoire de la vie privée*, u 2. svesku koji se odnosi na srednjovjekovlje, a potpisuje ga Georges Duby, rasprava o ondašnjim autobiografijama ima važno značenje i daje nam osnovne informacije o eventualno uspostavljivoj relaciji autor- pripovjedač/junak i autor-publika. Isto tako, osnovne naznake za drugačije razmišljanje o srednjovjekovnoj autobiografiji, statusu autora i važnosti pojma "individuum" daju Gurevič i Le Goff. Ta su tri autora izvori ključnih argumenata protiv jednosmjernosti radikalnih stavova Lejeunea i Zumthora, pružaju osnovu za stvaranje jedne kulturološke analize fenomena srednjovjekovne autobiografije u maniri francuskih novih historičara.

LITERATURA

Beaujoir, Michel: "Autobiographie et autoportrait", u: *Poétique* 32/1977.

Bruss, Elisabeth: *Autobiographical Acts. The Changing Situation of a Literary Genre*, Baltimore & London, 1976.

Curtius, Ernst Robert: *Evropska književnost i latinsko srednjovjekovlje*, preveo Stjepan Markuš, Zagreb 1971.

Diltaj, Vilhelm (Dilthey, Wilhelm): *Izgradnja istorijskog sveta u duhovnim naukama*, prevela Dušica Guteša, Beograd 1980.

Duby, Georges / Ariès, Philippe: *Histoire de la vie privée 2*, Paris 1985.

Fleishman, Avrom: *Figures of Autobiography. The Language of Self-Writing*, Baltimore 1983.

Gossmann, Lionel: "History and Literature". u: *The Writting of History* (ed. R. H. Canary and H. Kozicki). London, 1978.

Gurevič, Aron: *Problemi narodne kulture u srednjem veku*, prevela Lidija Subotin, Beograd 1987.

Gourevitch, Aaron J: *Les catégories de la culture médiévale*, Paris 1983. (izvorno izdanje: *Kategorii srednevekovoj kul'tury*, Moskva 1982).

Gusdorf, Georges: "Conditions et limites de l'autobiographie", u: *Formen der Selbstdarstellung. Festgabe für Fritz Neubert*, Berlin 1956.

Jay, Paul: *Being in the Text*, Ithaca - London 1984.

Koselleck, Reinhardt: "O raspoloživosti povijesti", u: *Quorum* 4/1990.

Le Goff, Jacques: *Srednjovekovna civilizacija zapadne Evrope*, prevela Dobrila Stošić, Beograd 1974.

Le Goff, Jacques (ur.): *L'homme médiéval*, Paris 1989.

Lehmann, Paul: "Autobiographies in the middle ages", "Transactions of the Royal Historical society", fifth series, III, 1953.

Lejeune, Philippe: *Le pacte autobiographique*, Paris 1975.

Lejeune, Philippe: *Je est un autre*, Paris 1980.

Lejeune, Philippe: *Moi aussi*, Paris 1986.

Man, Paul de: "Autobiografija kao raz-obličenje", u: *Književna kritika*, 2/1988.

Misch, Georg: *Geschichte der Autobiographie*, Frankfurt am Main 1949-1969, 8 vol.

Morris, Colin: *Discovery of the Individuality 1050-1200*. New York 1972.

Neumann, Bernd: *Identität und Rollenzwang. Zur Theorie der Autobiographie*, Frankfurt am Main, 1970.

Novaković, Darko: "Grčki ljubavni roman", u: Ksenofont Efeški, *Efeške priče*, Zagreb 1980.

Olney, James (ed.): *Autobiography, Essays Theoretical and Critical*, Princeton 1980.

Spengemann, William C: *The Forms of Autobiography. Epizodes in the History of a Literary Genre*, New Haven - London, 1980.

Velčić, Mirna: *Otisak priče. Intertekstualno proučavanje autobiografije*, Zagreb 1991.

Vitz, Evelyn B: "Type et individu dans 'l'autobiographie' médiévale", u: *Poetique* 24/1975.

Vitz, Evelyn B.: "Vie, légende, littérature. Traditions orales et écrites dans les histoires des saints", u: *Poetique* 4/1985.

Weintraub, Karl J: *The Value of the Individual. Self and Circumstance in Autobiography*, Chicago - London, 1978.

Zumthor, Paul: *Essai de poétique médiévale*, Paris 1972.

Zumthor, Paul: *Langue, Texte, Enigme*, Paris 1975.

Zumthor, Paul: *Le Masque et la Lumière*, Paris 1978.

Zumthor, Paul: *La lettre et la voix*, Paris 1987.

SUMMARY

Andrea Zlatar

Autobiography in the Middle Ages

The paper discusses the problem of defining medieval autobiography within the framework of recent theoretical literature. On the one hand medieval autobiography is considered from the angle of medieval studies (with respect to the underdeveloped concept of subjectivity and individuality, the concept of authorship, and the understanding of literature in the Middle Ages) while, on the other hand, internal problems of the theoretical approach to autobiography become apparent: the place of autobiograpy in relation to "pure" literature and historiography as well as the impossibility of its textual formalization. The idea of a history of autobiography (the work of Georg Misch as the most important representative of this critical trend) is analysed on the basis of structuralist and narratological principles. In the end the author is inclined to give up the idea of considering autobiography as a literary genre in favour of understanding it as discourse.

"POEZIJA" I "ISTINA" U LJUBAVNOJ LIRICI N. JAZIKOVA

Moja Apokalipsa

ALEKSANDR KARPOV

U epistolarnim, kritičkim i pjesničkim komentarima suvremenika o stvaralaštvu Nikolaja Mihajloviča Jazikova (1803 –1846) pada u oči često ponavljana misao: svi oni na različite načine, ali sa zamjetnom upornošću naglašavaju osobitu organičnost, *prirodnost* njegova lirskog talenta, iskrenost i neartificijelnost pjesničkoga glasa koji zvuči kao jeka velikih i sitnih životnih zbivanja.

...ty, Jazykov vdohnovennyj,
V poryvah serdca svoego,
Poeš', Bog vedaet, kogo
I svod èlegij dragocennyj
Predstavit nekogda tebe
Vsju povest' o tvojoj sud'be,

(/...ti, Jazikove nadahnuti, /u porivima srca svojeg, /Pjevaš sam Bog zna o kome, /I niz elegija dragocjenih/ Prikazat će pred tobom jednom/ Svu povijest tvoje kobi,/)

Upravo spomenuta svojstva Jazikova zabilježio je i Puškin, u četvrtoj glavi *Evgenija Onjegina*. On je pjesnik u duši. Kod nas ga ne umiju cijeniti, ali naša poezija postane još gnjilija i kad već bude odisala lešinom onda ćemo spoznati svu vrijednost njegove besmrtne svježine – napisao je o Jazikovu E. A. Baratinski.[1] U tom iskazu Baratinski kao da najavljuje koliziju svoje programatske pjesme "Posljednji pjesnik" (*Poslednij poet*, 1835) s njezinim rusoističkim suprotstavljanjem neposrednog stvaralaštva i dekadentnog intelektualizma "oronulog svijeta" suvremene civilizacije.

Ty, jazykov prostodušnyj,
Naš zavolžskij solovej,
Bezyskusstvenno poslušnyj
Tajnoj prihoti *svojej,*

/Ti Jazikove *prostodušni*, /Slavuju našeg Zavolžja, /*Neposredno* si poslušan, /Tajnom svojem *hiru,-/* određuje specifičnost Jazikovljeva talenta P. A. Vjazemski,[2] svjesno ili nesvjesno uporabivši znamenitu geteovsku sliku pjesnika-ptice što je u sebi utjelovila romantičarsku predodžbu i o slobodi, i o neobuzdanosti autentičnog umjetničkog izraza.[3]

U književnoj situaciji 20-ih i 30-ih godina 19. stoljeća, kada ruskom poezijom ovladavaju motivi razočaranja i tuge, kada se sve češće sklonost refleksiji počinje doživljavati kao *bolest stoljeća*, Jazikova prati neprijeporna reputacija umjetnika suprotstavljenog takvim tendencijama, reputacija pjesnika koji slavi vječne životne energije, neke vrste *prirodnog čovjeka* suvremene književnosti. Nedvojbeno je kako su takvi dojmovi o njegovu pjesništvu polazili

1 Te su riječi poznate i preko D. Davidova. Usp. njegovo pismo Jazikovu, datirano 16. veljače 1834. godine u: Davydov D. V. *Sočinenija*:V 3-h t.T. 3. SPb, 1893, str. 191.

2 U pjesmi "Pominki" (*"Del'vig, Puškin, Baratynskij..."* 1864). Vidi: Vjazemskij P.A, *Sočinenija*: V 2-h t. T.I., Moskva, 1982, str. 353 (istaknuo A. K.).

3 *Ich singe, wie der Vogel singt, /Der in der Zwigen wohnet* (*Ja pjevam, kao što pjeva ptica što živi na grani*) – ove stihove iz balade Goethea *Der Sänger* s kraja 1810-ih godina nalazimo kao postojani dio ruske literarne komunikacije.

od stanovitih objektivnih svojstava Jazikovljeve lirike. Riječ je o njegovu patosu slobodnog odazivanja *zovu nature*. Riječ je i o obilju prigodnih pjesama, improvizacija koje svjedoče o njegovoj bliskoj vezi sa stvarnošću, o lakoći i nepromišljenosti stvaralačke reakcije. Unatoč potonjim osobinama njegovih djela, predodžbe o impulzivnom, *naivno-biografskom* karakteru njegova stvaralaštva imale su preuveličane i pojednostavljene razmjere. Jazikovljeva lirika, dakako, nije u sebi čuvala zrcalno točne odraze istinitih činjenica, karaktera, situacija. Štoviše. neistovjetnost realnog i poetskog sama po sebi javila se kao objekt posebnog zanimanja kao samostalna pjesnička tema, i problem, u nizu njegovih stihova. U tom je smislu ilustrativan upravo njegov osebujni pjesnički ciklus *Moja Apokalipsa*, sazdan 1825. godine i zapisan u album Marije Nikolajevne Dirin - Jazikovljeve znanice u Derptu, gradu gdje je u to doba studirao.

Djelo je malo poznato, a predstavlja Jazikovljev pokušaj (kao što se uskoro pokazalo, preuranjen!) da rezimira period života u kojemu se zanosio Aleksandrom Andrejevnom Vojevikovom, suprugom pjesnika, žurnalista, bivšeg profesora derptskog sveučilišta, A. A. Vojevikova, uz to nećakinjom V. A. Žukovskog, domaćicom književnog salona, jednom od niza znamenitih žena 1820-ih godina.[4] Susret s Vojevikovom označio je snažan utjecaj na stvaralaštvo Jazikova. I premda je njegova zaljubljenost imala, u stanovitoj mjeri, cerebralni i literarni karakter, to nije isključivalo iskrenost i dramatičnost doživljaja, zapečaćenih u seriji pjesama, počevši od 1823. godine. U svojstvu završnog poglavlja tog "lirskog romana" a ujedno i *otvorenog* objašnjenja romana bio je koncipiran

4 O Vojevikovoj i njezinim odnosima s Jazikovim vidi: Solov'ev H. V., "Istorija odnoj žizni", *Russkij bibliofil*. 1915, N° 8; Azadovskij M. K., "Primečanija". u: Jazykov N. M., *Polnoe sabranie stihotvorenij*. Moskva, Leningrad, Academia, 1934, str. 738–739: Jazykova E. V, *Tvorčestvo N. M. Jazykova*. Moskva, 1990, str. 64–84.

ciklus *Moja Apokalipsa.*[5]

On se sastoji od pet pjesama vezanih istom temom, dakle temom njegovih odnosa s Vojevikovom, popraćenih stihovanim bilješkama i Epilogom. Osebujnost ciklusa sastoji se u tome što se Jazikov ovdje vraća dogodovštinama, osjećajima, likovima poznatim iz njegove ranije ljubavne lirike. Zbog toga se kao predmet autorskog interesa javlja i proživljeni osjećaj, i tekstovi koji su bili inducirani pojedinim osjećajem. Pojašnjavajući i tumačeći pojedine događaje iz svoje nedavne prošlosti, *Moja Apokalipsa* poprima uz to karakter činjeničnog, psihološkog i estetičkog komentara vlastita stvaralaštva, karakter šaljive autointerpretacije.

Središnja za *Moju Apokalipsu* tema, tema osjećajnog gubitka, rastanka s ljubljenom posjeduje, reklo bi se tipično elegijski karakter. No ako u masovnoj, *tugaljivoj* elegiji, rastanak pruža povod za melankolične meditacije, ako u poeziji Baratinskog slična situacija postaje predmetom psihološke ili čak filozofske analize, onda Jazikov situaciju rastanka proživljava apsolutno neočekivano – lako i optimistično. Proživljena ljubav prikazana je kao mladenačka zabluda, kao duhovno ropstvo ("...hirovima krasote / usrdno dušom robova", 238)[6] i čak neke vrsti bolest, međutim lišena poetizacije ("Doba ljubavne groznice", 234). Sukladno tome, upravo trenutak vraćanja izgubljene slobode, kao povratak prirodnom stanju

5 Apokalipsis (αποκαλγψιζ) - Otkrivenje. 22. travnja 1825. godine Jazikov je pisao bratu Aleksandru Mihajloviču o koncepciji budućeg ciklusa: "Kod mene se sada nekako sve razrušilo, svemu je konac u vezi s v. (Vojevikovom), i ponovno se obraćam D. (Dirinoj), napisat ću za nju nekoliko pjesama i u njima ću *objašnjavati* svoja centrifugalna *čuvstva* na temu moje najvažnije zavodnice (Jazykovskijh arhiv. Vypusk I. *Pis'ma N. M. Jazykova k rodnym za derptskij period ego žizni* (1832-1829). SPb, 1913. str. 178. Podcrtao A.K.)

6 Djela Jazikova citiraju se prema izdanju: Jazykov N. M. *Polnoe sobranie stihotvorenij*, redakcija, vstupitel'naja stat'ja i kommentarii M. K. Azadovskogo. Moskva, Leningrad, Academia,1934. Brojevi stranica su naznačeni.

(podcrtavaju to mnoge pjesničke slike prirode, kao povratak istinskoj životnoj vokaciji, prikazan je kod Jazikova oproštaj s osjećajima:

No byl vo mne, i slava Bogu,
Izbytok mužestvennyh sil:
Ja na parnasskuju dorogu
Opjat' moj um povorotil;
I razguljalsja ponemnogu-
I glupost' strasti rokovoj
S duši isčezla molodoj!
Tek s probudivšejsja poljany
Sletajut temnye tumany,
Tak, slyša vystrel, kuliki
Na vozduh mečutsja s reki! (235)

/Ali našao se u mene, i hvala za to Bogu, / pretičak muževnih snaga: / Ponovno sam prema Parnasu / Svoj um ja usmjerio; / Razigrao se pomalo - / I glupost strasti kobne / Iščezla je iz duše mlade! / Tako se s probuđene poljane / Dižu tamne magle, / Tako se začuvši hitac, šljuke / vinu s rijeke u zrak! / (235)

Negativna ocjena bivše ljubavi dopunjena je u Jazikovljevoj *Apokalipsi* kritičkim opaskama o stihovima njoj posvećenim, točnije o onom njihovom dijelu koji je u najvećoj mjeri odgovarao trenutnim zahtjevima prema žanru.

Prije nastanka *Moje Apokalipse* nastao je niz lirskih pjesama posvećenih Vojevikovoj, a on se može podijeliti na dvije osnovne grupe tekstova. Prvu grupu čine tekstovi napisani u tradicijskoj za liriku onog doba, maniri galantnoj, udvornoj. U tu grupu ulaze pjesme poput "Prošu stihi moi prostit'...", 1823; "K. A. A. Voevikovoj" (*Na Peterburgskuju dorogu...*, 1825); "Èlegija" (*Ona menja očarovala...*, 1825); "Son", 1825; "Ljubov' ljubov'! ja pomnju živo"..., 1825) i druge.

U drugu grupu tekstova, onih napisanih u maniri ironiziranja, prozaiziranja, čak drskom i izazovnom tonu,[7] svrstat ćemo pjesme: "Naprasno ja ljubvi Svetlany"; "Proščanie s èlegijami"; "Poèt svogoden. Čto nagrada..."; "V al'bom Š. K." (*Doverčivyj, prostoserdečny...*); "Teper' mne stranny i smešny...", sve iz 1825. godine.

Zanimljivo je promatrati kako je Jazikov zapravo od samog početka smatrao nužnim da se distancira od nekih svojih djela iz prve grupe tekstova, i da isključi mogućnost njihove recepcije kao bezuvjetno iskrenih izljeva duše. Tako na primjer pjesmu "San" on upisuje u album Vojevikove popraćenu začudnom bilješkom-citatom: "Ne vjerujte pak svakom glasu, no ispitajte njihov duh: jer postoji glas Božji i glas laskavca" (210). U isto tako proturječan odnos s madrigalnim po intonaciji osnovnim tekstom elegije "Ona me očarala" ulazi epigraf, podrijetlom iz njemačkog pjesnika K. V. Ramlera ("Ich kann mich auch verstellen" (744)), dakle, "Ja također umijem hiniti". Tendencija prema oslobađanju od vlastitog kanona ljubavne lirike nalazi svoj razvoj u nešto kasnijim pjesmama, "Oproštaj s elegijama", "Epilog", "Obećao sam – i bio spreman" napisanih u ime lirskog subjetka već oslobođenog ljubavnih uza ("Zbogom, mila buncanja / I moj cijenjeni idealu!" 220). Skeptičan odnos prema "madrigalskoj" lirici "vojevikovskog ciklusa" koji se tek sporadično javljao unutar prve grupe tekstova, u drugoj grupi postaje dominantnim. "Oproštaj s elegijama", "Obećao sam" i neke druge pjesme neposredno prethode *Mojoj Apokalipsi* kao za- ključnom tekstu, i u mnogočemu najavljuju njezinu koncepciju, tonalitet, stilistiku.

Dok su, unutar Jazikovljeve ljubavne lirike ranije bile odvojene, bez međusobno izravnog dijaloga, linije koje nazivamo "kanonska" i "skeptična", one se u *Mojoj Apokalipsi* stapaju. Međutim, kontrastna oblikovanja istog čuvstva pritom se ne izjednačavaju, ne nestaju: lirika tradicijskog tipa postaje predmetom pristranog

7 "Napisao sam za nju prilično stihova raznih fela - i pripitih, i ljubavnih, i nepristojnih", - odredio je Jazikov u pismu bratu od 14. travnja 1825. godine prirodu svojih poslanica Vojevikovoj (*Jazykovskij arhiv*. str. 174).

kritičkog tumačenja s pozicije koja se ranije bila formirala u pjesmama "nepristojnim".

Načini s pomoću kojih se ranije napisani tekstovi uvode u tekst *Moje Apokalipse* vrlo su raznovrsni, isto tako i oblici njihova tumačenja i vrednovanja. U prvom redu, tu je izravna, sumarna karakteristika pjesama posvećenih Vojevikovoj kao trica, sitnica lišenih bilo kakve vrijednosti:

Mečty, èlegii – bezdelki,
Oni i vse – ne horoši.
V nih mysli – vzor, a čuvstva melki,
I net ni vkusa, ni duši. (236)

(/Sanje, elegije su – trice, /One uopće ne vrijede. /U njima su misli - glupost, a čuvstva sitna, /I nema u njima ni ukusa, ni duše./) (236).

U svojstvu konkretnog primjera za takav tip poezije, u *Mojoj Apokalipsi* navodi se puni tekst djela "Ljubav, ljubav sjećam se živo..." (*Ljubov', ljubov' ja pomnju živo...*). Nekoliko mjeseci ranije ona je bila zapisana u album Vojevikove kao samostalno djelo, himna ljubavi, pjesma posvećena snazi ljubavi da transformira i uzdiže čovjeka. U kontekstu *Apokalipse* ta pjesma zvuči posve drugačije. Njezin je patos diskreditiran, sudovi su energično opovrgnuti. Ranija pjesma sad je postala predmet detaljne, ponižavajuće analize, ona se ocjenjuje kao nategnuta, slaba, čak i u pogledu svoje tehnike:

Kak èto vjalo, daže temno,[8]
Slova, protivnye umu,

8 Simptomatično je korištenje ove jazikovske formule sa strane Puškina ("Tak on pisal temno i vjalo") u Puškinovoj karakteristici predsmrtne elegije Ljenskog koja je inače sastavljena od šablona predromantičarske i romantičarske literature. (Činjenica posudbe uočena je već u radu L. Ja. Ginzburg "Ob odnom puškinskom kursive". u: Ginzburg, *O starom i novom*. Leningrad, 1982, str. 153–156.).

Jazyk poezii naemnoj,
I žar, ne godnyj ni k čemu! (237)

(/Kako je to slabo, čak nerazumljivo, /Riječi odbojne umu, /Jezik poezije najamne /I žar što ne služi baš ničemu!/) (237).

Naglašena surovost komentara podcrtava distanciju, otuđenje od vlastita djela kao svojevrsne "tuđe riječi" koja odražava drugu svijest – svijest autora u proteklom već razdoblju njegovih "slatkih zabluda".

Potpuno drugačije – kao o "poslanici gordoj i živoj" (239) govori se u *Mojoj Apokalipsi* o vlastitoj pjesmi iz 1825., "A. N. Tjutčevu" (*A. N. Tjutčevu*). Objašnjenje afirmativne autointerpretacije ovdje treba, očito, tražiti u specifičnosti čuvstva koje se javlja kao tema te pjesme, Njegova tema, naime, nije ljubav, nego povrijeđenost i ljubomora, a pjesniku se čini kako ih je doživio iskreno, intenzivno, za razliku od svije izmišljene i preuveličene ljubavne strasti.

Uz nabrojene slučajeve neposredne karakteristike ranije napisanih tekstova, njihovog izravnog citiranja i komentiranja, u *Mojoj Apokalipsi* susreću se i složeniji oblici veza između njih i novog, stvaranog teksta. Tematska bliskost i jedinstvo životne osnove navode nas da doživljavamo mnoge stihove Jazikovljeva novog ciklusa kao polemičke ispade uperene protiv mnogih pjesničkih metafora, sudova, poetskih formula svoje ranije lirike:

I glupost' strasti rokovoj
S duši isčezla molodoj (239).

(I glupost strasti kobne /S duše je nestala mlade). (235)

Navedeni distih zvuči kao ironični odgovor na egzaltirane stihove elegije "Ona me očarala":

I beskorystno povinujus'
Poryvam strasti molodoj... (210)

(I nekoristoljubivo se predajem /Porivima strasti mlade...) (210)

Na entuzijazam spremnosti izražen u poslanici "A. A. Vojevikovoj" (*K A. A. Voevikovoj. Na peterburgskuju dorogu...*) "Sa smiješkom ću prihvatiti vaše okove" (193) javlja se razočarana jeka *Moje Apokalipse*: "Usrdno robovao dušom" (238)

Niz ovako kontrastnih suprostavljanja lako može biti nastavljen. Usporedi, na primjer opozicije:

"A. A. Vojevikovoj":	*Moja Apokalipsa*
/Služeći božici ljepote... (193)	/...kopija božanstva/ (235)
"Elegija":	*Moja Apokalipsa*:
(Ona me očarala / U njoj sam otkrio sve divote, /Sva savršenstva ideala/ Moje uzvišene mašte) (209)	(I s kakvim plamenim povjerenjem /Krasoti izvještačenoj i nadutoj/ Mi predajemo silno čuvstvo) Duše, tek probuđene!/ (234)
· "San":	*Moja Apokalipsa*:
(Sve blaženstvom slatkim obuzme/ carica sumraka i sna/ Zbog čega duša moja ne drijema, /Zbog čega nemirna je ona?) (210)	(...ispunjena grješnom nadom, /U satima sveopćeg sna, /Nehotice se mučila / ona) (duša, prim. A. K., (233)

Nije teško zapaziti da osnovno proturječje između navedenih nizova citata djeluje kao proturječje između pjesničke tradicije i životne stvarnosti, koje se pak drastično razlikuje od lijepih klišeja. U tom smislu književno-polemički karakter nije svojsvten jedino onom dijelu *Apokalipse* što je posvećen ranijim autorovim tekstovima, nego i onom njezinu dijelu koji bismo mogli nazvati "biografskim", koji se dakle odnosi na činjeničnu pozadinu tih tekstova. U tom smislu se autopolemika, sadržana u *Mojoj Apokalipsi* može shvatiti i kao polemika sa šablonama suvremene lirike uopće. Njezin osnovni postupak može se odrediti kao prozaizacija i snižavanje svake vrste poetizama – stilističkih, tematskih, slikovnih. Slavensko božanstvo ljubavi javlja se kod Jazikova kao učitelj-pedant u školi života /I dosudila mi je svemoćna kob / Da upoznam praktičnog Ljelja / I njegovu pedagošku lekciju o vladanju. / (235).

Napomena o mjesecu – jednom od omiljenih detalja lirskog krajolika – uključuje proazični epitet "rogati" (233). Programatska za romantičnu koncepciju ljubavi, formula "kobna strast" dopunjuje se začudnim određenjem ("glupost strasti kobne", 235), određenjem koje ne samo što procjenjuje sâmo čuvstvo nego i podcrtava klišejiziranost njegova verbalnog izraza. Uobičajena u tradicionalnoj lirici tog doba, situacija duhovne komunikacije između pjesnika i njegove ljubljene – muze (usp. npr. u Jazikovljevoj poslanici "A. A. Vojevikovoj": "Vi posjedujete moć koja prenosi oganj i živost /Pjesniku koji vam se moli", (193) javlja se u parodičnom obliku: "...zemaljska Venera/ za mjesec dana uzdaha i čeznje / Nadahnula me jedino na trice" (236). Posve netrivijalno djeluju i drugi iskazi o junakinji djela – "krasoti izvještačenoj i nadutoj" (234), a i samog lirskog subjekta.

Moglo bi se reći, barem na prvi pogled, kako pozicija s koje autor motri proživljeno, slika ga i sudi o njemu, predstavlja antiromantičnu i antipoetsku poziciju "zdravog razbora", svakodnevičke trezvenosti. Ipak, nije tu riječ o diskreditaciji poezije kao takve, nego o osporavanju lažnog kanona, kanona koji je bespravno sebe poistovjetio s poezijom. Istinska svojstva junakove osobnosti, naime junaka *Moje Apokalipse* (usp. njegovu autokarakteristiku: "Pjesnik radosti i opijenosti", 235, "Tvorac moćnih misli", 235, čovjek sa "suviškom muževne snage", 235, itd.) dolaze u konflikt s onom ulogom osjećajnog i predanog ljubavnika, ushićenog obožavatelja koju je primoran igrati ako želi biti u skladu s književnim i životnim stereotipom. Zbog toga i oslobađanje od tiranije ljubavnog čuvstva, i kidanje literarnih šablona, za Jazikova su uzajamno povezani dijelovi jedinstvenog procesa povratka vlastitoj prirodi, istini svojeg bića. Zanos osobnog oslobođenja slijeva se u *Mojoj Apokalipsi* sa zanosom stvaralačke slobode.

Pokušaj autokomentara i stvaralačke samoprocjene poduzet u Jazikovljevoj *Apokalipsi* nije ograničen sferom ranije ljubavne lirike. Autorska samorefleksija obuhvatila je i sam tekst u nastajanju. U sastavu *Moje Apokalipse* ulaze izlaganje njegove prethistorije (fragment prvi – "Kad ljubavi neznamenite...") i prognoze o recepciji djela kod budućeg čitatelja (ponajprije u "Epilogu"). U slijedu teksta autor se vraća k njegovim prvim dijelovima, a u komentarima detaljno razrađuje teme koje su prethodno bile dotaknute (fragment četvrti – "Ali gdje je ona, i tko je ona..."; fragment peti – "Bilješke")[9] *Moja Apokalipsa* uključuje svoju vlastitu autokarakteristiku ("Šala slobodnog uma", 241) interpretaciju jednog izdvojenog stiha (naglašeno rječit, preuveličano pohvalan izljev posvećen stihu "Bezumno je bilo očekivati". U završnom dijelu "Bilješki", iskaz o proturječju vlastitog djela s uvriježenim predodžbama o ljubavi i ljubavnoj lirici ("uvrijedio sam/društveno mnijenje / i Kipridinu djecu" /, 240). Napokon, u sferu autorskih opažanja bivaju uključene i stanovite crte vlastite stvaralačke manire.

Moja Apokalipsa piše se u karakterističnoj za Jazikova formi prijateljske poslanice, književne vrste orijentirane na kolokvijal-

9 Djelomice ti komentari imaju ironijski karakter i na taj način parodično tretiraju osnovnu temu *otvorenosti*. Autor vodi s radoznalim čitateljem igru u duhu sternijanskog stila: predlaže mu blagorječive prosudbe koje međutim sadrže minimum informacije (*"No gde ž ona i kto ž ona"...*), ili pak prosudbe koje na koncu ne donose nikakav sud (primjedba uz stih *"I počerk nežnogo pera"*), isto tako on rado završava pripovijest, zamjenjujući njezin konac mnogoznačnim točkicama.

nost, neusiljenost, intimnost tona. Već prvi fragment ciklusa nosi karakteristična obilježja cijelog ciklusa: astrofičnost, ćudljive rime, nepoklapanje ritmičkih i sintaktičkih cjelina, namjerna nemarnost pri izboru leksika (igre riječima, dislokacija uobičajenih semantičkih značenja). U svojoj cjelokupnosti navedeni postupci stvaraju dojam o neusiljenosti autorove jezične manire, o njegovoj prirodnosti, neobrađenosti teksta u nastajanju. Međutim, unutar samog fragmenta sadržano je i točno određenje specifike postupka, koje upućuje na osviještenost i ciljanost uporabljenih postupaka:

Teper' svobodnee moj genij:
On rad, po prežnemu /.../
Neprinuždennymi stihami
Vniman'e vaše utomljat'
I otkrovenno pered vami
Velikij post vospominat'
(234., podcrtao A. K.)[10]

(Sada je slobodniji mog genij: /Drago je njemu, kao i prije... / *Neusiljenim stihovima* /Pozornost vašu zamarati / I otvoreno pred vama / Veliki post spominjati).

Drugo važno svojstvo Jazikova kao pjesnika jest njegova sklonost amplifikaciji. On ne nastoji na jedinstveno vjernom, maksimalno točnom određenju predmeta, djelovanja, lika, nego punoći karakteristika nastalih na račun nabrajanja različitih svojstava, aspekata, očitovanja prikazivanog objekta. Amplifikacija toga tipa omogućuje prostor za složeno intomacijsko kretanje, intenzivira ekspresivnost djela, simulira stih improvizacije (kao da je riječ o traženjima, u danom trenutku, u nazočnosti čitatelja, izbora među nizom mogućih varijanti). U *Mojoj Apokalipsi* ta se osobina Jazi-

10 Zabilježimo usput i kontrastnost ove autointerpretacije s autointerpretacijom danom u *Apokalipsi* jednoj od prethodnih pjesama "vojevikovskog" ciklusa ("Ljubov', ljubov'..."): *"Kak prinuždenny i negladki..."* (237).

kovljeve manire očituje u obilju epiteta uz pojedinu riječ (npr. "Kada ljubav neznamenita /Burna, brza, živa.../" (233), u nizanju sintaktičkih konstrukcija istog tipa itd. I ponovno, naići ćemo na tu osobinu teksta fiksiranu u autorskoj formuli danoj unutar teksta: "brbljava muza" (233).

Na taj se način produbljuje misaona perspekitva *Moje Apokalipse*, formira se osebujna mnogoslojnost njezina teksta. Interpretirajući druga djela, *Apokalipsa* i sama postaje objekt analize i ocjene, autor-tvorac istodobno je i autor promatrač i autor komentator. Djelomično objektiviranje teksta koje se odigrava s pomoću uvođenja u tekst njegovih komentara, s pomoću ogoljavanja vlastitih postupaka dopušta da se podcrta "artificijelnost" umjetnosti. Djelo koje brani i istodobno imitira neposrednost i neusiljenost istovremeno djeluje kao tekst iskren, improviziran, ali i tekst vješto izgrađen, "napravljen"

***

Ona skeptička autointerpretacija dijela ranog stvaralaštva Jazikova, zajedno s humorističnim nijansama samog pjesničkog ciklusa, sadržana u *Mojoj Apokalipsi* upućuje nas, još jedno, na misli o subjektivizmu i relativizmu romantičarske ironije, koja se zalagala za bezgraničnu slobodu i svemoć umjetnika. Međutim, posvemašnje poistovjećivanje načela autora *Moje Apokalipse* s načelima književnika jenske škole bilo bi ipak preuveličavanje. Ironija ruskog pjesnika uopće nije sveobuhvatna. Jazikov svakako dijeli s drugima rasprostranjenu u toj epohi predodžbu o dvojstvenosti ljudske prirode, o sukobu između "duha" i "materije", "nebeskog" i "zemaljskog" načela u ljudskoj prirodi. U skladu s time uspostavlja se i hijerarhija njegovih književnih tema i žanrova, koji su zapravo u vezi s različitim aspektima jedinstvene stvaralačke ličnosti. Pojave koje čine krug "zemaljske" osobnosti umjetnika (u taj krug uključena je i ljubav) dopuštaju bilo uzvišeni bilo sniženi pjesnički tretman.

Nasuprot tome, pjesnikova uloga u funkciji žreca, proroka, uloga u kojoj se on javlja kao tvorac sakralnoga govora, kada se umjetnik javlja kao glasnik nadosobnih istina, uvijek čuva, za Jazikova, karakter višeg cilja i ne podliježe dvojbi. "Dar sveti Apolona", "oganj delfijskog boga" (240) – sfere su koje ostaju izvan zone ironije i u *Mojoj Apokalipsi*, djelu koje moramo smatrati jednim od najdosljednijih u ironijskom osporavanju književnih i životnih kanona mladog Jazikova.

S ruskoga, prema rukopisu, prevela

Magdalena Medarić

РЕЗЮМЕ

А. А. Карпов:

"Поэзия" и "правда" в лирике Николая Языкова

Согласно давно утвердившемуся мнению, отличительной чертой творчества Языкова является его биографическая конкретность, прочная связь с подлинными жизненными впечатлениями. Следует, однако, уточнить, что это не всегда и не совсем так. Более того, несовпадение реальных биографических фактов и их литературной интерпретации становится у Языкова темой его отдельных произведений. Наиболее яркий пример такого рода - своеобразный стихотворный цикл *Мой апокалипсис* (1825), в котором автор, возвращаясь к образам, мотивам и ситуациям, посвященным А. Воейковой, сопровождает их ироническим прозаизирующим комментарием. Таким образом, полемически обнажается несовпадение жизененной "правды" и поэтического вымысла. Характерное для романтического противопоставление "мечты" и "существенности" приобретает неожиданное освещение.

POEZIJA V. S. SOLOVJOVA I NJEZINA AUTOINTERPRETACIJA

ASKOLJD B. MURATOV

Predmet ovoga članka neće biti metapoetički komentar ili autometaopisi u Solovjovljevoj poeziji. U članku će biti riječi o očitim slučajevima autointerpretacije pjesničkoga teksta, tj. slučajevima kad su objašnjenja njegov dio ili kad je pjesma dio drugog teksta.

Započnimo od primjera. U Solovjovljevu pjesničkom naslijeđu postoji pjesma koju možemo smatrati najopćenitijim i najpreciznijim izrazom njegove filozofske ideje:

Kak v čistoj lazuri zatihšego morja
Vsja slava nebes otražaetsja,
Tak v svete ot strasti svobodnogo duha
Nam večnoe blago javljaetsja.

No glub' nedvižimaja v moščnom prostore
Vse ta že, čto v burnom volnenii –
Mogučij i jasnyj v svobodnom pokoe,
Duh tot že i v strastnom hotenii.

Svoboda, nevolja, pokoj i volnen'e
Prohodjat i snova javljajutsja,
A on vse odin, i v stihijnom stremlen'e
Liš' sila ego otkryvaetsja.

(Kao što se u čistom plavetnilu utihnuloga mora / Sva slava neba odražava, / Tako nam se u svjetlu od strasti slobodnoga duha / Vječna sreća pojavljuje. // No dubina nepokretna u snažnom prostoru / Ona ista kao i u burnom talasanju – / Moćan i jasan u slobodnom miru / Duh isti je i u strasnoj želji. // Sloboda, ropstvo, mir i uzbuđenje / Prolaze i ponovno dolaze, / A on je stalno sam, i u stihijskoj težnji / Tek snaga se njegova otkriva.)

Solovjov je više puta citirao ovu pjesmu u svojim filozofskim radovima. Ona je zapravo prenošenje njegovih ideja na jezik poezije i njezin se smisao sastoji u ovom: Apsolutno-postojeće samo po sebi ne podliježe nikakvoj definiciji; ono je bezuvjetno jedno, tj. jedno u bîti i stoga jače od množine; svoju superiornost dokazati i realizirati "može samo stvarajući ili pretpostavljajući doista svako mnoštvo i stalno trijumfirajući nad njim, jer sve se doživljuje kao suprotno. Tako i naš duh nije istinski jedno zato što je lišen mnoštva, nego, naprotiv, zato što u očitovanju beskrajnoga mnoštva osjećaja, misli i želja u isti mah uvijek ostaje sam, i karakter svojeg duhovnog jedinstva prenosi cijelim stihijskim mnoštvom manifestacija, čineći ga samo svojim" (3, 89).[1] Upravo ove riječi u *Predavanjima o Bogočovječanstvu* (*Čtenija o Bogočelovečestve*, usp. njihovu varijantu s odgovarajućim citatom iz navedene pjesme u *Filozofskim načelima cjelovitoga znanja* / *Filosofskie načala cel'nogo znanija*/ i *Kritici apstraktnih načela* / *Kritika otvlečennyh načal*/ objašnjava citat iz pjesme "Kao što se u čistom plavetnilu utihnuloga mora ...".

1 Navodi iz Solovjovljevih djela daju se prema izdanju: Solov'ev V. S., *Sobr. soč. v 12 t.* Brjussel', 1966–1970; u daljnjem tekstu u zagradama prva brojka označuje svezak, druga – stranicu.

Očito da "moćan i jasan" u slobodnom miru i strastvenoj želji duh o kojemu je riječ u pjesmi jest Apsolutno-postojeće u Solovjovljevu tumačenju. Međutim, misao o njemu kao o jednom u sebi i za sebe može se samo naslutiti iza deklarativnog, ali ipak poetskog izraza misli. Uz to, u pjesmi postoji sustav značenja, kojih nema u objašnjenju, a usko je povezan sa Solovjovljevim filozofskim mišljenjem. U prvoj strofi "čisto plavetnilo utihnuloga mora" uspoređuje se sa svjetlom "od strasti slobodnoga duha"; u drugoj se govori o "moćnom i jasnom" duhu, o nepokretnoj dubini i burnom talasanju mora. Svjetlo je za Solovjova "prvobitna realnost ideje" (6, 46). U *Ljepoti u prirodi* (*Krasota v prirode*) podrobno je obrazložio kakvo značenje s tog aspekta ima svjetlo sunca, mjeseca i zvijezda (osvijetljeno nebo je kao "slika svemirskoga jedinstva", "pobjeda svijetloga načela" nad kaosom itd.). Ovdje se govori o moru – beskrajnom, mirnom, burnom, s odraženim plavetnilom neba itd.; ono može simbolizirati "vezu neba i zemlje", "gigantski nalet stihijskih snaga" itd. (6, 46–54). Sustav takvih značenja potpuno je shvatljiv tek u svezi sa Solovjovljevim konkretnim idejama, prezentiranim u radovima iz estetike, tj. pretpostavlja čitateljevu dobru upućenost u njegov filozofski sustav. Ova upućenost bila je poželjna za razumijevanje Solovjovljeve misli zato što je on vjerovao ovo: "Umjetničkom se osjećanju u formi opažljive ljepote neposredno otkriva potpun sadržaj bitka koji filozofija pronalazi kao istinu mišljenja, a u moralnoj aktivnosti očituje se kao bezuvjetni zahtjev savjesti i dužnosti. To su samo različite strane ili sfere manifestiranja jednog te istog; one se ne mogu podijeliti niti pak mogu jedna drugoj proturječiti. Ako svemir ima smisao, onda dvije uzajamno proturječne istine – pjesničke i znanstvene ne mogu postojati, kao niti dva 'najviša dobra', koja se uzajamno isključuju, ili pak cilja postojanja" (7, 124).

Ova okolnost prilično je važna. Solovjovljeva poezija filozofska je poezija i poezija filozofa. Njezin smisao ne određuje samo filozofske predodžbe njezina autora. Njihov organski dio jest Solovjovljeva predodžba o svrsi i sadržaju poezije, iz kojega, sa svoje strane, proizlazi i u pravom smislu pjesničko djelo filozofa. Solovjovljeve pjesme na taj su način dio njegova filozofskoga sustava i recipirane izvan nje one ne odgovaraju smislu koji nose. To je zakonito, jer pjesnički govor ima svoju semantiku: u njoj sustav ideja i pojmova gubi pojmovno značenje. Dok se pjesnički tekst recipira izvan ideja koje su Solovjovljevu poeziju činile organskom u sustavu njegovih filozofskih pogleda, filozofska obrazloženja takve poezije postaju neobvezatna ili nebitna.

Međutim, Solovjov drži da se misija poezije sastoji u hvatanju "svjetlucanja vječne ljepote" i predosjećanju "onostrane nadolazeće stvarnosti", u tome da bude nadahnuto proročanstvo o najvišem smislu postojanja i otkrivenje nutarnje ljepote ljudske duše, koja je u skladu s "objektivnim svijetom svemira". Solovjov je vjerovao da pripadanje svega zemaljskoga nedjeljivoj bîti duha određuje smisao života i ciljeve čovjekova postojanja. Čovjek mora shvatiti

Čto vse vidimoe nami –
Tol'ko otblesk, tol'ko teni
Ot nezrimogo očami ...
Čto žitejskij šum treskučij –
Tol'ko otklik iskažennyj
Toržestvujuščih sozvučij.
(*"Milyj drug, il' ty ne vidiš'..."*)

(Sve što vidimo – / Samo je odbljesak, samo sjene / Onoga što ne vidi se očima ... / Što svagdanja strašna je buka – / Samo je odjek iskrivljen / Trijumfalnih harmonija.)

I premda čovječanstvo opisuje svoj zemaljski krug u uskim okvirima i granicama vremena i prostora, ono je "zauvijek nevidljivim lancima prikovano za onostrane obale" i ćuti da "pod krinkom neosjetljive tvari uvijek oganj božanski gori" (*"Hot' my navek nezrimymi cepjami ..."*). Ovakva je ideja u stanovitoj mjeri predodredila poetski ustroj Solovjovljeve lirike. Jer ako je idealno načelo svijeta – postojeće, onda se ta bit ne može razumjeti s pomoću neposrednoga osjećaja; ako je to to što jest, onda je "neuhvatljivo", "nevidljivo", "tajanstveno" i prepoznaje se samo duhovno, onda su za lirski izraz takvog postojećeg potrebne osobite poetske riječi, poput ovih:

Neulovimogo ja slyšu priblížen'e
I v serdce b'et nevidimyj priboj
("*A. A. Fetu*")

(Neuhvatljivog slušam približavanje / I u srcu udaraju nevidljivi valovi.)

Oksimoroničnost ovih stihova demonstrira "neizrecivost" bîti stvari i pojava, i ti poetski reci sinonimični su stihovima u kojima Solovjov deklarira tu "neizrecivost":

V bereg nadeždy i v bereg želanija
Pleščet žemčužnoj volnoj
Myslej bez reči i čuvstv bez nazvanija
Radostno-moščnyj priboj
("Myslej bez reči i čuvstv bez nazvanija...")

(U obalu nade i u obalu želja / Zapljuskuje poput bisera val / Misli bez riječi i osjećaja bez imena / Radosno-moćno zapljuskivanje.)

Kao pjesnik "neizrecivog" Solovjov nastavlja romantičarsku tradiciju (vidi njegovu pjesmu "Domovina ruske poezije. U povodu elegije 'Seosko groblje'" / *Rodina russkoj poezii. Po povodu elegii "Sel'skoe kladbišče"*). Međutim, od romantičara se Solovjov bitno razlikuje po tome što za njega "neizrecivo" nisu nijanse raspoloženja pjesnikova duševnoga stanja, nego razumijevanje idealne bîti kao ljepote, koju opaža njego duhovni pogled ili magična vizija. Te magične vizije sastoje se u pjesnikovoj sposobnosti prenošenja "najdubljih unutarnjih stanja, koja nas povezuju s istinskom bîti stvari i onostranim svijetom" (6, 78). Drugim riječima, istinska, "čista" lirika je ona u kojoj se "umjetnikova duša stapa s određenim predmetom ili pojavom u jedno nedjeljivo stanje" (6, 217).

Sve to znači da se u poeziji "neposredno otkriva u formi opažljive ljepote ... savršen sadržaj postojanja". Kao takav on je prevediv na jezik filozofskih definicija, ali, recipiran izvan njih, ostaje neodređena filozofski mistična poezija. U Solovjovljevoj lirici trebale su se odraziti njegove najvažnije filozofske ideje. I one se doista prepoznaju u njegovim pjesmama. Međutim, stupanj prepoznatljivosti ovisi o stupnju čitateljeva poznavanja Solovjovljeva filozofskoga sustava. Ako ga čitatelj ne poznaje ili ga poznaje površno – ne može Solovjovljevu poeziju shvatiti onako kako ju je autor koncipirao.

Zbog toga su simbolisti, ravnodušni spram Solovjovljevih filozofskih radova (Blok, Bjeli, Merežkovski), vrlo specifično primili i njegovu filozofsku ideju. Oni su je iščitali u poeziji koja se mogla, kao što smo rekli, razumjeti i izvan konteksta Solovjovljevih glavnih filozofskih radova. No, tad je njegova poezija gubila svoju filozofsku konkretnost, iz nje su nestajala cijela područja značenja, a Solovjovljevi neprijeporni postulati (o Apsolutno-postojećem, Sofiji itd.) preobražavni su u predodžbe o "estetskom kao dubinskoj biti svijeta", ali ne u smislu filozofije praktičnoga Svejedinstva (Ljepote kao opažljive forme Dobra i Istine), nego u smislu mitopoetske ideje vidovitosti, "panestetizma" ili "mita o svijetu"[2], kao estetsko otkrivenje, u skladu sa simbolističkim predodžbama o misiji umjetnosti. Od Solovjovljeve mistične poezije pokazao se mogućim izravni put prema eshatologiji i mističnim idejama simbolizma, prema teurgiji V. Ivanova, *Stihovima o Divnoj Dami* (*Stihi o Prekrasnoj Dame*) Bloka i *Zlatu u azuru* (*Zoloto v lazuri*) Bjeloga. Solovjovljevi filozofski radovi čine temelj ruske religiozne filozofije kao metafizike ličnosti i sofiologije (S. Bulgakov, N. Berdjajev, S. i E. Trubeckoj, P. Florenski i dr.). "Solovjovstvo" u ruskoj poeziji s početka 20. st. i ruska religiozna filozofija, koja je razvijala Solovjovljeve ideje, pokazali su se različitim sustavima ideja, povezanima, ali različitima, s jasnom granicom: s jedne strane,

2 Vidi: Minc, Z. G., *Blok i russkij simvolizm. Literaturnoe nasledstvo*, sv. 93, knj. I. Moskva, 1980, str. 100-107.

predodžba o umjetnosti kao životvornoj i magičnoj sili, koja je kadra preobraziti svijet, pa otuda – kult Vječne Ženstvenosti, estetski shvaćene i lišene konkretnog religioznog sadržaja; s druge – ideja praktičnog Svejedinstva, razrađena u smislu egzistencijalne metafizike, i sofiologija kao religiozna ideja.

Sasma je logično da su filozofi bili prilično ravnodušni prema Solovjovljevoj poeziji, a simbolisti prema njegovoj filozofiji. Simbolisti su tvrdili da je Solovjov "smioni novator života, koji je svoj novi lik prikrio ispraznom metafizikom", dok su njegovi "prijatelji-idealisti" među profesorima "Solovjovljevo učenje jednostavno pretvorili u filozofski idealizam" (A. Bjeli)[3], da je "golemi Solovjovljev književni rad" – "tek štit i mač u rukama viteza", a bît njegova učenja i ličnosti moguće je shvatiti samo u svjetlu lika "Vječne Prijateljice", prezentiranog u poemi "Tri susreta" (*Tri svidanija*) (A. Blok)[4]. Tako je Solovjovljevu poeziju ocijenio i V. Ivanov, za kojega je Solovjov realist koji je razotkrio "božansku *simboliku* vidljivoga svijeta": "Kad je pozvana Vječna Ženstvenost – kao dijete u utrobi, uzburka se nekakvi bog u okrilju Svjetske Duše, i onda pjevači počinju pjevati."[5] Filozofi su tvrdili nešto drugo. V. V. Zenjkovski, koji je u *Povijesti ruske filozofije* (*Istorija russkoj filosofii*) posvetio dva poglavlja Solovjovu, zadovoljio se ovakvom općenitom prosudbom o filozofovoj poeziji: "U Solovjovljevu djelu posebno mjesto zauzimaju njegove pjesme. One su u čisto pjesničkom smislu vrlo dobre, no važnije je da je to tip filozofske lirike koji je i prije Solovjova bio izrazito prisutan u ruskoj književnosti (osobito kod Tjutčeva i Al. Tolstoja), ali Solovjov je niz mladih pjesnika uspio potaknuti na nove težnje. Možemo držati nespornim Solovjovljev veliki utjecaj na cijelu

3 *Kniga o Vladimire Solov'eve*. Moskva, 1991, str. 280, 279.

4 *Isto*, str. 332, 333.

5 *Isto*, str. 358.

plejadu ruskih pjesnika."[6] Pritom se pozvao na "divan ogled" S. Bulgakova, što je također znakovito. Bulgakov je bio jedan od najistaknutijih predstavnika "solovjovstva" u ruskoj filozofiji; on je prihvatio i razvio njegovu "sofiologiju"; poznavao je "Solovjovljevu dušu" i govorio da su "mistički doživljaji vezani za svjetsku dušu, predstavljali najintimniju te stoga i najbitniju činjenicu njegova duševnoga života, i on je, filozofirajući o svjetskoj duši, znao o čemu govori: za njega to nije bila samo apstraktna istina, nego i iskustvena istina". Kao najvažniji dokaz tome Bulgakov je držao Solovjovljevu poeziju, jer je njezin "osnovni motiv" "određen onim istim mističkim doživljajem prirode kao Svjetske Duše, kao Sofije".[7] Bulgakov je Solovjovljevu poeziju pročitao u njezinu filozofskom kontekstu. Međutim takvo je čitanje bilo posve neobvezatno za razumijevanje bîti filozofskoga sustava. Spomen Solovjovljeve poezije zamalo da nećemo naći ni kod Berdjajeva ni kod Franka ni kod Erna. A V. Rozanov, uvrijeđen na Solovjova, imao je, čini se, pravo kad se oslanjao samo na predgovor *Pjesmama* (*Stihotvorenija*) i tvrdio da je on "zbrkan" i "zapetljan".[8] Uistinu, niti taj predgovor niti Solovjovljeve "bilješke" uz tekstove njegovih pjesama ne razjašnjuju bît njegova filozofskoga sustava.

Dva najvažnija Solovjovljeva pjesnička djela prate njegova objašnjenja koja, na prvi pogled, izravno upućuju na krug njemu načelnih ideja. No, to je samo na prvi pogled. Ova objašnjenja ne orijentiraju pjesnički tekst u smislu Solovjovljevih filozofskih uvjerenja. Najpoznatiji je slučaj "bilješka" uz "Tri susreta", gdje autor upozorava da je u poemi prikazano "najvažnije od onoga što se dosad događalo" u njegovu životu (12, 86). Zajedno s drugim

6 Zen'kovskij, V. V, *Istorija russkoj filosofii*, sv. 2, knj. I, Leningrad 1991, str. 24–25.

7 Bulgakov, S. N, "Priroda v filosofii V. Solov'eva". Sbornik I: *O Vladimire Solov'eve*. Moskva, 1911, str. 27, 28.

8 Rozanov, V. V, *Soč. v 2 t.*, sv. 2. Moskva, 1990, str. 83.

objašnjenjima ("ti" prvog poglavlja poeme – "obična mala gospođica" – "nema ničeg zajedničkog s onom 'ti' na koju se odnosi uvod" – 21, 80), to objašnjenje prenosi smisao "šaljivih stihova" na ozbiljni mistički plan. Tako su i bili shvaćeni. Nakon što je citirao tako karakterističan mistički motiv poeme

Ešče nevol'nik suetnomu miru,
Pod gruboju koroju veščestva
Tak ja prozrel netlennuju porfiru
I oščutil sijan'e božestva,

(Još kao rob ispraznoga svijeta, / Pod grubom korom tvari / Vidio sam neistrunjiv grimiz / I osjetio sjaj božanstva)

Blok je pisao: "Ovu je sliku dao život, ona nije alegorija ni u kojem smislu."[9] On je dobro osjetio da su Solovjovljeve slike – odraz njegova duhovnoga svijeta, što ga je uvjetovalo mističko iskustvo. Smisao tog iskustva Solovjov je sam objasnio u predgovoru *Pjesmama*, za koji je Rozanov rekao da je "zbrkan". U njemu je Solovjov objasnio da je smisao njegovih mističkih pjesama u "štovanju vječne Ženstvenosti ... koja je odavno usvojila snagu Božanstva, prihvatila punoću dobra i istine, a kroz njih neistrunjiv sjaj ljepote".[10] Međutim, ovo objašnjenje u kontekstu Solovjovljeve poezije ispada tek prijevodom, a jezik razmišljanja o vječnoj Ženstvenosti kao neistrunjivoj ljepoti svijeta ("prvi susret svjetskog i stvaralačkog dana") i potvrdom životnog, a ne alegorijskog značenja te slike. Istodobno u kontekstu *Predavanja o Bogočovječanstvu* i *Filozofskih načela cjelovitoga znanja* ova tvrdnja ima drukčiji smisao.

Božanstvo (ili Apsolutno), prema Solovjovu, sadrži u sebi praktično Svejedinstvo i, kao potenciju, mnoštvo (ideja ili bića). To mnoštvo otjelovljuje se kao čin božanskoga stvaralaštva: Božan-

9 *Kniga o Vladimire Solov'eve*, str. 334.

10 Solov'ev, V, *Stihotvorenija*. Sankt-Peterburg, 1900, str. XIV.

stvo stvara materijalni svijet kao mnogolik i kaotičan, i taj svijet teži savršenstvu, spajanju s praktičnim jedinstvom Apsolutnoga. On kao Božje djelo Njegovo je *drugo* i živo biće. Jedinstvo mnoštva i kaotičnosti svijeta dolazi od Logosa, ideje, koja ide od Božanstva i koja objedinjuje i oplođuje život. Proizvod takvog čina stvaranja jest jedinstvo – Sofija, "duša svijeta", vječna Ženstvenost, žensko načelo Božanskoga svijeta. Ona je djelatnik kozmogonijskoga procesa i stvara jedinstvo svijeta. "Sofija je tijelo Božje, tvar Božanstva, prožeta načelom božanskog jedinstva" (3, 106).

Takva se ideja ne može svesti na "mit o svijetu". No, to je postalo moguće stoga što Solovjovljeva poezija sama po sebi, tj. lišena logičkih elemenata, ne daje shvaćanje Sofije (u Solovjovljevoj poeziji čak nema tog termina) kao ujedinjujućeg i stvaralačkog načela svemira, kojim se ostvaruje cilj kozmogonijskog procesa. Sofija se pretvara u Vječnu Ženstvenost, u pojam koji je više mitološki negoli filozofski. Na njegovu logičku proturječnost upozorio je, kako je već rečeno, Rozanov. Međutim, tu proturječnost nije zapazio Bulgakov, koji je Solovjovljevu poeziju čitao u kontekstu njegove sofijske ideje.

U poeziji se smisao Solovjovljevih filozofskih ideja transformira i čak može poprimiti neočekivano značenje (s gledišta logike njegovih ideja). U bilješci uz pjesmu "Delta Nila" (*Nil'skaja del'ta*), koja se drži jednom od najreprezentativnijih u Solovjova, stoji da je "Djeva Šarenih Vrata" (*Deva Radužnyh Vorot* – sinonim vječne Ženstvenosti) – "gnostički termin". Neobičnost je ovdje dvojaka. Prvo, u pozivanju na gnostike. Solovjov je gnosticizam ocijenio kao niži religiozni stupanj u odnosu na kršćanstvo, jer se "svi idejni i povijesni elementi, sadržani u kršćanstvu, nalaze i u gnosticizmu, ali u rastavljenom stanju, na stupnju *antiteza*" (10, 326). Druga neobičnost sastoji se u tome što takvog termina u gnostičkoj filozofiji očito nema. U svakom slučaju, u radovima koje je Solovjov naveo u blibliografskim podacima uz članak "Gnosticizam" (*Gnosticizm*) za Brockhausov *Enciklopedijski rječnik* (10, 323–328; usp. isto tako članke "Valentin", "Valentiniani", "Vasilid" i "Ofiti" – 10, 285–292; 12, 613–614) mi ga nismo našli. Stvorio ga je, najvjerojatnije, sam Solovjov i moguće ga je shvatiti kao sinonim vječne Ženstvenosti u kontekstu njegova razumijevanja ideje stvaranja. Djeva je ovdje i Sofija (ona o kojoj se govori u djelima gnostika i ona čiji su temelji dani u *Predavanjima o Bogočovječanstvu*) te Petrarkina Presveta Djeva (Solovjov je preveo njegovu pjesmu "Pohvale i molitve Presvetoj Djevi", gdje postoji niz izričaja koji se u ideju Sofije uklapaju u Solovjovljevu duhu: "Od sunca Svevišnjega ljubljena Djeva", "Slava zemaljske i nebeske prirode", "Ljestvica čudesna, što prema nebu vodi" itd.), te svijetlo načelo svijeta u kojemu se otjelovljuje svjetska ideja. Jedan od simbola toga otjelovljenja za Solovjova je bila duga: "Najpotpunije i najodređenije tu ideju (uzajamnoga prožimanja nebeskoga svjetla i zemaljske stihije) predstavlja *duga*, u kojoj se tamna i bezoblična tvar pretvara na trenutak u svijetlo i vrijedno otkrivenje otjelovljenoga svjetla i prosvijetljene tvari" (6, 49). Međutim, u tom slučaju ispada da filozofski i istinski smisao toga termina u sustavu Solovjovljeve filozofije može biti shvaćen samo u kontekstu cijeloga filozofova stvaralaštva. On treba voditi računa i o sustavu ideja koje su izravno vezane za tumačenje "Djeve Šarenih Vrata" kao Sofije i vječne Ženstvenosti, i o Solovjovljevoj historiozofskoj koncepciji, posebno njegovu odnosu spram gnosticizma itd. U poeziji pak, izvan takvoga konteksta, treba biti shvaćen kao slika, simbol rođenja i smrti, obnavljačkog načela svijeta, kao drevni gnostički mit, suprotan poganskoj mitološkoj svijesti ("neće im Izida trovjenačna to proljeće donijeti ..."), koji ima mističko značenje.[11] To nije termin Solovjovljeve filozofije, nego poezije, što potvrđuje njegova posebnost (nigdje se više kod Solovjova ne susreće ta oznaka vječne Ženstvenosti ili Sofije).

11 Naglasimo, uzgred, da je u sustavu Solovjovljevih ideja usporedba Djeve Šarenih Vrata i egipatske Izide zakonita: "vrhunac gnosticizma bio je u Egiptu" (10, 324) i ofiti, kojima je posvećena još jedna Solovjovljeva pjesma "egipatski (je) tip gnostike" (10, 285; usp. 12, 613–614).

Dakle, Solovjovljeva poezija nije ilustracija uz njegove filozofske ideje niti, štoviše, prijevod njegovih filozofskih ideja na jezik poezije, kako se to često tretira.[12] Ona dolazi iz Solovjovljeva filozofskoga sustava, vezuje se na nj i stoga je logično da se neki stihovi ("Smrt i Vrijeme vladaju na zemlji ..." i dr.) navode kao izraz njegovih filozofskih uvjerenja. No, to su tek citati ili aforizmi filozofa. V. V. Zenjkovski ima pravo: Solovjov je "neobično snažno i nesumnjivo vrlo darovito u prvi plan postavio pitanje *sustava* filozofije".[13] Taj je sustav bio sveobuhvatan i sakupio je u sebi mnoštvo različitih i životno aktualnih ideja. One su se realizirale u publicistici, kritici, poeziji, recenzijama i člancima s pravnom, društvenom i dr. tematikom. Solovjov je "mnogolik" i ta je "mnogolikost" odredila mnoštvo ideja koje je usvojio; složenost i neriješenost, nerazjašnjenost pitanja koja je postavio stvorila je raznolikost njihovih filozofskih, estetskih, publicističkih i teoloških rješenja u 20. stoljeću. Solovjovljeva je poezija imala svoju sudbinu, i simbolizam je dao svoj odgovor na mistička pitanja što ih je ona postavila, jer, kao što je ispravno primijetio Rozanov, "poezija može biti, i u Solovjova je ona bila nedokaziva od strane filozofije, 'metafizika', to jest ono što je 'iznad fizike' u starogrčkom značenju".[14]

S ruskoga, prema rukopisu, prevela

Irena Lukšić

12 Savodnik, V, *Poezija Vl. Solov'eva*. Moskva 1901.; Močul'skij, K., *V. S. Solov'ev*. Pariz 1936.

13 Zen'kovskij, V, *spomenuto djelo*, str. 70.

14 Rozanov, V, *spomenuto djelo*, str. 337.

РЕЗЮМЕ

Аскольд Б. Муратов

Поэзия В. С. Соловьева и ее автоинтерпретация

Перекрестнй анализ стихов и философских сочинений Вл. Соловьева доказывает, что поэзия Соловьева не иллюстрация к его философским идеям и не переложение на язык поэзии его философских идей. Она исходит из философской системы Соловьева, сопрягается с ней, но имела свою судьбу, свои ответи на мистические вопросы; она была "недоказуемой философией, метафизикою" (слова В. В. Розанова). Образы Соловьева - отражение его духовного мира, обусловленного мистическим опытом.

PARODIJA KAO AUTOMETAOPIS

Karakter ruske poezije 80-ih i početka 90-ih godina XIX. stoljeća

JELJENA N. HVOROSTJANOVA

Među različitim oblicima i načinima autometaopisivanja literarna parodija zauzima osobito mjesto. Ako komentar djelu, fiksiran u epistolarnom ili publicističkom naslijeđu autora pred istraživače postavlja problem "neadekvatnosti" jezika (kao predmeta opisivanja i jezika opisivanja), onda se u slučaju autotematskih djela potraga za "naglašenom u tekstu značenjskom svezom između različitih razina"[1] nerijetko isto tako pokazuje problematičnom, jer se strukturni model ne može izravno usporediti niti s autorskom refleksijom niti s "objektivnom" semantikom teksta. Dihotomije "vlastito/tuđe" i "osviješteno/neosviješteno" u potonjem slučaju stvaraju bitne prepreke jednoznačnom tumačenju načela autometaopisivanja. Na posljetku na planu pragmatike umjetničko djelo sadržava moment autometaopisivanja tek kao jednu od funkcija, koja nije samo u suodnosu, nego je, što je još važnije, podčinjena drugima.

1 Timenčik R. D, "Avtometaopisanie u Ahmatovoj". *Russian Literature* 1975, № 10–11, str. 213.

Možda je jedan od načina prevladavanja ove istraživačke situacije proučavanje materijala čija specifičnost – ako ne ukida postojeće probleme – barem ne čini znanstveno istraživanje izravno ovisnim o njima. Takvom vrstom materijala čini nam se literarna parodija. U odnosu na djelo ili niz djela jednoga autora gotovo idealnom formom autometaopisivanja postaje autoparodija, osobito aktualna za neke tipove umjetničke svijesti i s jasnim pogledom na vlastitu dvojaku konstruktivno-refleksivnu bît u stvaralaštvu pisaca poput Puškina, Vl. Solovjova, Bloka, A. Bjelog, Brjusova i dr. U odnosu na književnost svojega vremena parodija u svim svojim žanrovsko-stilskim oblicima nastupa kao autometaopis i autointerpretacija. U tom se smislu cijeli korpus parodijskih tekstova može razmatrati u svojstvu jednoga od načina autometaopisivanja književnosti određenoga razdoblja.

Usporedba povijesno-književnoga opisivanja pojedine etape razvoja književnosti ne samo s legendama koje je razdoblje ostavilo u samome sebi, nego i sa slikom kojom je epoha odrazila samu sebe, koja nije orijentirana na potomke i nije oblikovana sižejno i ideološki, nego je jasno očitovana u literarnim parodijama, u stanju je, vjerojatno, proširiti i precizirati naše predodžbe o literarnoj samosvijesti epohe.

Mišljenje o osobitoj ulozi parodije u književnom procesu, koje je prvi formulirao Ju. N. Tinjanov[2], još se čuje i u suvremenoj znanstvenoj literaturi, posvećenoj proučavanju toga fenomena.[3] Doista, parodija kao vrlo mobilni, u svim razdobljima popularni žanr (tijekom cijeloga svojega postojanja ona praktički nije poznavala praznine) razvijala se ne samo paralelno nego i u izravnoj

2 U člancima "O literaturnoj evoljucii", ("O parodii"), "Dostoevskij i Gogol' (K teorii parodii)".

3 Vidi npr. Poljakov, M. Ja, *Voprosy poètiki i hudožestvennoj semantiki*. Moskva, 1978; Novikov, V, *Kniga o parodii*. Moskva, 1989. i dr.

svezi s razvitkom drugih žanrova, pa je u tom smislu njezina povijest ujedno i povijest evolucije književnosti, jer nijedan od putova (uključujući i "slijepe", to jest one koji se nisu dalje razvijali), kojima su se oblikovali žanrovi, stilovi, slikovni sustavi itd., zajedno s idejno-filozofskim aspektom nekoga djela, nije zaobišlo parodijsko prelamanje u različitim vidovima parodijskoga žanra. Ovdje se možemo složiti s mišljenjem M. Ja. Poljakova o parodiji kao "svijesti umjetnosti".[4]

Parodija 80-ih – početka 90-ih godina 19. stoljeća nije bila predmetom specijalnoga proučavanja, iako je u literarnoj situaciji razdoblja "teških vremena" imala važnu ulogu: parodija ne samo da ne gubi popularnost u usporedbi s "uzletom" parodije 60-ih godina nego postaje i djelotvornija zahvaljujući širenju čitateljske publike, s kojom parodija stalno vodi dijalog na stranicama humorističkih časopisa tih godina.

Kao temeljni materijal iskoristit ćemo parodijske tekstove iz četiri najpoznatija i najpopularnija časopisa tih godina: *Budil'nik*, *Strekoza*, *Oskolki* i *Razvlečenie*.[5] Kao dupuna fragmentarno su korištene parodije umjetničko-humorističkih i ilustriranih časopisa *Falanga, Gusli, Mirskoj tolk, Svet i teni, Šut, Sverčok* i *Kolokol'čik*. Za razliku od prethodnoga razdoblja (60-ih godina), 80-ih godina struktura humorističkih časopisa i karakter publiciranog materijala u pravilu malo govori o poziciji njihovih urednika i izdavača. Kriza narodnjačke ideologije i započeto dulje razdoblje reakcije potaknuli su značajno zbližavanje časopisa, koji su prije predstavljali organe neprijateljskih tabora. Nepostojanje stalnoga kolektiva suradnika, prelaženje pisaca iz jednog časopisa u drugi i suradnja istih autora u različitim organima, što je dovodilo do obezličavanja časopisa, posebno su se očitovali u humorističkoj žurnalistici, gdje nije bilo

4 Poljakov, M. *Cena proročestva i bunta*. Moskva, 1975, str. 361.

5 Dalje – B, S, O, R.

"nikakve jasnoće, principijelnosti i postojanosti u društvenim pitanjima".[6] Pojedini materijali, koji su pretiskani iz *Iskre* i potom se našli u sklopu različitih komičnih rječnika i enciklopedija u brojevima *Strekoze* i *Oskolaka*, te stanovita dominacija "dobronamjernoga humora" *Razvlečenija* nisu unijeli primjetnije razlike između njih. Objavljivanje parodijskih djela na stranicama nekog humorističkog časopisa u pravilu nije imalo načelni karakter, jer najčešće nisu bili vezani za idejnu poziciju redakcije, nego za uzroke "izvanjskog" stanja (visinu honorara, količinu poslanog materijala itd.). Pitanje karaktera časopisa, koje je gotovo od prvorazredne važnosti pri izučavanju parodije u prethodnom razdoblju, tijekom 80–90-ih godina praktički otpada. Stoga je za proučavanje masovne literarne parodije toga vremena moguće uzeti cijeli korpus materijala humorističkih časopisa.

Za humorističku žurnalistiku 80-ih godina karakterističan je otprilike podjednak suodnos triju oblika parodije – pjesničke, prozne i teatarske (dramske). Po tome se razlikuje od razdoblja 60-ih godina, kad je parodija u stihu imala glavnu ulogu.[7] Upravo o toj različitosti parodija bit će riječi u ovome članku.

Najkarakterističnije svojstvo parodije u stihovima 80-ih i početka 90-ih godina jest praktički posvemašnje nerazlikovanje parodije i ponavljanja, koji se jasno razlikuju u satiričkoj poeziji autora 60-ih godina. Polemička usmjerenost na poznatu umjetničku formu i uporaba poznate umjetničke forme za druge ciljeve kao

6 Myškovskaja, L. M, *Čehov i jumorističeskie žurnaly 80-ih godov*. Moskva, 1929, str. 25.

7 Vidi: Jampol'skij, I. G, *Satiričeskaja žurnalistika 1860-h godov: Žurnal revoljucionnoj demokratii "Iskra" 1859–1873)*. Moskva, 1964.; Buhštab, B. Ja., "Dobroljubov-parodist". Izv. AN SSSR. Otdelenie obščestv. nauk, 1936, № 1/2, str. 363–365; Skatov, N. N., *Poèty nekrasovskoj školy*. Leningrad, 1968. i mnoge druge.

osnovno načelo dijeljenja parodije i ponavljanja, opravdano za poeziju Njekrasovljeve škole, počinje gubiti svoj smisao. Žanrovske oznake "parodija", "ponavljanje" i "oponašanje" u humorističkim časopisima tih godina uzajamno se zamjenjuju i nisu vezane ni za temu ni za autora koji se parodira. Analogni tekstovi dobivaju različite žanrovske definicije.[8] Drugo razlikovno obilježje parodije u stihovima postaje izostajanje obvezatnog elementa valorizacije i polemike s parodiranim autorom, koje je odlikovalo parodiju prijašnjega razdoblja. Podvrsta parodije u stihu, kao što je parodija--kritika, 80-ih i 90-ih godina gotovo nestaje. Izbor teksta-izvornika više ne govori o literarnim simpatijama i antipatijama autora, i određuje se tek izražajnošću umjetničke forme. Upravo stoga omiljeni tekstovi-izvori parodija postaju lako prepoznatljive pjesme Puškina, Ljermontova i Feta. Otprilike svaka druga pjesnička parodija, kao svoj prototip uzima poznata djela trojice pjesnika, s time da je izbor tih djela krajnje ograničen.[9] Treća se

8 Usp.: Markiz Perec [D. N. Dmitriev] *Vesna*. R 1885, № 13, str. 265 Sicilij, "Parodija". S 1886, № 39, str. 6; I. M-s, "Perepev". O 1893, № 15, str. 5; Lev Medvedev, "Iz Feta: perevod". R 1884, № 40, str. 830; Kir Persidskij A., N. Budiščev, "Variant". O 1893, № 47, str. 6.

9 Iz Puškina se, u pravilu, uzima pjesma "Pjesnik" ("*Poka ne trebuet poèta*"...), "Scena iz Fausta" i ulomak iz poeme "Mednyj vsadnik" (vidi npr.: I. D-dt., "Parodija". O 1890, № 9, str. 6; "Maska" [A. P. Petrov], S-Peterburg: "Vol'noe podražanie Puškinu". O 1882, № 30, str. 3; I. Mars, "Perepev po sezonu". O 1893, № 11, str. 5; "Potomok, Scena iz Fausta: Nečto neverojatnoe". R 1895, № 3, str. 3-7; I. Lanskoj [A. I. Vinogradov], "Faust. Scena: Meždu nebom i zemlej na žitejskom more". O 1882, № 26, str. 3. Korištenje Ljermontovljeve poezije zamalo je ograničeno samo na pjesme "Parus", "Utes", "Angel", "Tuči", "Kogda volnuetsja želtejuščaja niva "..., "I skučno i grustno"..., "Vyhožu odin ja na dorogu"... (vidi npr.: S. Perepev. B 1888, № 22, str. 9; N. I. "Parodija". O 1885, № 42, str. 6; Gorsmehov [P. A. Opočinin], "Mašinist". *Falanga* 1880, № 1, str. 6; Melanholik [A. I. Dejanov], "Sovremennye parodii". S 1886, № 36, str. 3; Čudilo-Mučenik [N. I. Poznjakov], "Zimnjaja elegija". R 1884, № 9, str. 164; "Peterburgskaja mikroba, Masljaničnyj perepev". *Šut* 1893, № 6, str. 3; "Mefistofil' s Popovoj

osobitost sastoji u tome da tekst-izvor ne postaje "temom" najvećega broja parodija; drugim riječima, parodija se ne orijentira na literarnu realnost, nego su to životne skice prepoznatljivih životnih situacija, koje nisu izravno povezane s uzetim literarnim prototipom. Njihov parodijski učinak temelji se na prepoznatljivosti komično opisane izvantekstovne realnosti, koja stječe status literarnosti tek zahvaljujući uporabi poznate umjetničke forme. Na primjer:

Ty videl ved'mu na gore
V osennej noči čas bezmolvnyj,
Kogda v bušujuščem Dnepre
Metalis', penilisja volny;

Kogda poroju molnij blesk
Na nej otsvetom byl krovavym,
I pomela zloveščij tresk
Kak ston nosilsja po dubravam? ...
Strašna Dneprovskaja volna
I noč' ukrainskaja s burej
No – ver' mne – zljuščaja žena
Strašnee ved'm, Dnepra i ... furij ...[10]

gory" M. N. Sojmonov, "Lermontov v restavracii: Parodija". *Šut* 1883, № 33, str. 3. Parodije na Fetova djela koriste modele pjesama "Šepot,robkoe dyhan'e "...; "Ja prišel k tebe s privetom"...; "Na zare ty ee ne budi" ...; "Ja tebe ničego ne skažu" ... (vidi npr.: Roma [R. A. Mendelevič], "Vesennij motiv". B 1889, № 16, str. 6; Spe, "Masljanica: à la Fet". O 1895, № 6, str. 5; Leo [L. M. Medvedev], "Vizit". B 1886, № 35, str. 419; Al. Sl-ckij [A. M. Slivickij?], "A la Fet". *Šut* 1887, № 25, str. 3.

10 A. B. [A. L. Belousov], "Ved'ma (Podražanie Puškinu)". R 1882, № 21, str. 353.

(Jesi li vidio vješticu na brdu / U jesenjoj noći tihe ure / Kad su se u pobjesnjelome Dnjepru / Prevrtali, pjenili valovi / Kad je s vremena na vrijeme munja blijesak / Na njoj bio krvav odsjaj / I pomela je zloslutni prasak / Dok se jauk razlijegao gajem? / Strašni val Dnjepra / I noć je ukrajinska s olujom / No – vjeruj mi – zločesta žena / Strašnija je od vještica, Dnjepra ... furija ...)

S gledišta suvremenih predodžaba o žanrovima najveći dio pjesničkih parodija toga vremena valjalo bi definirati kao humorističke ili satiričke pjesme o svakodnevnoj temi. Ipak, autorska i čitateljska recepcija tih tekstova kao parodija čini se simptomatičnom. Ona objašnjava glavne zahtjeve spram žanra i karakterizira njegovo postojanje u doba 80-ih godina. Jedino obvezatno razlikovno svojstvo parodije u stihu ispadaju tekst-izvor i komizam. Tekst-izvor mora biti poznat i odlikovati se izražajnošću forme. Komizam, u pravilu, uvjetuje sama tema parodije. U humorističkome novinarstvu teme koje se tumače na komičan način postaju zajedničke svim humorističkim i satiričkim žanrovima. To su sezonska i praznička tematika, obiteljsko-ljubavna i komercijalno-poslovna. Njihovo tradicionalno humorističko izlaganje ne samo u parodiji nego i u prizoru, drami, anegdoti, epigramu i satiričkoj pjesmi objašnjava prirodu izvanparodijskog komizma u parodiji.

Tako znamenita Fetova pjesma bez glagola postaje gotovo najpopularniji oblik za sezonsko-prazničke parodije, koje se pojavljuju doslovce u svakom broju humorističkih časopisa.[11] Polemika pjesnikâ Njekrasovljeve škole s predstavnicima čiste umjetnosti ne

11 Endimion Vampirov [P. V. Bykov]. "Masljaničnye rifmy". S 1884, № 7, str. 3; Fjuit-Fjuit, "Iz dačnyh pesen". S 1880, № 25, str. 7; M. D., "Bogorodskaja èlegija". B 1885, № 23, str. 277; Giljaj [Giljarovskij], "Èto ty, Moskva!: Posvjaščaetsja našej Dume". B 1885, № 21, str. 248 i mn. druge.

samo da odlazi u prošlost i prestaje biti aktualna, nego, štoviše, pjesnikova estetska orijentacija i umjetnički principi postaju irelevantni za autore takvih parodija, upućenih ne na specifičnost riječi-slike, nego na riječ u njezinu nepjesničkom, svakodnevnom značenju. Tako se stvara cijeli lanac parodija, za koje stihovi iz teksta-izvora, stavljeni u epigraf, samo zadaju metar, katkad i ritmičko-frazeološke modele, koji se upotrebljavaju za razvijanje jedne od popularnih časopisnih tema:

"Nočevala tučka zolotaja..."
(Noćio oblačić zlatni)

Ljermontov.

Nočevala kučka udalaja
Bez uzdy savrasov v restorane.
Poutru, voshodja solnca rane,
Kučka skrylas', gromko raspevaja.
No ostalsja strannyj sled v toj zale,
Gde savrasy èti nočevali:
Zerkala razbity, mebel' tože,
I u slug pobity sil'no roži."[12]

(Noćila gomilica hrabra / Razuzdana u restoranu. / Ujutro, ustajuć prije od sunca / Gomilica je pobjegla glasno pjevajući. // No ostao je neobičan trag u toj dvorani / Gdje su huligani noćili: / Razbijena zrcala, namještaj isto / I slugama jako razbijena lica.)

12 N. I., "Parodija". O 1885, № 42, str. 6. Vidi također: V. Z-n [V. Zlobin], "Parodijka". R 1884, № 5, str. 92; Emelja Zola [V. A. Giljarovskij], "Perepevy: Posvjaščaju mnogim". R 1885, № 36, str. 735; I. I. Lanskoj [A. I. Vinogradov], "Tri baryšni: Posvjaščaetsja vsem klubistkam". *Gusli* 1882, № 11, str. 7. Atom [A. V. Jastrebskij], "Bitva". O 1882, № 14, str. 6.

Ovakve "preradbe" poznatih pjesama nemaju za cilj ismijavanje ili razumijevanje teksta-izvora, one su u velikoj mjeri ravnodušne spram njegova izbora.[13] Svi načini pridavanja tekstu parodijskoga tona imaju jednu tendenciju: kako je prije imao orijentaciju prema cilju i bio uvjetovan smisaonim svezama parodiranoga djela, postupak gubi svoja svojstva, ali čuva pamćenje o parodijskome svojstvu upotrebe. Više žanr ne određuje izbor sredstava, nego sámo korištenje nekog parodijskog postupka određuje žanrovsku pripadnost djela, u kojemu nedostaje unutrašnja povezanost s tekstom izvorom, tj. ne otkriva se parodijski mehanizam, koji zauzima umjetničku realnost parodiranoga djela, iako postoje izvanjska obilježja parodijskoga žanra.

U nizu časopisnih parodija toga razdoblja zanimljive su pjesničke parodije, koje kao tekst-izvor rabe djela suvremenih pjesnika. Upravo takvi tekstovi, u pravilu, čuvaju parodijski mehanizam, čije je funkcioniranje uvjetovano novinom književnoga prototipa, koji ne pruža primjere uporabe iskorištenih parodijskih klišeja. Zanimljivo je da je 80-ih i 90-ih godina – to je razdoblje izrođivanja pjesničke parodije (popularne, ali malo samosvojne) – pjesničkim djelima suvremenih poeta posvećena otprilike petina ukupnoga korpusa parodijskih tekstova. Na njih ćemo obratiti malo više pozornosti.

Pozornost parodičara privlače uglavnom tri imena: Fofanov,

13 Ovakve parodije "za smijeh" praćene su publiciranjem bliskih im materijala – karikatura, koje prikazuju scene iz života suvremenika s tekstovima koji su citati iz poznatih pjesama i napjeva. Na primjer: "U cijelome selu Katenjka je bila na glasu kao ljepotica" (crtež prikazuje staru koketu kako ulazi u krčmu); "U svim si, dušice, haljinama lijepa" (crtež prikazuje pijanca za stolom punim boca različitih proizvođača – Popova, Smirnova, Sinicina). R 1883, № 31, str. 497. Vidi također: "Ilustracije uz ruske autore. *Poèt* Puškina". R 1881, № 44 str. 705; № 45, str. 721; Schopenhauer na ilustracijama. S 1888, № 8, str. 4-5.

Minski i Merežkovski. Pjesme tada poznatih i popularnih autora, kao što su Apuhtin i Nadson, praktički se ne iskorištavaju kao pjesme-izvori, a dvije parodije, koje smo pronašli, orijentirane na Apuhtinovu pjesmu "Kad budete, djeco, studenti..." (*Kogda budete, deti, studentami*)[14] i Nadsonovu "Ne krivi me, prijatelju moj, ja sam sin našeg vremena..." (*Ne vini menja, drug moj, ja syn naših dnej*)[15] demonstriraju isti princip formalne sveze parodije i njezina literarnoga prototipa kao i u slučaju djela klasika.

Drukčiji pristup parodiranju teksta-izvora otkrivamo u parodijama na Minskog, Merežovskog i Fofanova. One se pojavljuju na stranicama glavnih humorističkih časopisa počevši od 1885. godine. Značajna je činjenica da pozornost parodičara ne privlače pjesme napisane prema ključu Nadsonove lirike, nego djela i čak pojedini reci koji su govorili o raskidu s tradicijom i koji su se vezivali za novi pravac ruske književnosti, koji je tak sazrijevao – dekadansu. Nastanak ruskoga modernizma datira, u pravilu, od 1892–3. godine, kad je D. S. Merežkovski održao, a potom i objavio svoja predavanja *O uzrocima nazadovanja i novim pravcima suvremene književnosti* (*O pričinah upadka i novyh tečenijah sovremennoj russkoj literatury*). Usprkos tome što su se estetika modernizma i njezine najvažnije podvrste – simbolizma – tek počele izgrađivati, i što je rad Merežkovskog bio tek "oprezna, nesigurna objava 'novoga pravca' u ruskoj književnosti"[16], već u drugoj polovici 80-ih godina parodičari s primjetnom jedinstvenošću izdvajaju upravo te crte poetike Fofanova, Minskog i Merežkovskog, koje će potom više puta poslužiti kao predmet ismijavanja parodičarima

14 Ivan-da-Mar'ja [I. F. i A. A. Thorževskie], "Isty. Podražanie Apuhtinu". S 1885, № 4, str. 6.

15 F. S. "Perepev iz Nadsona". R 1893, № 14, str. 13.

16 *Russkaja literatura konca XIX – načala XX veka: Devjanostye gody*. Moskva, 1968, str. 203.

konca 90-ih i početka 1900-ih godina, koji su imali posla s definitivno formiranom pojavom.

Pozornost, ponajprije, privlači načelo okupljanja pjesnika u parodijskim ciklusima: Slučevski-Merežkovski[17], Merežkovski-Frug-Minski-Slučevski[18], Fofanov-Jasinski-Merežkovski[19], Fofanov-Frug-Minski-Andrejevski[20]. U te cikluse ne ulaze drugi pjesnici 80-ih i 90-ih godina – poput Nadsona, Apuhtina, Goleniščev-Kutuzova, Jakubovića, Certeljeva i drugih. Sam odabir imena za ciklus parodija određuje nekakvo jedinstvo stvaralačkih traganja spomenutih pjesnika.

Važna je, po našemu mišljenju, činjenica da su parodije tih pjesnika sintetske, to jest da kao književni prototip u pravilu ne dolazi jedno djelo[21], nego nekoliko pjesama ili – najčešće – pojedini stihovi ili pjesničke slike iz različitih pjesničkih tekstova. Takva je, primjerice, parodija Žeroma Peresmešnikova "Pjesnikova zakletva" (*Kljatva poèta)* na Minskog:

Naščeplju ja lučiny
Iz verby, iz osiny,
Ja Kavkaz ves' izroju,
I ja zamok postroju.

17 A. N., "Perevody s russkogo na russkij". O 1885, № 51, str. 6.

18 L. M-v., "Iz naših poètov". O 1887, № 21, str. 4; № 22, str. 4.

19 Žerom Peresmešnikov, "Podražanija novym poetam". S 1888, № 22, str. 6-7.

20 Avantjur'er [A. V. Amfiteatrov], "Naši poety". O 1891, № 36, str. 4; № 37, str. 4.

21 Zamalo jedina parodija koja kao tekst-izvor koristi jedno djelo – parodija je na pjesmu Merežkovskog "O, ditja, živoe serdce ...": Markiz Vral' [V. M. Doroševič] i Ko, "Perly poèzii. Čto ty za ptica?: Vol'noe podražanie Merežkovskomu". R 1887, № 48, str. 11.

Napišu ja poèmu
Na bezbožnuju temu –
I ves' mir užasnetsja
I sam čert sodrognetsja.

Ja vljubljus' – beregites' –
I ognem zapasites' –
Omračitsja priroda:
Noč prodlitsja tri goda.[22]

(Nacijepat ću triješća / Od vrbe i jasike, / Kavkaz ću izrovati cijeli / I zamak sagraditi. // Napisat ću poemu / Na bezbožnu temu – / I cijeli će se svijet užasnuti / I sam vrag će se zgroziti. // Zaljubit ću se – čuvajte se – / I ognjem se opskrbite – / Smrknut će se priroda: / Noć će trajati tri godine.)

Prve dvije kitice parodije orijentirane su na pjesmu "Zašto?" (*Začem*) Minskog:

... Mne snilos': šumel na gorah černyj les,
Kosmatoju grivoj kasajas' nebes.
Mne snilos': prišel velikan; kak lučiny,
On duby i eli lomal, i osiny ...[23]

(Sanjao sam: šumila je na brdima bjelogorica, / Kosmatom grivom dodirujući nebesa. / Sanjao sam: došao je div; kao triješće, / Hrastove je i jele lomio, i jasike.)

Sljedeći stih usmjeren je na niz pjesama Minskog, u kojima se pojavljuje slika Kavkaza. Među njima su: "Prometejeva sreća"

22 Žerom Peresmešnikov, *navedeno djelo*, str. 7.

23 N. M. Minskij, *Stihotvorenija*. Sankt-Peterburg, 1887, str. 178.

(*Ščast'e Prometeja*), "Snježne glave Kavkaza naziru se na nebu plavetnom" (*Snežnye glavy Kavkaza mereščatsja v nebe lazurnom*) i druge. Druga strofa parodije aluzija je na poemu Minskog "Getsemanska noć" (*Gefsimanskaja noč'*), koju je zabranila cenzura. Spajanje pojedinih motiva iz pjesnikovih stihova i njihovo okupljanje u jedinstvenoj slici pjesnika-diva, koji veliča svoju snagu i neobičnost te sadržava u svojoj duši nezamisliva proturječja, stvara parodijsku masku pjesnika-dekadenta koja će potom više puta biti iskorištena u parodijama A. A. Izmajlova, Sergeja Gornog, Frichena (F. F. Blagova), Avelja (L. M. Vasiljevskog), Borisa Sadovskog (Ju. A. Sidorova) i drugih autora parodija početka 20. stoljeća.[24] Pozornosti parodičara nije izmaknula niti evolucija Minskog od građanskih stihova prema poeziji tužne usamljenosti i uživanja u sebi. Parodija-epigram pokazuje promjene koje su se dogodile u pjesnikovu stvaralaštvu:

Otčizna bednaja, o, dorogaja mat',
Prosti, čto junosti 'graždanskuju kručinu
Ja ne bez vygody rešilsja promjenjat'
Na pessimizm – na novuju ličinu![25]

(Domovino jadna, o, majko draga, / Oprosti što mladosti sam "građanski jad" / Odlučio iz koristoljublja zamijeniti za / Pesimizam – za novu krinku!)

Indikativno je da parodija ističe taj prijelaz, ponajprije, u pjesnikovoj umjetničkoj praksi, a ne u njegovim publicističkim istupima, koji deklariraju raskid s načelima "utilitarizma". To dokazuje parodičarev komentar: "To je, dakako, tek slaba imitacija *Soneta* Minskog, obilježenih snagom Dantea i ljepotom Petrarke,

24 Vidi: *Russkaja stihotvornaja parodija XVIII - nač. XX v.* Leningrad, 1960.

25 Serge, "Sonet: Na motivy iz N. Minskogo". O 1893, № 22, str. 4.

soneta koji su uresili IV. knjigu *Severnog Vestnika* za tekuću godinu".[26] Kao postulat novih umjetničkih načela prihvaćena je, vjerojatno, druga kitica pjesme "Metampsihoza" (*Metempsihozy*):

Pod solncem, gde ne svjazan ja ni s čem,
Ne znaju ni otčizny, ni čužbiny.
I esli mir ljublju ja, to ne s tem,
Čtob vossozdat' v slovah ego kartiny."

(Pod suncem, gdje nisam vezan ni za što, / Ne znam ni za domovinu ni za tuđinu. / I ako svijet ljubim, to nije zato, / Da bih riječima prikazao njegove slike.)

Parodičari kao karakteristične dekadentne stihove počinju primati i djela Fofanova, pri čemu se glavna pozornost poklanja dvjema osobitostima njegove lirike. To je, ponajprije, ista kao kod Minskog, poza pjesnika koji je svjestan svoje veličine. "Dok živim – svemir blista, kad umrem – sa mnom će hrabro umrijeti i on"[27] – piše Fofanov u pjesmi "Svemir je u meni i ja sam u duši svemirskoj" (*Vselennaja vo mne, i ja v duše vselennoj*). U ime pjesnika parodičar časopisa *Oskolki* uzvikuje:

... A vpročem, strogo govorja,
Ja stol' velik i neob'jaten,
Čto liš' vtorogo martobrja
Byvaju smertnym ja ponjaten.[28]

26 Na istome mjestu. U № 4 *Severnog vestnika* za 1893. godinu objavljeno je pet soneta Minskog: "Son", "Bezdejstvie", "Danse macabre", "Metempsihoz", "Molčanie".

27 Fofanov, K. *Stihotvorenija (1880-1887)*. Sankt-Peterburg, 1887, str. 53.

28 Avantjur'er, *navedeno djelo*. № 36, str. 4.

(Uostalom, precizno rečeno, / Ja toliko sam velik i neizmjeran, / Da tek drugoga martobra / Postajem smrtan i razumljiv.)

Druga karakteristika Fofanovljeve poezije, odražena u parodijama njegovih djela jest pjesnikova sklonost epitetima vezanim za boju, koji se uporno ponavljaju u mnogim pjesmama. Pjesničke metafore kao što su "plavi azur", "plavi zalaz sunca", "ljubičasto sijevanje", "zlatno plavetnilo", "azurna magla"[29] itd. postaju izvorom parodijskih epiteta i oksimoronskih slika: "žuta slika", "plava zorica" što se rumeni, "crvene očice"[30], "ružičasto zelenilo", "plavo sunce".[31] Pjesničke metafore i usporedbe iz Fofanovljevih pjesama u parodijama se lako udružuju s motivima poezije Minskog i Merežkovskog. Tako se Fofanovljevi stihovi "... Nebesa poput plavoga emajla svjetlucaju ..."[32] i "Na emajlovom nebu dršće usamljeno ..."[33] koriste u parodiji uperenoj prema novim tendencijama koje se pojavljuju u poeziji budućih dekadenata:

Bezdonnaja bezdna bezbrežnyh nebes
Polnočnymi bleščet ognjami
I v temnuju rečku nizvernulsja les
Bestrepetno kverhu nogami.

Sverkaet emal'ju vdali neba svod,
Otkuda-to teni ložatsja ...

29 Pjesme – u tom smislu – "Velikaja noč'". "Prekrasna èta noč' s ee krasoj hrustal'noj ...", "Zabylsja ja prekrasnym snom ...", "Den' i noč'", "Bessledno tajut oblaka ...", "V èmalevom nebe drožit odinoko ...".

30 P. B-r, "V duše moej ...: Podražanie Fofanovu". S 1895, № 34, str. 3.

31 Avantjur'er, *navedeno djelo*.

32 Iz pjesme "Ne zažgli fonarej".

33 Iz istoimene pjesme.

Po pravde skazat', i sam čert ne pojmet,
Kakie zdes' vešči tvorjatsja! ...[34]

(Ponor bez dna beskrajnoga neba / Poput noćnoga svjetla sjaji / I u tamnu rječicu survala se šuma / Hrabro naglavce. // Blista poput emajla nebeski svod u daljini, / Odnekud sjene padaju ...)

Spajanje motiva bolesne duševne potresenosti sa spoznajom važnosti vlastitoga "ja" parodičari zapažaju kod svih spomenutih pjesnika. Ridanja i mahniti smijeh postaju obilježjem "lirskih junaka" parodija.[35]

U parodijama djela Fofanova, Minskog i Merežkovskog pozornost privlači poklapanje načela parodiranja njihovih pjesama, koje se jako razlikuje od parodiranja već klasičnih djela. Tako, primjerice, parodije te grupe nikada ne prate formalna obilježja izvornoga teksta, kao što su metar i rima; kao literarni prototip, kao što smo već napomenuli, ne uzimaju jedno, nego više djela parodiranoga pjesnika, ponajčešće – čak ne niti djela, nego pojedine slike, čije komično spajanje u jednome tekstu parodije postaje osnovnim načelom parodiranja takve vrste poezije i primjenjuje se u parodijama na sve varijante modernizma, i to ne samo koncem 90-ih godina 19. stoljeća i početkom 1900-ih godina, nego i tijekom 10-ih godina 20. stoljeća. Kao primjer takve parodijske konstrukcije može se navesti parodija Žeroma Peresmešnikova "Indostan", usmjerena na stvaralaštvo Merežkovskog:

Hohočut obez'jany,
V lesah molčat slony,

34 Ksi-psi (P. E. Simonov?), "V pogone za grezoju". S 1887, № 44, str. 3.

35 Vidi npr. P. B-r, "V duše moej"...; A. N. "Perevody s russkogo na russkij". P., "Vopl'..."; L. M-v, "Iz naših poetov". O 1887, № 21, str. 4.

I alye tjul'pany
V pavlinov vljubleny.

I Brama Boklju vnemlet,
I klonit k Millju sluh,
I nad L'juisom dremlet,
V ego vnikaja duh.[36]

(Hihoću majmuni, / U šumama šute slonovi, / I grimizni tulipani / U paune su zaljubljeni. // I Brahma Boklju sluša, / I sluša Milla, / I s Lewisom drijema, / U njegov prodiruć duh.)

Jedan od glavnih tekstova-izvora postala je poema Merežkovskog "Orvasi". Tekst parodije ne ponavlja ni stroficku ni ritmičku strukturu poeme, kao niti njezin siže (potraga cara Cururave za svojom dragom), nego se otuda preuzimaju slike pauna, slona i Brahme, motivi zaljubljenosti i budističkoga mišljenja. Siže poeme, koji motivira čovjekov kontakt sa životinjskim i biljnim svijetom, povlači se iz teksta parodije i namjesto njega dolazi nekoliko personifikacija. Bijeli slon, koji lunja po kokosovim šumarcima poput cara koji traži svoju prijateljicu, i paun, koji na carev upit odgovara "radosnom šutnjom" i još mu se smije – likovi su što se kaotično pojavljuju u parodiji kao nemotivirane slike, stvarajući sliku stvarnosti prema bolesnoj svijesti pjesnika, karakterističnu za parodiranje dekadenata.

Moguće je da naziv peterburškoga književnoga kružoka iz konca 80-ih godina i početka 90-ih godina dolazi upravo od te poeme Merežkovskog, što ga spominje poznati kritičar s početka 20. stoljeća A. A. Izmajlov: "Postojao je osobit cilj sastanaka: sudionici su si stavili u zadaću pronalaženje pjesama u periodici koje bi

36 Žerom Peresmešnikov, *navedeno djelo*.

razveseljavale čitatelje. (...) Stvarana je 'biblioteka gluposti'. Iz toga nisu proizašle nikakve važne posljedice, bila je to svojevrsna čudesna škola ukusa, gdje je mladež mogla dobiti zorne lekcije razboritosti i oštroumlja te se vježbati trijeznoj pameti i osjećajima kakvi su dugo odlikovali našu književnost prije pojave razdoblja dekadanse ..."[37] O istim sastancima književnika svoja je sjećanja iznio i stalni sudionik kružoka I. I. Jasinski: "... Urusov je na svoje večeri pozivao najviše pet ljudi, i na kraju smo prelazili u blagovaonicu, gdje (...) on nije govorenjem tekstova zabavljao genijalnoga Flauberta, nego pisce 'ispod svake kritike'; njegova 'biblioteka idiota', koju je skupljao lutajući po antikvarijatima i gledajući izloge knjižara, bila je neiscrpna ..."[38]

U poemi Merežkovskog, objavljenoj nedugo prije stvaranja kružoka, parodičarima se osobito svidio lik Bijeloga slona. Kao refren koji stalno prekida carev govor, u poemi odjekuju ovakve riječi Nevidljivoga zbora:

Belyj slon po kokosovym roščam vesnoj
Dnem i noč'ju bez otdyha brodit:
Vsjudu iščet podrugi svoej molodoj
I pokoja nigde ne nahodit[39]

(Bijeli slon po kokosovim šumarcima u proljeće / Dan i noć bez prestanka luta: / Posvuda traži prijateljicu svoju mladu / I mira ne nalazi nigdje.)

37 Izmajlov, A., *V* "Kružke belogo slona." *Birž. ved.* 1909, 14 siječnja, večernje izdanje, str. 4.

38 Jasinski, I., *Roman moej žizni: Kn. vospominanij.* Moskva-Leningrad, 1926, str. 135–136.

39 Merežkovskij, D., *Stihotvorenija (1883–1887).* Sankt-Peterburg, 1888, str. 188.

Ovaj katren se nekoliko puta ponavlja tijekom cijele poeme i neprestano varira: "Zelenim bambusovim šumarkom u proljeće...", "Po dubokim, cvjetnim dolinama, u proljeće ...", "Tamo, pod krošnjom bademovih drva, u proljeće ...". Poput Bijeloga slona Merežkovskog, koji prolazi kroz cijelu poemu, sudionici "Kružoka Bijeloga slona" (*Kružok Belogo slona*), u kojemu su bili literati tada zaposleni u velikim humorističkim časopisima, nakon izabranoga "uspješnoga" djela govorili su tekst naglas, zatim su ga ponavljali i višekratno varirali te ga komično iskrivljavali do besmisla. Izvjestitelj se ovdje zvao "osoba koja vodi slona". Šale i duhovitosti što su se pojavljivale na ovakvim sastancima često su zapisivane i tiskane.[40]

Opće tendencije, nastale u poeziji Fofanova, Minskog i Merežkovskog, a koje su vodile prema formiranju novoga pravca, svoj odraz nisu našle samo u parodijama. Na stranicama ovih istih humorističkih časopisa od druge polovice 80-ih godina pojavljuju se karikature s karakterističnim potpisima, epigrami, šale, komični aforizmi, koji su u svojim ocjenama nastupajuće dekadanse analogni razmotrenim parodijama.[41]

Ostavljajući po strani za teoriju žanra tradicionalno pitanje uloge parodije u dinamici književnoga procesa, moramo priznati i njezin stalni prioritet mobilnosti među drugim formama me-

40 Vidi: Izmajlov, A., *Čehov: 1860–1904 (Biograf. nabrosok)*. Moskva, 1916, str. 149.

41 Vidi, primjerice: "Sovremennyj Pegas". S 1887, № 48, str. 1 (Karikatura prikazuje razbarušenog pjesnika kako se dosađuje na Pegazu i lupa po liri. U gornjem dijelu karikature su kostur i ruska ljepotica. Tekst: "Posvećeno 'mladim ruskim pjesnicima', koji pate od svjetske boli, plivaju bez opreme po samovolji strasti i željeznom rukom otvaraju crne stranice neistraženoga ljudskoga srca"); D. K. L. [N. M. Ežov]. "Russkij Parnas." O 1884, № 49, str. 5; I. Grek [V. V. Bilibin]. "Naši dekadenty." O 1892, № 41, str. 5.

taopisa u književnosti, i specifičnost slike predmeta opisa koji se očituje u njoj, a koji je uvjetovan zakonima žanra i dosta različit od njezina kritičko-publicističkog te povijesno-književnog lika.

S ruskoga, prema rukopisu, prevela

Irena Lukšić

РЕЗЮМЕ

Елена В. Хворостьянова

Пародия как автометаописание
(Литературный образ поэзии 80-х - начала 90-х гг. XIX века).

Стихотворная пародия юмористических журналов 80-х, начала 90-х гг. XIX века отчетливо обнаруживает специфику ситуации культурно-идеологического кризиса: основной корпус пародийных текстов не ориентирован на литературную реальность, но традиционно использует внешние признаки пародийных жанров; круг текстов-источников таких пародий предельно ограничен; фактически уходит из журнальной практики такая разновидность пародии, как "пародия-критика"; жанровые обозначения "пародия", "перепев", "подражание" становятся взаимозаменяемыми. Группа пародий, использующих в качестве текстов-источников произведения современных поэтов (Фофанова, Минского, Мережковского) выделяет именно те черты поэтики литературных прототипов, которые имеют отношение к эстетике складывающегося модернизма (символизма). В этом смысле пародийный образ литературной эпохи существенно отличается от критико-публицистического и историко-литературного ее образа.

PISCI U ČEHOVA I LITERAT ČEHOV

IGOR N. SUHIH

Povijesni nam pristup "povijestima ruske književnosti" dopušta da zaključimo kako je svaka dobivena slika bitno zavisila od izbora "početne jedinice" analize (L. S. Vigotski).

Kao najuobičajenija i najrasprostranjenija javlja se "personalistička povijest" ("povijest generala" kako su je ironično zvali formalisti), gdje se u svojstvu takve početne jedinice javlja "prikaz stvaralaštva" (od Puškina do Ljermontova itd.). U 60-im i 70-im godinama postale su popularne "žanrovske" povijesti književnosti kakve su se pisale u Institutu za rusku književnost (Puškinov dom): povijest ruskog romana, povijest ruske pripovijetke, lirike, kritike. Iz druge polovine 19. stoljeća potječu pokušaji "tematskih" povijesti (*Povijest ruske inteligencije* D. N. Ovsjaniko-Kulikovskog) i "kategorijskih" povijesti ("Iz povijesti epiteta" A. N. Veselovskog).

Novi aspekt istraživanja, povezan s idejom "povijesne poetike" omogućen je kategorijama koje je M. Bahtin razradio kao "obliko-sadržajne". Tako su kategorije "autor", "junak", "kronotop", "čitatelj" ključni elementi koji integriraju estetske strukture. Odatle i ideja povijesti književnosti kao evolucije oblika autorstva.

U vezi s time nužno je precizirati sam pojam "autora". Kao autor podrazumijeva se u raznim istraživanjima i kontekstima ovo: lik uključen u umjetnički svijet djela ("lik autora" u *Jevgeniju Onjeginu*, npr.); objektivno, nepersonalizirano pripovijedanje u trećem licu (*Očevi i djeca*, roman koji pripovijeda autor); stvarni tvorac umjetničkog teksta (Puškin kao autor *Jevgenija Onjegina*).

Napokon, "autor" može biti shvaćen kao "znak, simbol sustava" (G. A. Gukovski), kao kulturološka kategorija nastala na granici između umjetničkog svijeta djela i "stvaralačkog kronotopa" u kojemu "dolazi do... prožimanja djela sa stvarnošću i odvija se osobit život djela".[1]

S toga gledišta već se na prvi pogled u ruskoj književnosti 19. stoljeća uočavaju tri paradigme što se izmjenjuju, ali istodobno utječu jedna na drugu, tri paradigme koje se javljaju kao tri kulturološka oblika: *pjesnik – pisac – literat* (*Poèt – pisatel' – literator*).

Epoha pjesnika jest puškinsko-gogoljevsko-ljermontovska epoha. Samosvijest njezine poetike utjelovljena je u "Proroku" i "Spomeniku", u "Smrti Pjesnika" i "Pjesniku", u *Mrtvim dušama* i nizu drugih tekstova nastalih u razdoblju 1820.–1940. godine.

"Pjesnik... pjesnik je prvi sudac čovječanstva. Kad na svojem uzvišenom sudbenom mjestu, ozaren gorućim grmom, on osjeća dah što burno dotiče njegovo lice, on čita slovo vremena u svijetloj knjizi vječnog života, prozire prirodni put za čovječanstvo i kažnjava otklon od tog puta" (V. F. Odojevski, *Ruske noći*, 1844).[2]

"I još dugo mi je predodređeno da vladam svojim čudnim junacima, da promatram sav golemi život što juri preda mnom, da ga promatram kroz njegov bjelodani smijeh i nevidljive, nepoznate suze! I daleko je još ono vrijeme kad će novi izvor grozne vijavice nadahnuća pokuljati iz poglavlja zaodjevenog u sveti i blistavi užas, i kada će se začuti, kroz sveti treptaj, veličanstvena grmljavina drugih riječi..." (N. V. Gogolj, *Mrtve duše*, 1884.).[3]

1 Bahtin, M. M, *Voprosy literatury i èstetiki*. Moskva, 1975, str. 403.

2 Odoevskij, V. F, *Russkie noči*. Leningrad, 1975., str. 23.

3 Gogol', N. V, *Sobranie sočinenij v 7 tomah*. Moskva, 1967, t. 5, str. 157.

Drugi član opozicije unutar dane paradigme može biti markiran različito: *narod, svjetina, car, Bog, muza...* Ali u bilo kojem slučaju kulturni prostor oko Pjesnika univerzalan je i hijerarhičan. On doživljava svoje stvaralaštvo kao misiju, proroštvo itd.

U razdoblju 1840–1890. (granica među epohama, vjerojatno, jest pojava "naturalne škole") kulturna se paradigma mijenja, pjesnika zamjenjuje *pisac*.

"Društveno značenje pisca (a kakvo bi drugo on i mogao imati značenje) sastoji se upravo u tome da baci zraku svjetla na raznorodne moralne i intelektualne pomutnje, da osvježi zagušljiv zrak dahom ideala... Pisac čije srce nije odbolovalo sve patnje društva u kojemu djeluje jedva da može pretendirati u književnosti na značenje više od osrednjeg i trenutnog" (M. E. Saltikov-Ščedrin, "Petrogradski teatri", 1863).[4]

Kulturni se prostor "pisca" konkretizira. Osobito značenje poprima sada društveno-povijesni kontekst, a ne onaj univerzalni. U toj se paradigmi ističe opozicija *pisac – društvo*. A stvaralački poticaj pisca možemo odrediti kao *obavezu*. Međutim, ta je paradigma u jednome povezana s prethodnom paradigmom, i to hijerarhijski zasnovanim odnosom između autora i publike, dakle autoritarnom riječju (M. M. Bahtin).

Čehov gleda na takvu tradiciju s pomiješanim osjećajem zavisti i ushićenja. U poznatom pismu A. S. Suvorinu od 25. studenog 1892. godine on suprotstavlja "vječne ili jednostavno dobre pisce" prethodnih epoha čije je stvaralaštvo uvijek bilo prožeto spoznajom o cilju (čak ako je taj cilj bio "votka, kao u slučaju Denisa Davidova") i pisce svojeg naraštaja, svoje suvremenike koji opisuju

4 Saltykov-Ščedrin, M. E. *Sobranie sočinenij: V 20 tomah*. Moskva, 1996, T. 5 str. 185.

život "takav kakav on jest", i nemaju "ni bliske, ni daleke ciljeve".[5]

Moglo bi se reći kako se u centru te nove, "čehovske" kulturne paradigme nalazi *literat* (riječ omiljena i višekratno rabljena kod Čehova).

Kulturni prostor "literata" postaje fragmentaran, nejednorodan, specijaliziran. "Mi pišemo makinalno, podređujući se onom odavno uvedenom poretku stvari u kojemu jedni službuju, drugi trguju, treći pišu...", opaža Čehov u spomenutom pismu. Literat dakle dobiva isti status poput činovnika ili poput trgovca i još više od tog – postaje ovisan o njima kao o čitateljima naručiteljima.

Kulturna opozicija koja organizira odnose u ovoj paradigmi jest opozicija *literat-publika*. Umjesto izgubljenog, povijesno iscrpljenog autoritarnog govora literat je prisiljen tragati za govorom "unutrašnje uvjerljivim".[6] Stvaralački poticaj u danom slučaju ne potječe više od profetske vokacije i ne od uzvišenog osjećaja obaveze, nego od teškog osjećaja duga (dakle, poticaj poprima unutrašnji karakter).

Takav se tip autorske samosvijesti rasprostire na cjelokupni korpus čehovljevskih tekstova. Njegovim se prvim očitovanjem može smatrati ironično-ispovjedna proza "Marja Ivanovna" (*Mar'ja Ivanovna*, 1884):

"Svi mi, profesionalni literati, nismo diletanti, nego pravi nadničari u književnosti, svi smo mi isto tako ljudi kao vi, kao i vaš brat, kao vaša svojta... Kad bismo poslušali vaše 'ne pišite!', kad bismo se predali umoru, dosadi, ili groznici, morali bismo se

5 Čehov, A. P, *Polnoe sobranie sočinenij i pisem: V 30 tomah. Pis'ma.* Moskva, 1977, t. 5, str. 133. Dalje u članku citira se ovo izdanje s navođenjem sveska i stranice, pisma se navode pod oznakom P., *Galeb* se citira prema svesku 13. navedenog izdanja.

6 O razlici između govora autoritarnog i govora unutrašnje uvjerljivog vidi Bahtin, M. M., *Voprosy literatury i èstetiki.* Moskva, 1975, str. 154–158.

oprostiti s čitavom suvremenom literaturom.

A ne smijemo je se lišiti ni na jedan dan, čitatelju...

Ja sam dužan pisati, unatoč dosadi, unatoč povremenoj groznici. Dužan, kako znam i umijem, bez prestanka" (2, 313).

Pozicija literata, ne kao čuvara i medijatora nego kao *sutragaoca* za istinom oblikuje Čehovljev umjetnički svijet. Ali u njemu se ta pozicija u kasnijoj fazi stvaralaštva više ne javlja kao predmet izravne refleksije, nego se očituje uglavnom u pismima. Jedini, ali principijelno važan izuzetak čini *Galeb*, njegova drama.

"Razgovori o književnosti" u komediji prerastaju u "traktat" i postaju tako još jednim Čehovljevim "manifestom".

Trigorin i Trepljov suprotstavljeni su u komediji na raznim razinama.

S gledišta umjetničkih poticaja, naravi stvaralačkog procesa – riječ je o čehovljevskom Mozartu i Salieriju. Trigorin se, kao da nastavlja monolog junaka "Marje Ivanovne" žali na teškoće književnog rada ("olovna jezgra kompozicije"), bavi se iscrpljujućom neprekidnom aktivnošću opažanja ("hvatam sebe i vas za svaku riječ, rečenicu, i žurim se što prije zatvoriti sve te rečenice, riječi, u svoju književnu smočnicu: možda dobro dođe!"), a sve to čini u ime dužnosti ("Dan i noć progoni me opsesivna misao: dužan sam pisati, dužan sam pisati, dužan sam..."). Trepljov se, naprotiv, uzda u nadahnuće ("Vi prezirete moje nadahnuće...", kaže on Nini nakon neuspjeha vlastitog komada), smatra da prava umjetnost nastaje onda kada "čovjek piše ne misleći ni na kakve forme, piše zato što tekst nesputano teče iz njegove duše".

S obzirom na svoju poetiku Trigorin se javlja kao umjetnik impresionist, kao majstor točnog detalja (krhotine boce na pristaništu, oblak nalik klaviru), majstor za krajolike ("umijem slikati jedino pejsaže"), i za siželje kratkih novela. Trepljov pak prolazi tijekom zbivanja u *Galebu* značajnu evoluciju. Dramski komad o "duši svijeta" orijentiran je, kako je više puta istaknuto u književnim analizama, kako na estetiku romantizma tako i na estetiku suvremenog simbolizma. Klišeji poput "plakat na plotu glasio je..." podsjećaju na masovnu kulturu suvremenu Čehovu i njegovim likovima. A novo načelo što ga je Trepljov izmislio za svoju priču ("Počet ću od toga kako je junaka probudio šum kiše") neočekivano ga zbližava s njegovim umjetničkim antagonistom: tako je mogao započeti i Trigorin, svoju priču o upropaštenoj djevojci – galebu.

Međutim, umjetnici različitih naraštaja, Trigorin i Trepljov, suprotstavljeni po tipu stvaralaštva, zbliženi su u nezadovoljstvu svojom sociokulturnom ulogom. Trigorin – literat do srži – pokušava usvojiti ulogu pisca: "Pa ja nisam jedino pejsažist, ja sam ipak još i građanin svoje zemlje, volim domovinu, narod, osjećam da – ako sam pisac – moram govoriti o narodu, o njegovim potrebama, o njegovoj budućnosti..." Trepljov – pjesnik po vokaciji i umjetničkim težnjama – maskira se u literata, ali se završnim pucnjem, ovaj put u vlastitu životu, vraća prvotnoj paradigmi, paradigmi pjesnika.

Autorska pozicija prema junacima književnicima može se odrediti kao razdvajanje cjeline. I "trigorinsko" i "trepljovsko" načelo prorastaju u dubine čehovskog umjetničkog svijeta, postaju njegovi konkretno izraženi apsekti. U dinamici tog odnosa postoji točka načelnog razilaženja. Ona se ne nalazi u estetskoj, nego u etičkoj sferi. Literat Trigorin rabi život kao sirovinu za pisanje, on se igra tuđim sudbinama i lako ih žrtvuje. Stvarnost, čim je postala literatura, nestaje iz njegova sjećanja. "Ne sjećam se... Ne sjećam se!" – govori on o punjenoj ptici, galebu, i sudbini Zarečne. Pjesnik Trepljov gradi život prema zakonima umjetnosti i plaća za svoje neuspjehe i razočaranja jedino vlastitom sudbinom. Na koncu *Galeba* literat Čehov pravi izbor, ostaje uz pjesnika Trepljova.

Nakon "literarnog" *Galeba* Čehov se praktički ne vraća toj temi u svojem stvaralaštvu. Tema se ipak sporadično javlja u njegovim bilježnicama, tim "naslovima za budućnost" (Z. Paperni) poprimajući nove boje i neku gotovo grotesknu oštrinu.

Naznačen već u "Marji Ivanovnoj", dotaknut u *Galebu* ("Bojao sam se publike, ona me strašila, i kad sam morao proslaviti svoj novi komad, svaki put činilo mi se da su tamnokosi gledatelji neprijateljski raspoloženi, a plavokosi hladno ravnodušni") konflikt između literata i publike poprima nerazrješiv karakter i obilježje antipatije.

Nadut je i prezriv pogled iz publike na pisca. "Što? Pisci? Ako hoćeš, za pola rublje načinit ću od tebe pisca" (17, 84). "U kazalištu: gospodin moli damu ispred sebe da skine šešir koji mu smeta da gleda na scenu. Protivljenje. Negodovanje, molbe. Napokon priznanje: 'Gospodo, ja sam autor!' Odgovor: 'Ne zanima me.'" (17, 133).

Nije manje prezriva ni povratna reakcija. "Svatko ide u kazalište da bi, gledajući moj komad, nešto na brzinu naučio, izvukao za sebe kakvu korist, a ja vam kažem – nemam ja vremena za takve lupeže" (17, 95).

Ovakvo uzajamno nerazumijevanje i raspetljavanje zbiva se na pozadini naglog pada uloge literature, njezina mjesta u društvu. "Mladež se ne bavi literaturom zato što najbolji među njima danas rade na željeznici, u tvornicama, u privredi, svi su oni otišli u industriju koja niže uspjeh za uspjehom" (17, 51). "Pisac Gvozdikov drži da je glasovit, da svi za njega znaju. Doputovavši u S., susreće se s oficirom koji mu dugo steže ruku... Napokon oficir pita: 'A kako vaš orkestar? Vi ste kapelmajstor, zar ne?'" (17, 103).

Čehov vidi povijesne temelje nove kulturne situacije. "Za našu šutnju, našu neozbiljnost i nezanimljivost naših riječi ne krivi ni sebe ni mene nego, kao što kažu kritičari – 'epohu', klimu, prostor, što god hoćeš i prepusti okolnosti njihovu vlastitu sudbinskom neumoljivom tijeku, nadajući se boljemu", piše on N. J. Nemirovič-Dančenku u studenome 1886 (P., 6, 242).

Ali tom sudbinskom, neumoljivom tijeku okolnosti literat može suprotstaviti svega jedno – vlastiti osjećaj dužnosti, vjeru, odgovornost. "Za ono što sam proživio i spoznao, u umjetnosti moram odgovarati svojim životom i u umjetnosti sve proživljeno i spoznato mora ostaviti trag. Ali s odgovornošću je povezana i krivnja... Pjesnik mora biti svjestan da za banalnu prozu života nije kriva njegova poezija, a čovjek života neka zna da je za besplodnost umjetnosti kriva njegova vlastita nezahtjevnost, i neozbiljnost njegovih životnih pitanja. Ličnost mora postati do kraja odgovorna: svi njezini momenti moraju se uklapati ne samo u vremenski niz vlastita života, nego se prožimati u jedinstvu krivnje i odgovornosti."[7]

Kategorija odgovornosti, rekli bismo na koncu, povezuje ove tri kulturne paradigme, čini pjesnika, pisca i literata raznim povijesnim utjelovljenjima, hipostazama umjetnika stvaraoca.

S ruskoga, prema rukopisu, prevela
Magdalena Medarić

7 Bahtin, M. M, *Èstetika slovesnogo tvorčestva*. Moskva, 1979, str. 5–6.

РЕЗЮМЕ

И. Н. Сухих

Чеховские писатели и литератор Чехов.

Статья посвящена эволюции проблемы автора в русской литературе XIX века и в творчестве Чехова. Особое внимание уделено конфликту комедии *Чайка* и отражению в ней эстетического идеала Чехова.

BUNJINOVO STVARALAŠTVO – JEDINSTVENA KNJIGA O "SEBI"

O jednoj funkciji Bunjinova metateksta

LJUDMILA A. JEZUITOVA

"Ja ne pišem o goloj prirodi. Ja pišem o ljepoti ili pak s prirodom dajem čitatelju dio svoje duše. Svatko piše na svoj način... a ja o svome..."

I. Bunjin, Iz pisma V. S. Miroljubovu

"... gdje je granica između *OVE* stvarnosti i moje mašte, koja je isto tako stvarnost, isto tako život?

Progoni me tuga prostora, vremena, oblika. Sve što radim čitavog života jest njezino prevladavanje...

Žudim za življenjem i živim ne samo svojom sadašnjošću nego i prethodnim životom, i tisućama tuđih života, suvremenih i prošlih, čitavom poviješću čitavoga čovječanstva sa svim njegovim zemljama. Ja neprestano žudim da zadobijem tuđe i pretvorim ga u sebe..."

I. Bunjin, "Knjiga mog života"
(*Kniga moej žizni*)

"Svijet je bezdan bezdana. I svaki je kamen u njemu Prožet Bogom – životom, ljepotom. Živeći i umirući, mi živimo kao Jedna, svjetska Duša..."

I. Bunjin, "Giordano Bruno"
(*Džordano Bruno*)

Ako je pitanje o autoru, njegovu mjestu i poziciji u djelu postavljeno pravilno, ono može dati ključ za razumijevanje glavnog ("svojeg") u umjetničkom svijetu pisca. Kao jedan od "otpirača" služi nam analiza metateksta. Skriveno i otvoreno autor organizira recepciju dragog mu "svojeg" u umjetničkom tekstu: upućuje na njega čitateljevu pozornost skupom "umišljenih" metapostupaka pribjegavajući razmatranjima "o sebi", "autoru", o "svojoj" temi i spomenutim postupcima.

Imajući osjećaj izoštrene "izdvojenosti", Bunjin podčinjava tekst intenzivnu izražavanju vrlo individualnog ("autobiografskog") doživljavanja svijeta; metaopisi i metakomentari koncentriraju čitateljevu volju na autorski supstrat. Zadaću maksimalnog samoizražavanja Bunjin rješava cijelim putem, ali je – problemski i strukturno – rješava različito, a sa stjecanjem duhovnog iskustva i profesionalne vještine – i sve potpunije. Svrsishodno otkrivanje osobina vlastitog svjetonazora i stila čini metastrukturu stvaralaštva i pridaje mu kvalitativno jedinstvo.

Proučavatelji Bunjina vole citirati njegove čuvene riječi o tome da je rođen "prije svega" kao stihotvorac i da mu je "najvažnije – pronaći zvuk", u pjesmi, pripovijetki ili noveli – svejedno.[1] Kad objašnjavaju ove riječi, "bunjinolozi" s pravom pišu o traženju jednog ritma, melodike i efekta unutarnje glazbe. Pa ipak, misli se da "zvuk" ili "glazba" nisu samo umijeće spajanja formalnih elemenata mikroteksta (leksičkih obrata, jezičnih fraza, lirski obojenih izraza i njihovog spajanja), nego se prije svega u njima izražava umjetnost očitovanja kozmološkog osjećaja svebožanskoga, upravo onog što za Bunjina i čini pojam "života". I ako pisac putem prikaza procesa postojanja, proživljavanja ili spoznavanja dalekog ("epskog") ili bliskog ("lirskog") junaka uspijeva otkriti svezu

1 Pušešnikov, N. A, "Zapiski ob Ivane Alekseeviče". u: *V bol'šoj sem'e*, Smolensk 1960., str. 248, publikacija A. K. Baboreko.

čovjeka i univerzuma, znači da je pronašao "zvuk", "glazbu"; ako pak njegov čovjek ostaje na razini empirijskih (socijalnih, društvenih, svakodnevnih i sl.) reakcija, znači da nije uspio govoriti o "svome". O. N. Mihajlov sretno je nazvao Bunjina "samodršcem u državi svog stvaralaštva".[2] Primijetit ćemo da se njegovo "samodržavlje" ne očituje u pozornom historizmu, oštroj društvenosti, intenzivnim prikazima svakodnevice ili obilnoj slikovitosti kojima sjajno vlada, nego u osobitoj i njemu svojstvenoj "esencijalnosti".[3]

Svjesno ili podsvjesno stvarajući neki tekst, Bunjin često "u ime autora" manifestira glavnu, unutarnju temu. Ona njegovu stvaralaštvu daje privid autobiografizma. Prisutnost ili izostanak ove teme služi kao kôd i "metaorganizator" (prema izrazu A. Wierzbicke[4] stvaralačkog puta. Bunjin je implicitno "opisuje" i problematizira na svim razinama poetike – na razini lika, sižea, svih kompozicijskih oblika, žanra. Pisac kao junaka izabire osobu oslobođenu od vanjske nužnosti i otvorenu (u djetinjstvu, starosti i časkom u zrelim godinama) prema unutarnjoj, esencijalnoj nužnosti – a to je neodvojivost od ljepote, radosti i užasa postojanja. On predano radi na kompoziciji i sastavu sižea, uklanjajući ili reducirajući vanjsku (fabulativnu) radnju, kako bi razradio i produbio unutarnju (životnu) radnju. On mijenja naglaske u nazivima

2 Mihajlov, O. N, *I. A. Bunin. Očerk tvorčestva*, Moskva 1967, str. 56

3 O esencijalnosti kao jednom od kôdova Bunjinova stvaralaštva prvi je progovorio F. A. Stepun: "U njemu je 100% esencijalnost"; "Bunjin i o ne-esencijalnom piše esencijalno", Vidi: *Ustami Buninyh. Dnevniki Ivana Alekseeviča i Very Nikolaevny i drugie arhivnye materialy*, redakcija M. E. Grin, izd. u tri sveska, Frankfurt a. M. 1971–1982., sv. I. str. 241, zapis V. N. Bunjine od 15. travnja 1931. Dalje u zagradama poslije teksta: *Ustami Buninyh.* Navedeni svezak i strana.

4 Veržbicka, Anna, "Metatekst v tekste", u: *Novoe v zarubežnoj lingvistike, Lingvistika teksta*, Moskva: Progress 1978, str. 409.

djela, ciklusa, zbornika i određenjima žanra, reorganizira (lirizira) pripovijedanje i žanrovsku strukturu. Unutarnja tema prožima epigrafe, naslove, uvode, kulminativne točke sižea i na posljetku završetke.

Povremeno se unutarnja tema eksplicitno izgovara "od strane autora" u stihovima i prozi. Između tih izjava i strukture teksta bogatog metaopisima stvara se "dvotekst" (termin A. Wierzbicke). Ova "dijaloška" (M. M. Bahtin) karakteristika dopunjava se predočenim nam pismima i autobiografskim opaskama, intervjuima i posebno dnevnicima koji u Bunjinovu stvaralaštvu imaju zapravo samostalnu vrijednost te se mogu razmatrati kao piščev laboratorij i umjetnički tekst. Nerijetko se "bunjinski element" ocrtava u njima reljefnije, razgovjetnije i čišće nego u pravim umjetničkim djelima.

Tako je Bunjinov stvaralački put – put intenzivna traženja i pomne razrade "svojeg" i "o svome", gdje se dinamično suodnose metaprikaz i refleksija o njemu – od strane "autora" koji se nalazi unutar umjetničkog teksta te autora koji o umjetničkom djelu i o sebi piše u autobiografskim dokumentima. Kao bitna komponenta kristalizacije "svojeg" služe odnosi između autora i čitatelja (kritičara) kojega metatekst poziva na kongenijalno čitanje.

U pismima, razgovorima i dnevnicima Bunjin se doticao pitanja objektivnosti i subjektivnosti, epičnosti i liričnosti, "istinitog" i "izmišljenog" u svojim knjigama. Katkad bi na njih davao tako proturječne odgovore da je zbunjivao kritičare, proučavatelje i čitatelje. Za jedne je Bunjin pisac isključivo stvarnog života ("realist" – epik), drugima je njegovo stvaralaštvo isključiva realizacija života autorove svijesti, a za treće on je umjetnik osjećaja ("lirik"). Prividnu proturječnost ukida pisac u *Životu Arsenjeva* (*Žizn Arseneva*): ovdje se u trećem ("autorskom") licu pripovijeda o geografski, povijesno i obiteljski konkretnoj biografiji Arsenjeva; Arsenjev pak, u radu na autobiografskom romanu, predlaže da se čitav svijet, od svog postanka do sadašnjosti i budućnosti, sva povijest zemlje, te povijest svih ljudi, uključujući prahistoriju naroda i prasvijest čovjeka, shvati kao biografija njegova junaka; jer kad Arsenjev želi govoriti o sebi, on govori o svijetu: "Neugodno je to i neprilično reći, ali to je tako: rodio sam se u svemiru, u beskonačnosti vremena i prostora ...".[5] U posljednjoj projekciji ove dvije, tako različito ispripovijedane biografije, slijevaju se u jednu. A u kontekstu Bunjinova stvaralaštva imamo razloga dopustiti misao da je lik romanesknog junaka Arsenjeva, njegova sudbina i životna pozicija ekvivalentna i jednaka duhovnoj biografiji samog Bunjina, njegova "mita o sebi".

S gledišta Bunjina, a time i Arsenjeva, "Ja" i "svoje" su priroda sama: Sunčevo svjetlo, Zemljina toplina, disanje mora; oni su povijest čovječanstva od Kaldeje, Asirije i Egipta, od drevne Rusije do one nove, s njima svojstvenom "rodovskom" stvarnošću do nestvarnosti novih dana; oni su Sveta povijest i "moje" zemaljsko postojanje, zavjetna bajkovita davnina i svakodnevica srednjeruske provincije... Razrađen do pojedinosti, detaljno razmotren i duboko promišljeni "vanjski" svijet za Bunjina je objekt lirsko-filozofskog proživljavanja, dok je njegova čuvena i izvanredna "opisnost" neposredni nositelj i istodobno utjelovljenje proživljenoga. Nutarnje "ja" i vanjsko "ne-ja" stapaju se u umjetnička obilježja "pamćenja", u savršene likove zemaljske i kozmogonijske praprirode, momentalno-vremensko-vječnog koje se shvaća kao izraz samoga sebe.

Kategorija "pamćenja" po Bunjinovu je određenju dvosmislena. On je ponavljao da njegovo "pamćenje" nije sposobnost podvojenja realno-prošlog, nego stvaralačko razmišljanje koje žudi za razigravanjem situacija rođenih u njegovoj fantaziji. Primjerice, Bunjin s otvorenim negodovanjem govori M. A. Aldanovu o tome kako ne

5 Bunin, I. A., *Žizn' Arsen'eva,* u: Bunin, I. A. *Sobranie sočinenij v devjati tomah,* Moskva 1965–1967., sv. VI. str. 237. Daljnji pozivi na sabrana djela u zagradama poslije teksta.

shvaćaju svi koliko je važna njegova domišljatost, pa misle da on piše tako "realistično i uvjerljivo" stoga što ima "neobično pamćenje" i opisuje "po prirodi" ono što mu se dogodilo ili ono što je "znao, vidio".[6] Istodobno inzistira na tome da ga je obuzimala nezadrživa želja zanemariti "besplodna traganja mašte" i "uraditi nešto novo, nešto što je odavno želio": "započeti... "Knjigu ni o čemu", bez ikakve vanjske veze, gdje bi izlio svoju dušu, ispripovijedao svoj život, ono što je uspio vidjeti u ovom svijetu, osjećati, misliti, voljeti, mrziti..." ("Riječima Bunjinih" / *Ustami Buninyh*, P. S. 66–67. Zapis B. od 27. listopada - 9. studenoga 1921.). "Fantazije" i "opažaji" bili su ravnopravni izljevi "pamćenja" o sebi, iznemoglom od gledanja svijeta "samo svojim očima".[7]

Stvaralačke muke pokazale su se sposobnima sliti u jedno i izjednačiti "mit" ("pamćenje", "prapamćenje", "maštu") i "realnost" (živo/prirodno/stvarno/aktualno/trenutno). Njegova snažna senzibilna intuicija i dar opažanja podjednako otvoren prema unutarnjem, duhovnom i vanjskom, konkretnom, rušio je granice vremena/prostora/forme i opažao u njima neprolazno/neraspadljivo/vječno/beskonačno. Počevši s 20-im godinama Bunjin se mnogo puta prihvaćao komentiranja vlastitog stvaralačkog procesa i njegovih "proizvoda", ali je vlastiti fenomen opetovano objašnjavao jezikom umjetnosti: "Pravio sam" – pisao je on, na primjer, u minijaturi "Glazba" (*Muzyka*) – "upravo pravio nešto savršeno nedostižno, pravio sam glazbu, stvarao sam ih /svoje slike – prim. Lj. J./ tako lako, tako čudesno i tako materijalno kako može stvarati samo Bog, a ono što sam stvorio ne vidjeh ništa manje jasno i zamjetljivo, nego što sad, u zbilji, pri danjem svjetlu, vidim evo ovaj stol na kome pišem i ovu tintarnicu u koju sam upravo umočio pero...

6 Aldanov, M. A., "Predislovie", u: Bunin, I. A., *O Čehove*, New York 1955, str. 18–19.

7 Pušešnikov, N. A., "Zapiski...", u: *V bol'šoj sem'e*, str. 246–248.

Što je to? Tko je stvarao? Ja, koji upravo sada pišem ove retke, mislim i osvješćujem sebe? Ili pak netko tko u meni postoji bez moga znanja, skriven čak i meni samom i neizrecivo moćniji od mene, a u ovom običnom životu sebe osvješćuje? I što je materijalno, a što nematerijalno?" (2, 146–147).

Već u dječačkim i mladenačkim stihovima pojavljuju se prepoznatljivi znakovi objašnjavanja poetičkog programa: pjesnik hoće govoriti o sveobuhvatnoj težnji za sjedinjenjem s ljepotom prirode ("Šire se, grudi, rastvori da primiš..." / *Šire, grud', raspahnis' dlja prinjatija...)*, o tegobnoj želji da čuje "šapat zrijućeg klasja i nejasan šum breza" ("Pamtim dugu zimsku večer" / *Pomnju dolgij zimnij večer)*, da vidi svijetli izlazak sunca ("Blijedi noć... Koprena magle..." / *Bledneet noč'... Tumannov pelena...*), da iskusi tugu vlastitih snova o "bijelom jedru", ranoj zori i dalekom sutonu ("Daleko preko mora gasne večer..." / *Daleko za morem dogoraet večer*).

Kritičari su u Bunjinovim stihovima zamijetili jedino samodovoljnu opisnost, učinilo im se da njegove "lokvice, sase, zob, breze" ne pretendiraju na to "da posluže kao izraz pjesnikovih radosti i tuga".[8] Nisu se potrudili primijetiti da se za Bunjina priroda ne može svesti na smjenu živopisnih slika, već da je ona sam Bog, a pjesnkovi stihovi – molitve i himne tome Bogu.

1890-ih godina Bunjin je sazdao seriju pjesama na strastven i ushićen način obraćenih Bogu – prirodi. Principijelno programatskima postali su stihovi u kojima pjesnik blagoslivlje svaki tren postojanja za sreću / patnju sjedinjenja s prirodom ("Noć je nastupila, ugasnuo dan" / *Noč' nastupila, den' ugas*), za radost potpunog ispunjenja pjesnikove duše "predvječnom ljepotom i pravdom nezemaljskom" ("Kasni sat. Lađa je i tiha i tamna..." /

8 Čukovski, K. I, "Rannij Bunin", u: Čukovski, K. I., *Sobranie sočinenij v šesti tomah,* Moskva 1969, sv. VI. str. 92.

Pozdnij čas. Korabl' i temen...), za to što s početkom svakog "obećanog dana" uskrsava Bog ("Krist je uskrsnuo! Opet u zoru..." / *Hristos voskres! Opjat' s zareju...*). Gluhoća kritičara koji nisu jasno čuli ispovjednost Bunjinovih molitava, prisilila je pjesnika da istupi s "autokomentatorskim" stihovima. U sabranim djelima (izdanje društva A. F. Marks, 1915.) Bunjin je podcrtao manifestni značaj pedeset pjesama iz 1901. godine izdvojivši ih u posebni odjeljak. Zaustavimo se na nekima od njih.

U poznatoj "Jugovini" (*Ottepel'*) (kako se prvobitno nazivala pjesma "Još je hladan i vlažan zrak veljače..." / *Ešče i holoden i syr fevral'skij vozduh...*) pjesnik definira sebe kao pjesnika Ljepote svijeta, a ona je osnovna kozmička sila, izvor radosti, pokretač ljubavi. Stoga: "Ne, ne privlači me krajolik, Ni boje neće žudni pogled opaziti, Već ono što u bojama tim svijetli: Ljubav i radost bitka..." Kao odgovor na duhovnu gluhonijemost kritike Bunjin je u "Noći" (*Noč'*) objavio svoj pjesnički kodeks: "U ovom svijetu ja tražim jedinstvo Prekrasnog i vječnog..." i "...Prekrasnog i tajnog, kao san. Volim je zbog sreće stapanja U jednoj ljubavi s ljubavlju svih vremena." U nizu stihova ("Noć i dan" / *Noč' i den'*; "Sijevanje" / *Zarnica*; "Oblaci, kao prikaza ruševina..." / *Oblaka, kak prizraki razvalin...*; "Iz Apokalipse" / *Iz Apokalipsisa*; "Humak" / *Kurgan*; "U Alpama" / *V Al'pah*) okarakterizirao je sebe kao služitelja Boga ili "vječne Ljepote", što je za njega jedno te isto. Kako bi istaknuo najkarakterističnije crte svog stava i razliku svog programa prema programu omiljenog mu i čuvenog prethodnika, Bunjin piše svoju "zahvalu" (prvobitno nazvanu "Suton" / *Zakat*) te je gradi na unutarnjem dijalogu sa "Zahvalnošću" / *Blagodarnost'* Ljermontova, tim skupom skepse, sarkazma i gorkog očajanja čovjeka kojeg su ostavili ljudi, obmanuo život, napustio Bog. Započevši pjesmu neznatno izmijenjenim, ali lako prepoznatljivim stihom iz Ljermontova ("Na svemu Tebi, Gospode, zahvaljujem!" / *Za vse Tebja, Gospod', blagodarju*), Bunjin se odrekao ironije, pa slavi Gospoda radi sreće slijevanja pjesnikove duše s dušom Prirode: s nježnošću večernjeg rumenila, prostranstvima polja, smirenošću dalekog plavetnila... Patničkomu odricanju postojanja u autora "Zahvalnosti", Bunjin suprotstavlja pohvalu njemu i njegovu Kreatoru, Tvorcu.

Stihove iz 1886.–1901. godine možemo shvatiti kao tekst s jedinstvenim metasižeom čiji se razvitak usmjerava i korigira autokomentarom u obliku preciznih pjesničkih formula. U prvoj do nas dospjeloj pjesmi "Šire se, grudi, rastvori da primiš..." ovaj nedorasli mladić izvijestio je "o svojem" ("Otvori mi, prirodo, zagrljaj, Da se slijem s ljepotom tvojom!"), započevši time proces autotematizacije koji se kao jasni reljef rasprostro cijelim piščevim stvaralaštvom. Priroda je u njegovim stihovima živa, oduhovljena, to je sama Svjetska duša. Ona je predmet i objekt njegove poezije ("Na udaljenom polju" *V ot'ezžem pole*; / "Opadanje lišća" / *Listopad*). A on je čestica Svjetske duše obdarena sposobnošću da osjeti jednakovrijednost sebe i prirodnih pojava: nebeskog plavetnila, sunčeva sjaja, šarenila morske tišine ("S biserjem morskim pod vodom rastem, Raspadam se na grebenu od modre vode..."; "Drag mi je biser nježni" / *Mil mne žemčug nežnyj*). Pjesnik neumorno ponavlja riječi svog osobnog i pjesničkog poslanstva: ono se sastoji od molitvenog pjeva Svijetu /Bogu/ Životu. Harmonija i Ljepota smrtniku se (pjesniku) otkrivaju u prolaznim trenutcima ("Sijevanje", "Noć i dan"). Oni se mogu uhvatiti duhovnim razmatranjem, usponom, podvigom ("U Alpama", "Na manastirskom groblju" / *Na monastyrskom kladbišče*).

Bunjinovi su rani stihovi postali uvertira za cijelo stvaralaštvo, koje je sačuvalo njihove programatske motive. Naravno, i poezija i proza s godinama su stjecale opsežnost, dubinu i bogatstvo pjesničkog sadržaja te dopunska obilježja antinomičnosti i tragike. Otvorena samopriznanja, tako izdašno prisutna u doba stvaralačkog samoodređenja, susreću se sve rjeđe i zvuče sve suzdržanije. Ta okolnost povećava interes za rane stihove prilikom proučavanja Bunjinova metateksta.

A. V. Amfiteatrov je ranu Bunjinovu prozu nazvao "lakoničnom i nalik skici".[9] Ove riječi mogu se u različitoj mjeri primijeniti i na pripovijetke o stvarnom životu i na lirske minijature. U prvima još jako vlada svakodnevica ili sjećanje na nju, iako ih Bunjin uporno i metodično sažima. Druge su ispunjene lirskim meditacijama, očišćenim od svakodnevnoga. U prvima autor po pravilu situativno, a u drugima deklarativno iznosi svoj program – pisati o esencijalnim temama: o "svojem". Fabulu svakodnevice pisac često iscrtava isprekidano ili fragmentarno predstavlja, a filozofsko proživljavanje prenosi u granično doba smjene dana i noći, ili pak u simbolični prostor ceste, ili ga "provocira" situacijama ljubavi i smrti. Filozofska emocija promalja se u kompoziciji sižea postupno, e da bi zavladala u polju umjetničkog teksta i zgusnula se na njegovu udarnom mjestu, završetku.

Tehniku "isprekidanosti" ili "fragmenta" izražajno demonstrira "seoska skica" "Tanjka" (*Tan'ka*). Prvi dio – ocrtavanje modrikastog hladnog jutra u Kornejevoj izbi – treba nas upoznati s junakinjom, seoskom djevojkom, i motivirati njezin bijeg iz izbe prema zaleđenu ribnjaku. Upoznavanje se nadopunjuje pričom Tanjkine majke o gladi koja je razorila obiteljski poredak (prodani su krava i konj, a Kornej je otišao u pečalbu) i slikama raspada obitelji, nagomilanim u Tanjkinu sjećanju: prodaja konja-ljubimca gradskim trgovcima konja, duge gladne večeri praćene plačem djece i umirujućim majčinim pjesmama i molitvama. S aspekta Tanjkine percepcije nabrojeni su, ali ne i sižejno razrađeni motivi očeva odlaska i sve bliže propasti obitelji: "tatica" je otišao "još o Kazanskoj bogomajci", jednom se vratio kući, "donio sušenih haringi i izjavio da je svugdje /bijeda/", a zatim otišao i otada su "gotovo

9 O tome vidi: Stepun, F. A., "Ivan Bunin", u: Stepun, F. A., *Vstreči*, München 1962, str. 88-101.

sasvim prestali jesti" (2, 14). Drugi je dio pripovijetke posvećen vlastelinu Pavlu Antonoviču, kratkom priopćenju o njegovu prošlom i sadašnjem životu. Razvitkom sudbine Pavla Antonoviča količina se siżejnih "neisklijalih zrna" povećava: priopćuje se da je Pavel Antonovič sudjelovao u Krimskom ratu, da je zakartao imetak, da je, nakon preobraćenja u marljiva vlastelina morao sahraniti ženu i otpratiti na sibirsku robiju sina-studenta; čitatelj se upoznaje s dijalogom između Pavla Antonoviča i kočijaša kome prijeti surova kazna zbog izgubljenog biča, te s njegovom pomisli na život nećakinja u Firenci. Na sve to upućuje konspekt priče o njegovu životu između 61. i 91. godine. Završetak je posvećen onome što autorovu pozornost privlači na 1892. godinu: nježnoj idili, susretu vlastelina kojemu život završava i seoske djevojčice čiji život tek počinje. Pavel Antonovič utopljava Tanjku, poji vrućim čajem s mlijekom, tetoši je suhim šljivama i kockama šećera, opasuje plavim pojasićem i pjeva joj uz gitaru omiljene ratne pjesme: "Marš o Napoleonovu bijegu" i "Zorenjku".

Tako siže nije posvećen "problemima" života Tanjke i Pavla Antonoviča, njihovoj svakodnevici ili psihologiji bogatstva/siromaštva. Sudbine junaka su vezane uz svakodnevno, ali ne i svedene na njega. Siže je usredotočen na nešto važnije nego što je svakodnevica, a koje se koncentrira u sonatnoj završnoj reprizi "seoske skice" (autorov žanrovski podnaslov), u seoskoj elegiji o tome, kako je Pavel Antonovič poljubio Tanjkinu glavu punu mirisa dimljive izbe, kako je Tanjka usnila vlasteoski vrt ukrašen injem, voljenog brata Vasku i majku kako nježno pjevuši starinsku melodiju. Uklanjanje iz pripovijetke sižejno relevantne fabule, koja je zadržana tek u obliku shematičnih rudimenata ("sjenki" nerealiziranog sižea), pridonijelo je očitovanju tipično Bunjinovih dominanti - teme i sižea potpuno posvećenih sporom, povjeku jedva primjetnom tijeku postojanja, te proživljavanju tog postojanja od strane njegovih živih elemenata, djeteta i starca. Fikcija trenutka esencijalne harmonije koji je zatreperio u carstvu zemaljske disharmonije postaje sižejnim metamotivom Bunjinove proze. Problemi vezani uz povijesni trenutak i socijalno-nacionalni prostor izgnani su na periferiju, da bi na njihovo mjesto stupila "vječna" tema sudbine (starca i djevojčice) koja se razliježe na pozadini djelovanja prirodnog ("Božjeg") zakona, narušenog u svijetu u kome vladaju "problemi". Na tren se "nebo" rastvara nad glavama Pavla Antonoviča i Tanjke, a čitatelj osjeća ljepotu "vječnog".

Druga vrsta "isprekidanog" pisma predočena je pripovijetkom "Kastrjuk" (*Kastrjuk*). Ekspozicija zauzima u njemu osam desetina opsega teksta. Sporo, korak po korak vuče se mučni dan mužika Semjona, kojeg suseljani prozvaše Kastrjuk, prvi neradni dan u "sramnom" staračkom položaju. Kraj pripovijetke s neočekivane strane otkriva prednosti tog položaja: nakon što je ispao iz uobičajene kolotečine seljačkih dana, Kastrjuk je, čini se, prvi put u svom dugom životu uspio ugledati "tamno, zvjezdano, prekrasno nebo i svjetlucavi Mliječni put", a oni mu se učiniše "svetom cestom prema gradu Jeruzalemu". Prvi put je osjetio da je njegova duša s njima srodna i s "udivljenjem" se pomolio Bogu i Božjem svijetu (2, 29).

Novitet Bunjina kao umjetnika osjeća se pri usporedbi "parnih djela", primjerice "Antonovskih jabuka" (*Antonovskie jabloki*) i "Opadanja lišća" (*Listopad*): prvo nije postalo epizodom iz seoske svakodnevice premda je ona u njemu opisana pomno i snažno, a drugo ni u kom slučaju nije prikaz pejsaža, iako je sve ispunjeno višebojnim, zvučnim slikama. Oba su djela – Bunjinu svojstvene "poeme", posvećena jeseni. U "Antonovskim jabukama" to je "sjećanje" na jedan običan seoski dan koji je vlastelinčić pomalo ošamućeno proživio u etnografskom bogatstvu predmetnoga svijeta, u osjetilnoj punoći jesenjih, prirodnih i seoskih ritmova, boja, zvukova i mirisa, u esencijalnoj riječi koja teče koritom svakodnevice. U "Opadanju lišća" junacima postaju oživljeni likovi same prirode - Jesen, Šuma, Zima, a njihovi "osjećaji" i osjećaji pjesnika podčinjeni su kozmičkom poretku, u njemu su rastvoreni: živo ugasnuće Jeseni, svečani dolazak "smrtne" Zime... Filozofska tema obiju poema je cikličnost Prirode/Svemira, bezličnog i misaonog, ravnodušnog i osjećajnog, te Čovjek (pjesnik) kao njegov dio.[10] Lirizam "Antonovskih jabuka" postiže se uvođenjem lika pripovjedača – subjekta jesenjih doživljaja, koji sinkretiziraju idilu i "protokol". Lirizam "Opadanja lišća" javio se kao posljedica "epskog" automatizma prirode. Autorov prodor u strukturu "Antonovskih jabuka", otvorena autorova prisutnost u filozofsko-elegijskom tonu "Opadanja lišća", te raspoloženje i kompozicija obaju lirskih djela čine i samu temu jeseni lirskom: život prirode protumačen je kao život osjećaja, duha, svijesti i nadsvijesti umjetnika. Stvorena je svojevrsna kružna dijalektika Bunjinova svijeta: autor (pjesnik, pripovjedač) – osjećajni i misaoni dio prirode / svemira i oživljena priroda / svemir – atribut autorove svijesti.

Zanimljivo je bilo proučiti način na koji Bunjin stvara svoj metatekst i što izbacuje prilikom prerade pripovijedaka. U "Tanjki" na izgon je osudio fragmente vezane uz razmišljanja Pavla Antonoviča o empirijskoj prošlosti i budućnosti, odnosno sjećanja na promjenu svog odnosa prema sinu revolucionaru (nepomirljivost u vrijeme uhićenja i progonstva, a shvaćanje nakon više godina) i meditacije o mogućoj Tanjkinoj sudbini. U pripovijetki "Kastrjuk" skraćivanju su podvrgnuti dijelovi o obiteljskoj svakodnevici koji su smetali ciljnom kretanju sižea prema esencijalnoj kulminaciji i raspletu. Iz pripovijetke "U polju" (*V pole*) uklonjeni su sporedni detalji iz svakodnevnog života sitnog plemstva, a iz "Svetih gora" (*Svjatye gory*) Bunjin je izbacio podrobno napisanu scenu susreta autora-pripovjedača s astrahanskim mužikom. S rijetkom dosljednošću Bunjin čisti sižeje od slučajnih i stranih elemenata; obje pripovijetke dobile su traženi "esencijalni" karakter.

Pa ipak, literarna vivisekcija ne pokazuje se uvijek i svugdje produktivnom, a esencijalna kulminacija katkad ostaje neizražena.

10 Golotina, G.A, "Evoljucija temy prirody v lirike Bunina 1900-h godov", u: *Ivan Bunin i literaturny process načela XX veka*, Lenjingrad 1985, str. 82-100.

To se dogodilo s "Učiteljem" (*Učitel'*) (prvobitni naziv "Tarantela" / *Tarantella*, gdje su iz posljednjih glava izuzete obilno detaljizirane žanrovske skice i glavna svojstva sudionika domaćeg skupa kulturnog društva seoske vlastele, ali karakteristična "esencijalna" završnica izostaje. U manjem stupnju to se može reći i za pripovijetku "Na ladanju" (*Na dače*). Iz aspekta junaka, gimnazijalca Griše Prima koji žudi "iskusiti životni put" i "ispuniti se radošću" pred Božjim licem, ovdje je postavljeno pitanje: kako to da niti "misaoni" niti "ne-misaoni" načini ponašanja (s jedne strane debelog Kamenskog i *narodnika* Berngardta, a s druge – graditelja suvremenog "Babilona", arhitekta Prima i njegovih prijatelja) ne dotiču bitnu jezgru ljudskog života. Fabula pripovijetke, međutim, zaobilazi skup esencijalnih doživljaja, pa umjesto da ih učini siżejno dominantnima, ona ih se jedva dotiče. Zbog toga izostanak sporednih detalja "vanjskog" života junaka ipak ne izvodi pripovijetku na pravac "esencijalnog".

Valja napomenuti da je Bunjin "zatvoreni" umjetnik koji ne želi raskriliti prozor u svoj svijet putem vlastitih sugestija. On, u pravilu, skriveno "unutarnje" izražava putem umjetno sazdanog "vanjskog", kroz atribute predmetnog, svakodnevnog, prirodnog svijeta koji i sami po sebi (razumije se, u Bunjinovu tekstu) mogu poslužiti kao nosioci esencijalnog načela i esencijalnih svojstava. Autokomentarima je Bunjin pribjegavao rijetko, samo u krajnjim slučajevima kada ga je na to tjerala činjenica nedopustivog razmimoilaženja s gluhim ili slijepim kritičarima. Uklanjajući "lažne (ne-esencijalne) opise on je često ispuštao i ono što mu se činilo nametljivim ili suviše očitim objašnjenjima esencijalnog. Tako je u pripovijetci "Na majuru" (*Na hutore*) (prvobitno nazvanoj "Maštalac" / *Fantazer*), nakon ključnih riječi o osjećaju krvnog srodstva Kapitona Ivaniča sa šutljivom prirodom, prvobitno slijedio odlomak o prednosti bliskog suživota junaka i prirode – rodnog polja, omiljenog majura – pred neskladnim i rastrganim gradskim životom, punim užurbanosti i vreve, trke za blagostanjem i lažnim samopotvrđivanjem. Ovu je "brbljavost" Bunjin osudio na skraćivanje.

Sličnih brisanja ima mnogo. Katkad je Bunjin uklanjao čak i za razumijevanje njegovih pripovijedaka toliko važne završetke, kao što je odlomak na temu organskog jedinstva života seoskih žitelja i zemlje, jedinstva koje osigurava osjećaj harmonije, sloge, zemaljske i kozmičke radosti. Sličnu završnicu Bunjin je odsjekao i u "Epitafu" (*Èpitafija*), po vlastitom priznanju "najboljoj" pripovijetci ranog doba. Iz nje je izbacio i uznemireno pitanje lirskog junaka, a nisu li upravo ti radosni osjećaji bili tek snovi iz djetinjstva?

Na koncu možemo reći da su u pripovijetkama, kao i u cijelom Bunjinovu djelu, prisutni antagonistički odnosi između "problemske" fabule i "esencijalnog" sižea. Jedna te ista "pitanja" svakodnevnog života, "trenuci ljubavi" ili "momenti" smrti, "situacije" izbora ili prisjećanja pamćenja mogu preokrenuti svoju vremensku ili bitnu stranu te zadati time potpuno drukčije orijentacije i gledišta na prikazano. U jednom slučaju oni potpadaju u krug prosudbi ljudi "konačnog" vremena ili prostora, *OVOG* dana/mjeseca/godine/stoljeća ili *OVOG* sela/grada/države/planeta, dok se u drugom slučaju zadaju parametri apsolutnog, Neba/Duha/Harmonije/Ljepote (Boga). Jedna te ista "slika" postoji i objektivno (autonomni junak u maski junaka) i ima subjektivno-filozofski smisao (autor u maski junaka ili autor u vlastitim lirskim istupima, meditacijama i autobiografskim očitovanjima).

Bilo bi zanimljivo bar na tren zaviriti u kritike i pozabaviti se onim što su profesionalci u Bunjinovim pripovijetkama odobravali, a što nisu, te jesu li uspijevali odgonetnuti njihove dominantne teme, ideje, zanose. Recimo odmah: kao i mnoge druge pisce, kritičari su dugo (a u nekim slučajevima i do kraja života) hvalili i kudili Bunjina zbog krivih stvari ili su se pak zaustavljali samo na onim stranama djela koje su bili u stanju shvatiti. Na primjer I. Džonson, koji je Bunjina poetično nazvao "divnim talentom", u njegove je vrline ubrajao ponajprije umijeće prikazivanja zavisnosti psihologija junaka od njihove "klasne ili imovinske razlike".[11] Ugledni kritičari A. I. Bogdanovič, A. M. Skabičevski i drugi, pohvalno su ocjenjivali Bunjinov blagi lirizam u prikazivanju ..."surovih" (svakodnevnih, socijalnih, društvenih) sižea, nalazeći u njima sintezu žanra, svakodnevice, etnografije i "ugođaja".[12] Svojedobno uvažavani P. F. Jakubovič, kao i mnogi drugi prije svega je cijenio "fabulativne" pripovijetke u kojima je jasno izražena kritika socijalnih odnosa ("Učitelj" / *Učitel'*, "Na kraj svijeta" / *Na kraj sveta*, "Vijesti iz domovine" / *Vesti iz rodiny*), a previdio pripovijetke "o svojem".[13]

Oni kritičari koji su "svoje" primjećivali, u pravilu ga nisu cijenili, nego su korili upravo ono što je Bunjinu bilo osnovni smisao. A. M. Skabičevski, recimo, kudio je "Svete gore" (ili "Na Doncu" *Na Donce*), jednu od najuspjelijih Bunjinovih pripovijedaka filozofskog ugođaja, izjavivši da u njoj nije primijetio "ništa" osim subjektivizma i, njemu navodno svojstvene, mistike.[14] U analizi pripovijetke "Na ladanju" (*Na dače*), Skabičevski i V. A. Goljcev su ostali ravnodušni prema njezinoj jezgri, filozofsko-religioznom nemiru humanista Griše Prima, a najbitnijim su držali "problemski" (socijalno-ideološki) plan čiju realizaciju ocijeniše

11 Džonson, I. (Ivanov, I. I.), "Krasivoe darovanie", u: *Obrazovanie*, 1902, № 12, str. 55.

12 A. B. /Bogdanovič, A. I, "Kritičeskie zametki", u: *Mir božij*, 1897, №2, str. 6-8; Skabičevski, A. M, "Tekuščaja literatura / I. A. Bunin. Na kraj sveta. Rasskazy", u: *Syn otečestva*, 1897, N 138, 23 svibnja; Bez potpisa, "'Na kraj sveta' i drugie rasskazy I. A. Bunina, Sankt Peterburg 1987." u: *Russkaja misl'*, 1987. № 5, str. 195-196.

13 Jakubovič, P. F. I. "Bunin. Rasskazy, sv. I Sankt Peterburg 1902.", № 7, str. 103–107.

14 Skabičevski, A. M., "Pis'mo k I. A. Buninu ot 29 maja 1896", u: CGALI, Citat prema *Sabr. djelima* B. u 9 sv., sv. II., str. 298, publikacija V. G. Titove.

kao nerazjašnjenu, "konturnu".[15] J. A. Bunjin pomalo je ironično pisao bratu o svojim prijateljima – *sredovcy* koji su odobravali Bunjinove pripovijetke, ali i prigovarali zbog njegove "sklonosti prema starom vlastelinskom životu".[16] Recenzije Skabičevskog, A. A. Izmajlova i drugih koji su pokušavali odrediti žanrovsku originalnost, šarenile su se riječima: svakodnevica, žanr, putopis, sličica iz svakodnevice i sl. Pa i kad je osjetio lirsku prirodu Bunjinova talenta, I. Džonson kao da mu je tu osobinu pripisao u krivicu, rekavši da su likovi Bunjinu "tek povod za izražavanje vlastitih osjećaja, misli i dojmova".[17] Zapravo, među kritikama rane Bunjinove proze moguće je kao bez sumnje uspjelu izdvojiti onu A. N. Ertelja. Budući blizak Bunjinovu osjećanju i shvaćanju života (iako različit po stupnju povijesne i estetičke spoznaje), Ertelj je primijetio da se tajna čarolije Bunjinove proze skriva u njezinu tonu, jer on je njezin stalni element, ali i glavni junak, a proistječe "iz intimnih odlika talenta" i "umjetničke individualnosti" proze ovog pjesnika.[18]

Obratit ćemo usput pozornost na situaciju koja je nastala za vrijeme proučavateljskog "booma" u ruskoj "bunjinologiji" sredinom XX. stoljeća. Razumije se da je niz dobrovoljnih i prinudnih sljedbenika vulgarnog socijalizma, koji je zadavao ton službenom proučavanju književnosti između 40-ih i 60-ih godina, bio nesposoban rekonstruirati punokrvni karakter ovog umjetnika. Međutim,

15 Skabičevskij, A. M, "Pis'mo k I. A. Buninu ot 27 avg.1896", u: CGALI (2, 501); Bunin, I. A., "Pis'mo k Ju. A. Buninu ot 28-30 okt.1895", u; *Russkaja literatura*, 1961, № 4 str. 150, izd. A. K. Baboreko.

16 Bunin, Ju. *A*, "Vospominanija", u: CGALI (2, 505).

17 Džonson, I. (Ivanov, I. I.), "Krasivoe darovanie" u: *Obrazovanie*, 1902. № 12, str. 55.

18 Èrtelj, A. N, "Pis'mo k I. A. Buninu ot 27 jnv. 1898", u: *Russkaja literatura*, 1961, № 4, str. 151, publ. A. K. Baboreko.

neobraćanje pozornosti na Bunjinove metateme, metaideje i njihove dominante navodilo je i one proučavatelje koji tom skupu nisu pripadali da griješe. Primjera radi spomenut ćemo radove L. V. Krutikove i L. K. Dolgopolova. Nakon što je u članku "Na kraj svijeta" – prvi zbornik pripovijedaka I. Bunjina *(Na kraj sveta – pervyj sbornik rasskazov I. Bunina)* pravilno upozorila na to da je Bunjin prebacivao završetke svojih pripovijedaka sa "životnog" na "panteističko-filozofski" plan, Krutikova je u tome neočekivano opazila piščev nedostatak te mu prigovorila zbog "apstraktnog humanizma" i "jednostranog interesa prema asocijalnim problemima". U prilog znanstvenice treba reći da čim je s općeideoloških razmatranja prešla na analizu konkretne poetike, razgovor je ušao u druge vode: interes se usmjerio na ono najbitnije u Bunjinovu tekstu - na "osnovni ton" kao način priopćavanja "poezije i ljepote prirode i ljudskog srca" koji žive jednim te istim ritmom.[19]

Kao ni L. V. Krutnikovoj, L. K. Dolgopolovu nisu potrebne preporuke, jer i on pripada u znanstvenike koji tekst umiju iščitati na nov način. Članak "Bunjinova sudbina" *(Sud'ba Bunina)*[20] privlači originalnom hipotezom o Bunjinovu djelu. Ali kao što često biva pri izgradnji koncepcija, katkad se zbog njih žrtvuje sam autor. L. K. Dolgopolov razlikuje tri etape u Bunjinovu stvaralaštvu. Kao polazište konstrukcije poslužila mu je misao o kretanju Bunjina od idejnog i estetičkog tradicionalizma prema najnovijim dostignućima umjetnosti XX. stoljeća. U suglasnosti s tom koncepcijom, često zanimljivo, govori se o tome da je početak Bunjinova djela bio realizacijom njegova staroplemićkog doživljavanja života kao idile (kraj XIX. – početak XX. st.), da se u sredini stvaralaštvo

19 Krutikova, L. V,"'Na kraj sveta' – Pervyj sbornik rasskazov Iv. Bunina", u: *Vestnik Leningradskogo universiteta*, 1961, № 20, *Serija istorii, jazyka i literatury*, str. 80, 84, 86.

20 Dolgopolov, L. K, "Sud'ba Bunina", u: Dolgopolov, L. K, *Na rubeže vekov. O russkoj literature konca XIX - načala XX veka,* Leningrad 1985, str. 261–318.

pretvorilo u polemiku s Bunjinu neugodnom i neprihvaćenom suvremenošću kao historijom te suvremenom umjetnošću (1910. godine); i da je, na posljetku, u emigraciji uspio stvoriti vlastiti originalni lik junaka svog doba – mladog ruskog čovjeka "izgubljene generacije". Taj se junak rađa kao kompleksna osoba koja duboko proživljava osjećaj dramatizma postojanja boreći se sa složenim i nadasve kontrastnim životom XX. stoljeća.

Dosljedno provodeći misao o Bunjinovoj ravnodušnosti prema povijesti, o njezinu namjernom "neshvaćanju", Dolgopolov nije u prvim dvama periodima Bunjinova stvaralaštva našao nikakvu pozitivnu protutežu tim negacijama. U takvoj interpretaciji Bunjin više nalikuje na provincijalnog anahoreta nego na jednog od najvećih ruskih pisaca. Bunjin je – prema Dolgopolovu – tek u emigraciji potpuno pronašao i izrazio svoje i sebe. Ovo po svoj prilici proturječi objektivnom stanju stvari. Kao prvo, negacije "vremenskog" u predrevolucijskom stvaralaštvu nisu uzrokovane ozloglašenim provincijalizmom nego zasnovane na dubokom razumijevanju svih zbivanja u Rusiji; kao drugo, te su negacije poslužile kao način da se suvremenost promotri s jedne više, a ne samo današnje točke gledišta – s gledišta epoha i vječnosti. Upravo su negacije, kao što je s vremenom postalo jasno, promaknule Bunjina u najznamenitijeg umjetnika – vidovnjaka i proroka koji je suvremenike upozoravao poklikom u ime "tristogodišnje plemićke krvi" i "kulture" (riječi M. Gorkog).[21] Smatra se da je Dolgopolov počeo robovati kategoriji povijesti koju je izabrao za svoj oslonac i time previdio ono najbitnije kod Bunjina, jer osloncem piščeva stvaralaštva nije bila historiozofija, već naturfilozofija. Njezine ideje i materijalizirani reprezentanti određivali su vrijednosna mjerila Bunjinova prikazivanja svijeta i čovjeka.

21 Gorki, M, "Pis'mo k I. A. Buninu (dekabr 1910)", u: *Stranicy russkoj literatury*, Kaluga 1969, str. 58, izd. N. M. Kučerevski.

Ja sam, razumije se, daleko od prigovora, jer lako je biti "pametnijim" od svojih prethodnika na račun vremena koje je omogućilo dosjetiti se onog glavnog što je, kao što se sad čini, ležalo na površini.

Vratimo se ipak Bunjinu. Bilo bi netočno smatrati da je prema "fragmentarističkim" pričicama, izgrađenim od fabularnih "komadića", bio ravnodušan. Stvarajući ih, Bunjin je išao putem književnosti XX. stoljeća, koja shematizira poznato. Čitatelj može i mora uspostaviti cjelinu prema razvijenom živom i književnom, povijesno-kulturnom pamćenju. Da je svoje priče Bunjin ispisao podrobno i opširno, u starijoj maniri, pripadao bi u red prosječnih beletrista ili u red talentiranih epigona prethodnih klasičnih djela. Izbjegao je obje sudbine, iako su neki njegovi suvremenici bili uvjereni u suprotno. (Na primjer, supruzi Merežkovski – kako se prisjeća N. N. Berberova smatrali su da je Bunjin smiješan u svojoj "dražesnoj, staromodnoj primitivnosti", u svojoj "životnoj, elementarnoj i svakidašnjoj" dvodimenzionalnosti,[22] a V. S. Janovski je napuhivao tezu o sekundarnosti Bunjina koji se, po njegovu mišljenju udaljio od bujice umjetničke obnove da bi nastavio, kao "natražnjak, osuđen na odumiranje", "dozivati se s dubravama, brezicama i ševama" opisujući ih "uspješnije od Turgenjeva ili Tolstoja": "To je zakon epigona".[23] Oponenti su se priklanjali mišljenju o zamjeni punovrijedne fabulativne stvarnosti samodovoljnom opisnošću, premda je Bunjin radio s fragmentarističkom fabulom koja odgovara životnoj istini i u njoj ukorijenjenim "esencijalnim" sižeom. On je pisao tako da mu ustrajna ponovljivost i jednog i drugog omogući govoriti o autorskom principu i autorskoj slobodi: o metatekstu. U ranom stvaralaštvu Bunjin je najbolje

22 Berberova, N. N., *Kurziv moj*, München 1972, str. 288.

23 Janovski, V. S., *Polja elisejskie. Kniga pamjati*, Sankt Peterburg 1993, str. 134.

uspio otkriti "svoje" u lirsko-filozofskim minijaturama koje su napregnuto koncentrirale njegove "nadteme".

Kao što smo već rekli, metatekstualni naboj u sebi nose sve komponente Bunjinove poetike: naslovi, epigrafi, žanrovska obilježja (djelomice označena u podnaslovima), fabulativno-sižejni metaelementi (lajtmotivi, istovjetni završeci) i dr. Dat ćemo njihov "fragmentarni" pregled.

Poput svih umjetnika Bunjin je težio tome da naslovi njegovih pripovijedaka ponesu jasno izraženi ekspozicijski moment i da sadržavaju izraz autorove volje. U pripovijetkama s prijeloma stoljeća dosljedno je uklanjao slučajne ili neutralne nazive. Recimo, bezizražajno "Bez naslova" (*Bez zaglavija*) Bunjin je prepravio u "Tanjka", kao jedno od dvaju imena glavnih likova, a preferiranje baš tog imena govori o većem autorovu interesu za sudbinu budućeg, nego za sudbinu prošlog (vidljivo je da su postojali i razlozi čisto fonemske preferencije). Pripomenimo da se uredništvu "Ruskog blaga (*Russkoe bogatstvo*) nije svidio prvobitan naslov, pa je predložilo drugi – "Seoska skica" (*Derevenskij eskiz*) – koji je Bunjin odbio vjerojatno zbog njegove banalnosti i nedostatka sugestije poglavitog autorskog interesa. Konkretno-opisni naslov "Dan na ladanju" (*Sutki na dače*) promijenio je u obuhvatljiviji: "Na ladanju". Bunjin se odriče naziva koji su naglašavali događaje od sižejnog značenja: "Neočekivanost" (*Neožidannost'*), "Tarantela". Novim naslovom prve pripovijetke dramatizira sižejnu situaciju: "Vijesti iz domovine" (*Vesti s rodiny*), dok drugim naslovom ("Učitelj") zaoštruje čitateljsku pozornost na junaka nesretne sudbine uopće, a ne samo na epizodu na majuru Lintvarjevih. Hotimičnu ekstravaganciju "Puhova" (*Bajbaki*) smijenilo je spokojno "U polju", a "Maštaoca" – "Na majuru". Kao rezultat dobili smo nizove pripovijedaka s alegorijsko-prostornim naslovima općenitog značenja koji tvore hijerarhijsku ljestvicu smisla: "Na majuru" – "Na ladanju" – "Na kraj svijeta"; "U polju"; "Nad gradom" (*Nad gorodom*), s prvobitnim naslovom "Isposnička ćelija" (*Skit*). Niz naslova premjestio je iz kategorije opisnih u kategoriju žanrovsko-filozofskih, kako bi samo nagovještavali temu - "Epitaf"; "Na Ženevskom jezeru"; - "Tišina"; "Na Doncu"; – "Svete gore".

Metafunkcija preciziranja dodijeljena je žanrovskim podnaslovima. U početku se Bunjin u duhu glavnine beletristike zamišljao "popisivačem" pa je i pripovijetkama davao odgovarajuća žanrovska određenja: "Kastrjuk", "Maštalac", "Neočekivanost" - *Ogledi* (*očerki*); "Puhovi" - "Iz *svakodnevice* sitnog plemstva" (*Iz byta melkopomestnyh*); "Tarantela"; "*Iz života* seoske inteligencije" (*Iz žizni derevenskoj inteligencii*); "Na kraj svijeta" – "Iz bilježnice" (*Iz zapisnoj knižki*), odnosno isti takvi ogledi, *skice* po prirodi. S pomakom sižejnog epicentra u smjeru esencijalnosti i promjenom naslova, nestala je, naravno, i nužnost ovih žanrovskih oznaka. Nabrojenim i na posljetku odbačenim podnaslovima Bunjin je suprotstavio druge, značenjski kontrastne: "epitafe" i "idile". "Antonovske jabuke" i "Krv" dobili su žanrovske i serijske naznake: Slike iz knjige "Epitafi" (*Kartiny iz knigi "Epitafii"*). U njih se, i bez sufliranja podnaslovima, mogu ubrojiti pripovijetke "Prijevoj" (*Pereval*), "Antonovske jabuke", "Borovi" (*Sosny*), "Novi put" (*Novaja doroga*), "Magla" (*Tuman*), "Tišina", "Krijes" (*Koster*) i druge. Čehov je glede "Borova" pisao Bunjinu: "Borovi" – to je nešto sasvim novo, vrlo svježe i vrlo dobro, samo previše kompaktno, kao zgusnuta juha..." [24] Čehovljeve riječi možemo proširiti na sve Bunjinove "stepske idile" i "epitafe" u kojima je autorska pozornost usredotočena na oštrinu, punoću i svojstva doživljavanja "esencijalnog". Ono u pravilu niče na presjeku "ispraznog" svijeta u kome se ljudska duša grči i propada, s prirodnim "rajem" gdje se duša rascvjetava. U Bunjinovim pripovijetkama s prijeloma stoljeća, uostalom kao i u cijelom njegovom djelu, "meta"-značenja

24 Čehov, A. P., "Pis'mo I. A. Buninu ot 15 jnv. 1902 goda", u: Čehov, A. P. *Polnoe sabr. soč. i pisem v tridcati tomah*, Moskva: Nauka 1983. Pisma, sv. X. str. 169.

pridana su kretanju u prostoru ("prevladavanje prostora", prema piščevu izrazu) i "pejsažnim" opisima.

Između fabule, ili fabularnih ulomaka, ili njihove odsutnosti (zamjenom fabule nekom "slikom") i naslova – ekspozicije javlja se sižejna sveza i uzajamno djelovanje. Ukupnost svih sveza doprinosi razjašnjenju smisaone važnosti umjetničkog prostora, čija izgradnja uzrokuje autorsku refleksiju dostupnu čitateljevoj pozornosti (promjena naslova očit je znak refleksije). Prvi, najniži tip naslova (vrlo malen broj) pripada tradicionalnim fabulativnim pripovijetkama u kojima se govori o onome što se događa sada i ovdje, u ovom svakodnevnom, neskladnom i nepomičnom svijetu ("Vijesti iz domovine", "Učitelj"). Posebno mjesto među naslovima prvog tipa pripada pripovijetki "Na kraj svijeta" kod koje se čini da postoji pokret s ubojitog mirovanja svakodnevice; ali kretanje je to prema nepostojanju i propasti uvjetovanoj socijalnim položajem: lišeni svojih gladnih domova, mužiki su administrativnom voljom pomaknuti sa svojih mjesta i poslani tražiti site domove u neugodnu i daleku tuđem kraju.

U sljedeći, drugi tip naslova pripadaju naslovi s imenima junaka ("Tanjka", "Kastrjuk") i oni s obilježjem prostornog mirovanja ("Na majuru", "Na ladanju", "U polju", "U tuđoj zemlji" / *Na čužoj storone*). U tim pripovijetkama govori se o trenutku kad likovi prirodno i esencijalno pobjeđuju nepokretnost svakodnevice, iako se činilo da su zarasli u svjetovnu ispraznost (Tanjka, Kastrjuk, Kapiton Ivanič, Griša Primo, Jakov Petrovič i njegov prijatelj Kovalev, starac i njegov unuk Feđka, mužiki).

Iznad obaju tipova stoji sljedeći, čisto Bunjinov, lirsko-esencijalni tip naslova. To su minijature filozofskog ugođaja ili pak skice, fragmenti i ulomci sudbina u kojima su utjelovljena izuzetna stanja zemaljskih ontoloških bîti.

Junak "elegija", "epitafa" i "bajki" – "idila" ("Duboko u noć" / *Pozdnej noč'ju*, "Antonovske jabuke", "Epitaf", "Meliton" / *Meliton*, "Borovi") dotiče tajnu supostojanja dviju istina – života i smrti, procvata i venjenja, važnosti zemaljskog postojanja i njegove velike besciljnosti. Na rubu sudbinske prekretnice jednako su vidljivi sreća i užas Melitonova asketizma i Mitrofanove svetosti, kao i poezija svršetka žitelja seoskih i plemićkih gnijezda.

Pripovijetke posljednjeg, najvišeg tipa, s prostornim naslovima i njima povezanim sižeima, odlikuju se sistematičnim ponavljanjima prostornih motiva i preklapanjima sižejnih karika, a zajedničko im je junakovo kretanje (u pravilu autobiografsko) iz tame k svjetlu ili odozdo prema gore, kao svladavanje gravitacijske sile svakodnevice. U naslovu "Svete gore" čujemo priopćenje o vrhuncima i svetosti, za razliku od prijašnjeg naziva "Na Doncu" gdje oslonac počiva na stanju statičke ravnoteže. "Iza" junaka koji ide na hodočašće nalazi se jalova vlast "praznih" odnosa svakodnevnog. Junak traži svoj oslonac u sjećanju na starinu, na negdanje slobodne stepe i negdanje ljude koji su živjeli u prirodi i "umjeli shvatiti njezin šapat" (2, 108). "Ispred" junaka put je prema gore, "sve više i više... prema modrom nebu" (2, 110). Cilj puta je vrhunac Svete gore, najviša manastirska crkvica, zov plamička svijeće. Dinamično usmjerenje prostornog kretanja prema gore stopljeno je s duhovnom žudnjom pročišćenja i uskrsnuća. Ista takva sižejna gesta uobličena je u pripovijetki "Nad gradom": "dolje" je uobičajena "malograđanska zabit", gdje je usahlo djetinjstvo, a mogli bi propasti mladost i cio život; "gore" je pak vizija nebeskog plavetnila i uzbibalog prostranstva stepe preko cijelog kontinenta, zvon s usamljenog malog zvonika koji "oglašuje radost", osjećaj visine, krila, uvjerenja da "Bog nije Bog mrtvih, nego živih!" (2, 201–203).

Toposi pripovijedaka "Magla" i "Tišina", istovrsni su i pripadaju u vječne simbole: more (jezero), magla (noć), "čist i nježan" glas zvona, parobrod koji djeluje kao zračna lađa što plovi po nebesima (ili pravječna tišina koja se rasprostire zrakom oko planinskog hrama), planine, nebo, runolist. Oko rezultata sižejnog širenja ovih topičkih elemenata stvara se kozmička uzvišenost koja se rastvara prema čovjeku, te osjećaj da u njoj sudjeluje iznenada otkrivena "nesvjesna životna radost". I noć i magla padaju u dio čovjeku kako bi volio i cijenio svaki tren života – postojanja koji mu je dan. A "ljepota prirode, ljepota umjetnosti i religije... uznemirivaše žudnjom da uzdignemo do nje na život, da ga ispunio istinskim radostima i te radosti podijelimo s ljudima" (2, 240).

Harmonija kojoj se lirski junak predaje vječna je, ali nježna i lomna. Pogibelj joj prijeti u slučaju da se junak podčini lakomislenom kretanju, da se zaustavi ili da ga proguta svjetski kaos. "Idilu" često prožima osjećaj opasnosti, katastrofe ili kraja. Naslovna slika puta u "novom putu" ograničena je vremenom koje protječe po linearnoj povrini; suprotstavljeni su s jedne strane tjeskobna i sumorna šumska zabit i mračan, zdvojan i izmučen šumski narod koji ondje živi, te s druge strane ritmično (mehaničko) kretanje i isprekidano disanje glomaznog vlaka – orijaškog zmaja čija glava riga crveni plamen, a dim, poput repa kometa ili apokaliptične zvijeri, plovi po krvavim odbljescima plamena. Ovo kretanje od drevne Rusije do civilizacije, od patrijarhalnog integriteta do posvemašnje rascjepkanosti zadobiva tragični odsjaj.

Kruna prostorne vertikale ravnih Bunjinovih pripovjedaka su "Nadežda" (*Nadežda*) i "Prijevoj" (*Pereval*). Autor je s ljubavlju svoju "Nadeždu" nazvao "lijepim i finim komadom" (2, 515). ta je lirska minijatura posvećena onome što je autoru bilo drago i sveto – osjećaju radosti postojanja. Akvarelnom skicom ovjekovječen je topli jesenji dan kada je svijet prožet "neusporedivom divotom" čistog zraka, "nenarušenom tišinom" vrta prepunog obilja cvijeća i plodova, zasićen nebeskim plavetnilom, modrinom mora, žutilom, rasplamsalog lišća - "sloboda i disanje" zemlje, neba i mora "osjećala se... posvuda" (2, 267–268). A na pozadini tog apsolutnog raja, na nejasnu horizontu niče i koči se jedrenjak "Nadežda", kao bajkoviti ploveći zvonik, simbolični završetak slike prekrasnog, radosnog, ali i postojanja bremenitog katastrofama. I ništa više. Kao što smo već rekli, autor je često "skrivao" ili sasvim uklanjao svoje sufliranje i objašnjenja. U ovoj je minijaturi izbrisao riječi koje bi se bez straha od pretjerivanja mogle uzeti kao epigraf cijelog

Bunjinova stvaralaštva, jer upravo je u njima imenovana nadtema nadteksta: "... u pravu je unutarnji glas koji nam ne prestaje govoriti da je život dan radi života i da je samo jedno potrebno – neprestano oplemenjivati i uzdizati tu "umjetnost radi umjetnosti..." (2, 516).

Osporavati i boriti se protiv nesmotrenih i pogrešnih kritičarskih mišljenja možemo jedino ako uporište nađemo u djelima samog umjetnika. U Bunjinovu slučaju prisiljeni smo usprotiviti se jednom od istaknutih interpretatora njegova stvaralaštva, I. A. Iljinu. U svom solidnom i poznatom radu *O tami i prosvjetljenju* (*O t'me i prosvetlenii*) Iljin je zaželio osigurati Bunjinu reputaciju umjetnika koji je mogao opažati samo "okrutnu i bezdušnu", "tamnu stranu svijeta", "svjetski mrak", "mrak i kaos". Autorovu je poziciju Iljin odredio ovim zaključnim riječima svog rada: "... njegova duša s užasom opaža nepodnošljivost *takvoga* svijeta", a za ulazak u svijet duhovnog prosvjetljenja Bunjin – po Iljinovu uvjerenju – nema "ni ljubavi, ni vjere, ni umjetničke vizije".[25] Naravno, Bunjin je možda i "najsenzibilniji" umjetnik ruske književnosti, a ljepotu i tragediju "materijalnog" svijeta, dakako, nitko nije uspio prikazati tako kao on. Ali ne pojasniti sadržaj Bunjinova "tjelesnog" principa i ideje "oslobođenja" od njega znači upasti u nedopustivu proturječnost između piščeva stvaralaštva i govora o njemu. Bunjinova umjetnička naturfilozofija, koja u sebi sadržava i njegovu religiju, vjerojatno je daleka od ortodoksnog pravoslavlja, pa ipak to nam ne daje razloga da njegove knjige ubrojimo u apologije zla. Čini se da Iljinov rad ne iziskuje opširno opovrgavanje. Kao dokaz njegove netočnosti može poslužiti bilo koje Bunjinovo djelo, uzeto u kontekstu logike stvaralaštva ovog pisca. Zaustavimo se na jednom od Bunjinu omiljenih djela – minijaturi "Prijevoj".

25 Iljin, I. A, *O t'me i prosvetlenii. Knjiga hudožestvennoj kritiki. Bunin-Remizov-Šmelev*. München 1959, str. 76-77.

"Prijevoj" je privlačna "pleneristička" skica napisana u duhu impresionizma s prijeloma stoljeća; slika noćnog prijelaza i jutarnjeg uspona prožeta je "stozvučjem glasova", bogatstvom i "glazbom boja" (K. Baljmont), a oni proizvode dojam vraćanja kojim se treba osloboditi od vlasti mehaničkog životnog ustrojstva i pobijediti ga ulaskom u vrijednost Vječnog. Cilj Bunjina, kao i Čehova, Bloka ili bilo kojeg drugog velikog umjetnika, nije arena ili zvonka ovojnica prirode sama po sebi, nego "šuma simbola" (Blokove riječi) u koje zvuci i boje prelaze. Od njih Bunjin stvara čvrstu okosnicu za vlastitu umjetničku filozofiju – ideologiju. Živa simbolična "shema" "Prijevoja" izgrađena je od vječnih temeljnih slika *noći* i *puta* autobiografskog junaka *po planinama do prijevoja: od topline* i privlačne snage *ugodnih ognjišta* u malim kolibama malih ljudi koji žive *"dolje"*, u tamnoj *dolini*, prema golom, pustom i osamljenom *planinskom usponu; kroz* zvonku *tamnu* borovu *šumu, maglu, hladnoću, vjetar, noćnu tamu* i *lutanja*, uz *očajanje*, draž *beznađa*, postojanu *pokornost*, do *ustrajnosti, smjelosti, svjetla* i *pobjede*. "Koliko je u mom životu već bilo tih teških i osamljenih prijevoja! Poput noći nadnosiše se na mene nevolje, patnje, bolesti, nevjerstva ljubljenih i gorke uvrede prijateljstva – i nastupao je čas rastanka sa svime na što sam navikao. I teška srca opet sam uzimao u ruku svoj skitnički štap. A usponi prema novoj sreći bijahu visoki, i teški, noć, magla i bura čekale su me na visinama, a strašna samoća zahvaćala na prijevojima... No – dalje, dalje!" (2, 9). Sižejno kretanje: uspinjanje – oslobađanje – prosvjetljenje predstavlja ideju puta, osnovnu Bunjinovu "temu" "o svojem" izraženu u koncentriranu obliku. Poziciju Bunjina, kao čovjeka s prijeloma stoljeća, možemo nazvati tragično-optimističnim stoicizmom. Nju djelomično izražavaju zaključne riječi "Prijevoja": "Dan će me opet obradovati ljudima i suncem, i opet će me zadugo prevariti... Gdje li ću pasti i zauvijek ostati usred noći i mećave na golim i oduvijek pustim gorama?" (2, 9). Ako budemo govorili o vidljivim elementima metateksta, zamijetit ćemo da su sadržani u ispoljavanjima autorske refleksije "o glavnom": u "šumi" transparentnih lajtmotivnih simbola, u "esencijalnom" završetku, u prostornom nazivu minijature – "Prijevoj".

I u cijelom kasnijem stvaralaštvu "naslovna" problematika zadana u godinama konca XIX. i početka XX. stoljeća nastavlja biti značjnom. Iz godine u godinu naslovi stječu sve više i više općenit smisao. Usporedo s jednostavnim imenima ("Ignat" / *Ignat*; "Jermil" / *Ermil*; "Klaša" / *Klaša*; "Aglaja" / *Aglaja*; "Stjopa" / *Stepa*, "Muza" / *Muza*; "Rusja" / *Rusja*; "Natali" / *Natali*;"Zahar Vorobjov" / *Zahar Vorob'ev*; "Kazimir Stanislavovič" / *Kazimir Stanislavovič*; "Otto Stein" / *Otto Štejn* i dr.) javljaju se imena - upute na odredbena svojstva s kojima korespondiraju sižeji: ne "Ivan" nego "Ivan Ridalac" (*Ioann Rydalec*), ne "Rodion" nego "Liraš Rodion" (*Lirnik Rodion*). U mnogim slučajevima ime se povlači i zamjenjuje riječi – simbolom ili riječi koja u sebi sadržava bar djelomično simbolično proširenje slike ("Drevni čovjek" / *Drevnij čelovek*; "Knez među kneževima" / *Knjaz' vo knjaz'jah*; "Briga" / *Zabota*; "Braća" / *Brat'ja*; "Gospodin iz San Franciska" / *Gospodin iz San-Francisko*; "Starica" / *Staruha*; "Ljepotica" / *Krasavica*; "Ludica" / *Duročka*; "Antigona" / *Antigona* i dr.). Ostalo je i puno naslova-simbola, ali ako je u svom ranom stvaralaštvu Bunjin volio naslovima simbolizirati prostorne karakteristike, sada su one gotovo sasvim nestale ("U Parizu" / *V Pariže*; "U Alpama" / *V Al'pah*). Kao zamjena pojavili su se višekratno zastupljeni naslovi s točnim, konkretnim, jedinstvenim smislom i širokim simboličnim značenjem ("Selo" / *Derevnja*; "Suhodol" / *Suhodol*; "Dobar život" / *Horošaja žizn'*; "Veseli dvor" / *Veselyj dvor*; "Suha trava" / *Hudaja trava*; "Prašina" / *Pyl'*; "Hladna jesen" / *Holodnaja osen'* i dr.). Do pridavanja metatekstualnog značenja naslovima pripovijedaka dolazi u razradi sižea. Ako nam pođe za rukom pratiti tijek Bunjinova rada na izboru naslova, auorska refleksija o tom pitanju dobit će karakter kako metateksta tako i metakomentara. Ova se pojava najjasnij ocrtava u procesu pisanja *Života Arsenjeva* (*Žizn' Arsen'eva*) koji se razvukao na gotovo cijeli Bunjinov stvarateljski život.

Dugo je godina Bunjin tiskao varijante dvaju odlomaka koji su mu očito poslužili kao razrada mogućnosti svog romana. Jedan je odlomak u prvobitnoj publikaciji naslovljen kao "U žitu" (*V hlebah*) (1904.). Naziv se suodnosi s onim prostornim naslovima ("Na majuru", "U polju") u kojima se mogao opaziti nagovještaj blažene idilične povučenosti i odvojenosti junaka od svijeta briga i patnji. Semantiku naslova podupirao je tekst studije i podcrtavao završni lirski odjeljak: "Kad odrastem, naselit ću se sam na ovom majuru, živjet ću samo od lova, lovit ću prepelice, svaki ću dan čistiti opekom i prati svoju pušku, spravljat ću si golublju kašu, spavat ću na samome pragu dvorišne kućice, na pustu, budit ću se već u ono doba kad zelenkasto-srebrna zora tek sviće nad stepom - i bit ću sretan, beskonačno sretan... No, i sad mi je dobro. Udišem čist poljski vjetar i svježinu cvata sivo-zelene raži, slušam kukmaste ševe kako poju nad poljima, vidim nebo, oblake i beskrajno prostranstvo stepe. Gdje god pogledam, ona je oko mene - zelena, ravna kao stolnjak, slobodna! I ni duše nema u stepi, ni grmića, ni drvca, već samo daleko, daleko naprijed maše, kao utopljenik rukama, nečiji mlin"...[26]

Kako ne bi bilo sumnje u sličnost junakova djetinjstva s idilom i kako bi pojačao ideju zemaljskog "raja", Bunjin je sljedeću, drugu varijantu fragmenta nazvao "San Oblomova-unuka" (*Son Oblomova-vnuka*) (1915.), neposredno upozorivši na žanrovski izvor svog odlomka te uključivši time svoj budući roman u stvaralači dijalog s Gončarovljevim romanom. Prisjećanje na idilu, njezin daleki trag a još više trag epitafa i nostalgične elegije – nalazimo u naslovu treće varijante tog odlomka: "Udaljeno" (*Dalekoe*) (1926.). Izrazila se želja autora- pripovjedača da uskrisi sliku onog što je davno prošlo s pomoću pamćenja i mašte. U prerađenoj redakciji iz 1931. godine, koja je dobila naziv "osam godina" (*Vosem' let*),

26 *Pravda*, 1904, ožujak, str. 111.

izostavljeno je sjećanje na žanr autobiografskih romana i kronika XIX. stoljeća.

Samostalni ogranak pripremnih koncepata za roman jesu dvije varijante jednog te istog fragmenta. Naslov prve je "Na izvoru dana" (*U istoka dnej*) (1906.), a druge – "Zrcalo" (*Zerkalo*), s podnaslovom "Iz ranih skica za *Život Arsenjeva*" (*Iz rannih nabroskov 'Žizni Arsen'eva'*) (1929.). Čini nam se da je naziv "Zrcalo" usmjeren na očitovanje filozofsko-simboličnog plana romana: pripovjedačevo djetinjstvo postalo je za njega onaj "odraz" koji omogućuje razumijevanje svega "nepoznatog i neshvatljivog" u kasnijem junakovu životu. Najveću pozornost s gledišta očitovanja semantike metateksta zaslužuje naslov "Na izvoru dana". Nakon svršetka četvrtog dijela Bunjin je čitavom romanu dao jedan podnaslov – "Izvori dana" (*Istoki dnej*) (1930.). On je vjerojatno najbolje odgovarao sadržaju knjige, čijom je temom i idejom trebalo biti rađanje osobnosti umjetnika kome rodoslovno stablo zalazi u "zlatni vijek" Rusije, a zatim u dubinu ruske i svjetske povijesti, pa dalje izvan Zemlje i zemaljskog u kozmička prostranstva i duhovne visine; umjetnika kome je "ratnička feudalna Rusija" bila kolijevka, te čija je stvaralačka sloboda osiguravala smrtniku i njegovoj domovini besmrtnost – u riječi. "Na izvoru dana" i "Izvori dana" varijante su istog naslova koje najbolje zahvaćaju cjelinu svijeta djela. Bunjin je na taj način prošao dug put u potrazi za naslovom romana o duhovnoj biografiji – svojoj i junaka svog vremena. Taj put je ovaj: elegična idila ("U žitu", "Sin Oblomova-unuka") – epska prošlost koja izbija u sadašnjosti ("Udaljeno", "Osam godina") – pogled psihologa u zrcalo djetinjstva kako bi prepoznao obrise vlastite sudbine ("Zrcalo") – "filozofska poema" s unutarnjom zadaćom opisa kozmičkih duhovnih ishodišta osobe autobiografskog junaka ("Izvori dana"). Na koncu se Bunjin zaustavlja na najsveobuhvatnijem naslovu koji život i življenje te antinomiju tjelesnog i duhovnog sjedinjuje u jedno: *Život Arsenjeva*. I u samom prezimenu sadržani su starina i plemenitost – uzvišen sklad.

U strukturi metaopisa među ekspozicijskim elementima važni su ne samo naslovi i podnaslovi, nego i epigrafi. Bunjin voli epigrafe – stavlja ih ispred pojedinačnih djela i ispred zbornika pjesama i pripovijedaka. U zborniku *Suhodol* (*Suhodol*), upravjenom ponajprije na približavanje razmišljanja o korijenima suvremenosti u onome što je davno prošlo, dva su epigrafa. Onaj za cijeli zbornik uzvišen je i staložen, dostojanstveno arhaičan i poetičan: "Sela, gradove obići ću,//Rusiju promislit, razgledat ću". Drugi epigraf, za samu novelu-poemu "Suhodol", jest pogansko-čarobnjački: "Na moru, na oceanu, na otoku Bujanu sučnišča leži..." i izvanjski se "rimuje" s naslovom novele i zbornika: *suhodol* (rus. crkv. bezvodna dolina, sušna kotlina, usahli izvor) i *sučnišča* (star. rus. drvo osušeno u korijenu, usahle grane drveta) udvajaju naslov i time pojačavaju motiv kraja: riječ je o sudbini odumirućeg patrijarhalnog životnoga ustrojstva vlasteosko-kmetske Rusije, o usahnuću izvora plemićke kulture.

Kako to obično biva, Bunjinovi epigrafi su citati. Oni se uzimaju iz tuđih pjesama radi vođenja dijaloga između dva teksta; oni stvaraju i održavaju poetski ugođaj preobražavajući pojedinačne slučajeve iz stihova prethodnika u univerzalnu glazbu sfera. Na primjer, prve riječi "plemićke elegije" N. P. Ogarjova "Opet znani dom, opet znani vrt..." mogu se osjetiti u parafrastičkoj "Nadgrobnoj ploči" (*Mogil'naja plita*) (1913.), gdje tema svršetka i usamljenosti zadobiva ne samo sugestivno-elegični nego i gotovo metafizički karakter. Profinjeno i delikatno uvodi Bunjin skriveni citat iz "Obične priče" (*Obyknovennaja povest'*) Ogarjova u naslov svoje novele "Tamni drvoredi" (*Temnye allei*). Ogarjovljevi "*Tamnih lipa drvoredi"*, kao tragovi poetskog sjećanja na zauvijek prošlu mladenačku ljubav prozaičnih žitelja plemićkih gnijezda, u Bunjina se, za oba "neravnopravna" junaka tijekom godina pretvaraju u *"Tamne drvorede"* – zamršenu sliku vječitog i prolaznog koja obuhvaća i ljubav – tugu zbog nepovratnog, i ljubav – radost zbog negdašnjeg i ljubav – čežnju za onim što neće biti. Ta slika obuhvaća sve ono bolno i slatko, sretno i beznadno što u sebi nosi glazba ljubavi, sadržana i u svim pripovijetkama istoimenog zbornika. Sam naslov pripovijetke i zbornika *Tamni drvoredi* uzima na sebe i funkciju epigrafa. Važnu ulogu objašnjenja u kontekstu Bunjinova stvaralaštva, a u sklopu njegovih promišljanja o osjećajima i mislima "o svojem", ima epigraf zbirke *Ivan Ridalac* (*Ioann rydalec*) (1913.) – tužne riječi Ivana Sergejeviča Akasakova "Nije još prošla drevna Rusija", aktualni karakter kojih dokazuju umjetnička "istraživanja" tvorca ovog i drugih zbornika u 10-im godinama.

Bunjin nerijetko u svojstvu epigrafa uzima riječi iz knjiga mudraca Istoka. Očito je da su "istočni" epigrafi u stanju pobuditi čitatelja na opažanje osjećaja i ideja o božanskoj ljepoti i ispraznosti pojavnog svijeta u Bunjinovim tekstovima, te upozoriti na njihovu važnost. "Snop" istočnih epigrafa, na primjer, Bunjin je uveo u *Kalež života* (*Čaša žizni*) (1915.), zbornik djela posvećenih filozofskim doživljajima esencijalnog u svakodnevnom. Pjesma "Prosjak" (*Niščij*) (1907.) otvara se epigrafom iz Kur'ana: "Uzdiži hvale pri zalasku (konačni prijevod autora: "pri odlasku) zvijezda"; ispred pjesme "Prenoćište" (*Nočleg*) (1910.) postavljene su riječi indijskih brahmana: "Svijet je šuma, noćno utočište ptice"; na koncu epigraf pripovijetke "Braća" (1914.) iz budističnog je kanona Sutta Nipate: "Pogledaj braću koja tuku jedan drugog. Htio bih govoriti o tuzi." Hvalospjevi suncu? /bitku?/ Bogu?, ili divljenje tajni života duše, ili patnja /čežnja/tuga zbog činjenice zemaljske zavjetovanosti?, – u bilo kome slučaju Bunjinovi su epigrafi lagani dodiri, suzdržani nagovještaji. Oni jedva daju naslutiti autora koji želi progovoriti "o glavnom", ali i zahtijeva napregnutu djelatnost čitateljeva osjeća i uma, jer on u alegoriji nikad ne otkriva sebe.

Za razumijevanja Bunjina bitno je to što njegovim "istočnim" epšigrafima prethodi "biblijski" naslov *Kalež života*. Kao i u slučaju s *Tamnim drvoredima*, naziv zbornika preuzima ekspozicijsku funkciju epigrafa – i "kalež života" je citat. Slika kaleža: vode/vina/krvi, pijanstva/gnjeva/utjehe/iskupljenja/spasenja/blagoslova, kaleža Gospodnjeg/demonskog/žrtvenog – provlači se kroz Stari i Novi zavjet. U pripovijetki i istoimenom zborniku, naslov *Kalež života* je uvertira ispunjena mnoštvom unakrsnih značenja koja teže prema svojoj biblijskoj semantičkoj jezgri. U Davidovim psalmima kalež (sudbine, života/smrti, zakona, spasenja) jest u rukama Gospoda i u tom kaležu skrivena je punoća bitka, blagost i milost za sve koji su sebe povjerili Njemu. U knjigama proroka Jeremije i osobito Ezekijela to je kalež kazne, gnjeva, užasa i opustošenja Gospodnjeg za bezakonje, zlodjela, oskvrnuće vjere i druge neoprostive grijehe. U Matejevu Evanđelju značenje slike kaleža povezano je s Božjom voljom: ona je odredila čovjekovu sudbinu. Sudbina "zvanih" je želja biti "boljima" i "prvima", a postati upravo "slugama" i "robovima" svojih želja; sudbina Sina Božjeg (njegov kalež) je ljubav i zanemarivanje sebe radi iskupljenja mnogih. U prvoj poslanici Korinćanima apostol Pavao naziva put "zvanih" putem idolopoklonstva (oni piju "kalež vražji"), a put izabranih putem kršćanskim, putem koji sve spaja u tijelu i krvi Kristovoj, u prihvaćanju i "dostojnom" proživljavanju svog čovječjeg udesa – u sjedinjenju s ljudima, sa "svijetom" (u smirenju). Suprotstavljenje citata iz Biblije i citata istočnih mudraca unutar jednog zbornika normalno je za očitovanje metateksta autora koji ide putem traženja Svebožanskog.

Namjerno smo naveli relativno malen broj epigrafa u želji da izaberemo one u kojima se očito pojavljuje autokomentatorski ferment, sposoban strukturirati nizove djela kao jedinstvene cikluse: *Suhodol*, *Kalež života*, *Tamni drvoredi*... Vjeran sebi, Bunjin nesmiljeno uklanja epigrafe ako bi se mogli pokazati suviše deklarativnima, nametljivima ili ako se ispostavi da ne sadržavaju upit ili sugestiju/naputak nego pretpostavljeni odgovor. Tako su u zborniku *Gospodin iz San Francisca* (1916.) kao epigraf istoimene pripovijetke uzete čuvene riječi iz Apokalipse: "Teško tebi, Babilone, silni grade!" Demonstrativno suodnošenje sudbine suvremene civilizacije i ljudi stavljenih u njezinu funkciju, s pozadinom povijesti i mitologije na temu kraja grada i carstva babilonskog kao pojašnjenjem, očigledno se Bunjinu učinilo prekomjernim. (Od simboličnih znakova tog reda ostavio je samo ime parobroda:

Atlantida – zagonetno iščezla zemlja – kao lagan ubod iz dubine znanja koji budi željene asocijacije.) Ali u godini razornih ratova i revolucija, u vrijeme sveopćeg "grijeha", spomen na izbrisani epigraf je ostao.

U *Životu Arsenjeva* epigraf upravo nedostaje, a kao njegova zamjena služi prva fraza koja otvara roman: "Stvari i djela, ako zapisana ne bijahu, prekrivaju se tamom i grobu zaborava predaju, a zapisana su kao živa..." Ove riječi pripadaju poznatom bibliofilu-starovjercu iz XVIII. stoljeća Ivanu Fillipovu, a u njega zvuče ovako: "Stvari i djela, koja bijahu i koja jesu, velika i sitna, radosna i tužna, ako zapisana ne bijahu, prekrivaju se tamom neznanja i grobu zaborava predaju, pa prolaskom vremena i u onih istih koji ih čine iz sjećanja izlaze i u mrak se stječu, a zapisana pak kao živa besjeda, i kao zbiljska pred očima se pokazuju, i točno i jasno se pripovijedaju"[27] Razdoblja *Povijesti kratke* (*Istorija kratkaja*) Bunjin čini "golim", lišava ih bogatstva jezične ornamentalnosti kao svojevrsne instrumentacije. Bunjinova preradba općepoznatih Filipovljevih redaka o riječi i pismu kao "kolektivnom" pamćenju, dakle i kulturi, ovako izlivena u strog lakonični oblik pa istaknuta čini početak prvoga dijela – a faktično i cijelog romana (filozofske poeme, simfonije) – usijecala se u ton djela i određivala registre čitalačke percepcije. Ta je preradba bila istodobno i deviza romana i pokušaj njezina autokomentara.

Kako je spomenuto ranije, u tvorbi Bunjinova metateksta glavna uloga pripada opisima prirode. U prvoj polovici rada govorili smo o tome kako je Bunjin uvodio autokomentare i elemente metaredu-

27 Fillipov, Ivan, *Istorija kratkaja i otvetih (sih) i kako otveti sii i razglagol'stvo o sih i kogda, i gde, i s kim sija sodešasja (i po kakim ukazom)*. Rukopis se širio i bio opće poznat. Bunjinu je mogla biti poznata knjiga Iv. Filippova *Istorija Bugovskoj pustyni* (Sankt Peterburg 1963.) u koju je ušao tekst rukopisa. O tom zadnjem vidi: Bljum, A, "Liš' slovu žizn' dana..." *Al'manah bibliofila*, 7. izd., Moskva: Knjiga 1976, str. 114.

plikacije u svoje pjesme, te o tome kako su mu "pejsažno" esencijalni završeci pripovijedaka postali jednim od omiljenih metapostupaka. Opis prirode u umjetničkom prostoru teksta zauzima to važnije mjesto što premu njemu možemo suditi o žanrovskoj strukturi djela.

U fabulativnim ("problemskim") pripovijetkama ("Na kraj svijeta", "Učitelj", "Na ladanju" i dr.) pejsaž obično ima pomoćni karakter. Tako je sižejna radnja u pripovijetki "Na ladanju" organizirana kao konzekventni niz odlomaka koji tvore fabularni tijek:

1 – skica prirode (adverb radnje): dvorišni prozori su otvoreni cijelu noć – drveće kroz prozora raširilo je grane – u zoru su zacvrkutale ptice – zrak i mlado zelenilo bili su hladni itd.

2 – opis kuće (to je također pozadina, adverb mjesta)

3 – s pojavom sobarice započinje vanjska, fabulativna radnja koja se otvara uobičajenim svakodnevnim dijalogom

4 – u radnju stupa glavni junak pripovijetke, "svjež" i "krepak" Griša Primo.

U ovom prvom odlomku postoji još jedna pejsažna skica u kojoj susrećemo rijeku, livade, šumarak, šaš, čamac i tome slične adverbne atribute fabule. I tako tijekom svih jedanaest odlomaka pripovijetke, izuzev trenutak kad Griša na pregradnom zidu u sobi Kamenskog ugleda Davidov psalam, napisan na listu papira: "Dao si mi da iskusim put života; Ispunit ćeš me radošću pred licem Svojim!" (2, 124). Nakon nekog vremena, hodajući stepom i naslađujući se ljepotom rascvjetalog bilja, sunčevom toplnom i mirisom zelenog žita, Griša se "odjednom" prisjeća: "Ispunit ćeš me radošću pred licem Svojim!" i zamisli se nad tim kako bi trebalo živjeti da "uvijek bude dobro, lako, slobodno i jednostavno?..." (2, 129). Pred nama je karakteristični Bunjinov "esencijalni" trenutak, ali on pripovijetkom samo proleti ne polučivši sižejnu razradu.

Drugačiju upotrebu opisa prirode nalazimo u pripovijetkama s esencijalnim sižeom. Život duše ovdje se iznosi preko obilježja poetičnog, "vječnog" u slikama besmrtne prirode. Opet ćemo se osvrnuti na "Antonovske jabuke". Slike ugodne rane jeseni, privlačnog i od prirode neodvojivog života mužika, opis lova koji se odigrava u zabranjenim palačama prirodnog carsva i hrama – sve, sve je to opisano podrobno, usporedno i ne lakonično, nego izvanredno obilno. Jer udisati jesenji zrak i miris zrelih jabuka, kositi, vršiti, ustajati sa suncem, umivati se kraj bačve, odijevati čistu košulju, naslađivati se mirisima vlage gljiva ili mokre kore drveća – *TO I JEST BITI*: "Kako je hladno, rosno i kako je dobro živjeti na svijetu" (2, 182).

Bunjinova "idila" označuje umijeće proživljavanja neusporedive neponovljivosti, bajkovite miline seoskog "raja" koji kroz "fiziologiju" prirode može zauvijek prostrijeliti ljudsku dušu, navesti je da izgubi dah od sreće zbog neprolazne ljepote u na izgled bijednom, i zbog poetično neponovljivog ("Božjeg") u prozaičnom. Često se ovi doživljaji esencijalnog pojačavaju pod okriljem sjećanja na "isti takav" život predaka i prapredaka ili blagoslovom Božjeg hrama i svete ikone. Središnja simbolična slika Bunjinove knjige epitafa jest lik Majke Božje – ona blagosivlje rad, posvećuje svakodnevni životni mir, obdaruje osjećajem ljepote Božjeg svijeta i uzdiže iznad prosječnog.

Fenomen ruske svetosti, u Bunjinovim pripovijetkama "oslobođenja" duše od robovanja ispraznom, jest "čist život": "šuma, nebo, čeka, buseni trave i vjenčići" ("Meliton", 2, 206). Dane na selu Bunjin i njegovi junaci shvaćaju kao ostvarenje blagdanske bajke ili zanosne biline: "Šuma huči kao da vjetar puše u tisuću Eolovih harfi prigušenih zidinama i mećavom." "ide san po sjenkama, a drijemež po vratima", a naši bilinski ljudi, namučeni tiejkom dana, pojedoše "borovi krušac i sad spavaju po Platonovkama; smisao života i smrti Ti im, Gospode, izvaži!" (2, 213). Svetost mužika koji žive "šumskim i poljskim" životom istinska je, jer ma koliko da im je život težak, "ništa im nije dosadno, nego je sve dobro", jer svojim unutarnjim pogledom oni osjećaju smisao u svježem snijegu, zelenom boru, sunčevu svjetlu – za njih je svugdje "krasota i spokojstvo" (2, 215). "Mjesec je već visoko... U seocu – ni zvuka; kolebljivo se rumeni vatrica u tihoj Mitrofanovoj izbi... A velika, treperava smaragdna zvijezda na sjeveroistoku izgleda poput zvijezde kraj Božjeg trona, s čije visine Gospod nevidljivo prisustvuje u snježnoj šumskoj zemlji..." (2, 219).

Svojim uživljavanjem u poetične misli i osjećaje seoskog, pa i ruskog čovjeka bilo kog staleža uopće, Bunjin u prvom redu zaustavlja svoju i našu pozornost na dragim mu osobinama čistoće i svetosti. Junakinja pripovijetke "Zora cijele noći" (*Zarja vsju noč'*) – kao i četrdeset godina nakon nje junakinja "Čistog ponedjeljka" (*Čistyj ponedel'nik*) – odbija privlačnog ženika budući da nije u stanju prijeći preko sebe i svojeg, te porušiti visoki ton i ritam duše predane dubokim proživljavanjemima harmonije postojanja: hladnoće i arome jutra, svježine zelenog vrta obasjanog treperenjem jutarnje zvijezde. Svakodnevica njezine duše puna je mistike, poezije i tajne, dok se prosječnost njegove duše iscrpljuje u "izvanjskim" danima.

Rano Bunjinovo stvaralaštvo obilježeno je intenzivnim traženjem puta prema samome sebi i traženjem puta za izražavanje samoga sebe. Bunjinova formalno-umjetnička eksperimentalna otkrića u stihovma i prozi bila su "kao kod svih" u književnosti prijeloma stoljeća. Na razini kompozicije to je značilo sažimanje i pojednostavnjivanje događajne fabule autorskog elementa u sižeu i razvitak autorske ideje. Pa ipak umjetnikov domet koji je dotad već i sam spoznao. Oformljeni filozofsko-lirski siže "o svojem" dovodio je tekst do lirsko-psihološke kompliciranosti i filozofskog obogaćenja. Bunjinovi sižei rađaju nove žanrove i zahtijevaju definicije koej su terminološki inač rezervirane za poeziju (ali primjenjive i na prozna ostvarenja), slikarstvo, glazbu, pa čak i religiju. Pripovijetke postaju etide, skice, svite; pjesme – oratoriji i molitve; novele – poeme i sonate; a pripovijetke/novele/romani postaju simfonije. U svrhu izražavanja bîti svog sadržaja neka od njih zadobivaju sinkretična određenja: *Gospodin iz San Francisca* filozofska je simfonija, *Život Arsenjeva* – filozofska simfonija i filozofska poema i sl.

Nerado sada "istrčavamo naprijed" jer se razrada teme "o svojem" kao konstruktivnog elementa Bunjinova metateksta ne može ograničiti u okvire ranog stvaralaštva. A u svakom novom periodu on ima i svoje nove osobine i aspekte, različite od drugih.

U stvaralaštvu 1910-ih godina Bunjin je prenio naglasak s otvorene esencijalnosti ranog stvaralaštva na esencijalnost koja ulazi u podtekst. Djela tih godina posvećena su temi ropstva zemaljskom postojanju. Pozornosti čitatelja Bunjin podastire raznolike spojeve prikaza svijeta junaka uronjenih u "tlapnju" ništavnog i prolaznog sa svijetom istih tih junaka kako se muče po esencijalnom apsolutu. Kao posljedica udaljavanja i odcjepljenja od bitnog i vječno-prirodnog te utapanja u privide privremenog, socijalno-svakodnevnom i nacionalno-povijesnom svijetu prijete umiranje ("Suhodol", "Veseli dvor") i uništenje ("Selo", "Gospodin iz San Francisca", "Braća"). Gubitak sveze s univerzalnim, općeljudskim i sveprirodnim vodi prema ustrojavanju života "naopako" – prema potpunoj ne-ljudskosti, ne-duhovnosti, ne-esencijalnosti.

Ostvarenja iz emigrantskog doba jesu varijante ili aspekti esencijalnog, koje se čas probija u gejzirima sretnih katastrofa i ljubavnih tragedija "Tamnih drvoreda", čas pobjednički likuje u duhovnosti planinskih visina *Života Arsenjeva*, a čas ispoljava svoju "biomehaniku" duhovnog "iskupljenja" u "Oslobađanju Tolstoja" (*Osvoboždenije Tolstogo*). Svaki period i aspekt te svaki ciklus i zasebno djelo zahtijevaju posebnu analizu iz kuta gledišta zadane teme.

Kao zaključak ovog rada dopustit ćemo si dva nevelika razmatranja koja bacaju svjetlo na moguće putove daljnjeg rješavanja načelnih pitanja Bunjinova metateksta. Ona se tiču problema njegove slikovitosti u prikazivanju prirode i njegova svjetonazora kao umjetnosti.

U analizi tekstova ranijih djela trudili smo se pokazati kako su Bunjinovo percipiranje i shvaćanje svijeta našli neposredno utjelovljenje i izraz u mnogobrojnim prikazima prirode. U daljnjem stvaralaštvu funkcija "pejsaža" se ne umanjuje, nego naprotiv povećava i usložnjuje. Svaki posebno uzeti prikaz prirode za Bunjina je kao unutarnje postojanje svijeta. Današnji/zemaljski/socijalni/povijesni/svakodnevni i sl. život ljudi tragično je bezizlazan zbog raspada svoje cjelovitosti, jedinstva i vremenske sveze, a raspad uzrokuje i nepostojanje budućnosti. Tada kao jedini reprezentat esencijalnog na zemlji ostaje priroda, a u njoj čudo i radost života te najveće blago – Božja milost. U njoj je pohranjen jedini način obnove cjelovitosti svijeta, vremenske sveze i istinske punoće sveg života u Svemiru. Zbog toga "slika" prirode kod Bunjina neposredno predstavlja njegov osjećaj i shvaćanje svijeta.

V. N. Muromceva -Bunjina prisjeća se večeri 4. studenoga 1906. godine, kada je prvi put čula literarni nastup Bunjina: "Čitao je jednostavno, ali svaki je stih budio sliku" (*Riječima Bunjinih*. 1, 53). Njoj pripada i zapis o Bunjinovu čitanju "Klaše" 1920. godine i reakciji Z. N. Gippius: "Nemilosrdan odnos prema čitatelju. Pisac treba učiti, a vi dajete sliku..." (*Riječima Bunjinih*, P, 24). Samome Bunjinu, autoru "Sjene ptice" (*Ten' pticy*), "slike" prirode u bezizimno svim djelima bile su kao dnevnici vlastite duše. Lika se žali Arsenjevu na Feta: "U njega... ima previše opisa prirode..." (6, 213). Arsenjev negoduje u odgovoru: "... nema nikakve od nas odvojene prirode, svaki i najmanji pokret zraka je pokret našeg vlastitog života" (6, 214).

Najdublje tumačenje Bunjinovih opisa prirode ponudio je njegov prijatelj, umjetnik P. A. Nilus, koji ga je nazvao piscem- koloristom, majstorom slikarskog reljefa. Slikoviti prikazi riječju i slikarski elementi u riječi Bunjina, pisao je on, "tijesno su se sjedinili". Po Nilusovu uvjerenju, Bunjin je prvi put u umjetnosti riječi "ucijepio" književnosti "načela slikarstva", a u tome je on vidio osnovnu Bunjinovu "zaslugu u umjetnosti". Nilus je pisao kako se na neočekivano i originalno pismo Bunjina teško priviknuti (o nečemu sličnom u svezi s "Borovima" govorio je i Čehov), kako je čitateljima nuždan dug inkubacijski period da u "boji, sažetosti, preciznosti" Bunjinova platna nauče osjetiti raspjevanu esencijalnost kojoj nje potrebno posredovanje književnih pojašnjenja.[28]

Postaje sve jasnije da čuvena Bunjinova slikovitost služi kao neposredan i istovjetan posrednik između njega samog, njegova shvaćanja svijeta i njegove "religije". U pismu koje je primio 26. siječnja 1929., Bunjinu je A. V. Amfiteatrov obećao: "Iz Vas izrasta ruski Goethe, a *Faust* će biti *Život Arsenjeva.*" Izlazak iz tiska treće knjige romana uvjerio ga je u ispravnost vlastitih prognoza (*Riječima Bunjinih.* P, 196). U Bunjinovim dnevnicima ima mnogo razmišljanja o Goetheu i vlastitoj nehotičnoj bliskosti njemu, a mnogo toga povezuje i glavne junake njihova stvaralaštva. I Faustu i Arsenjevu je glavni životni cilj traganje za odgonetkom tajni Božjeg ustrojstva svijeta. Obojica dolaze do analognog osjećaja sebe kao takvih njegovih elemenata kojima su svojstvene njegove osobine; pritom je Faust živo utjelovljenje smionih traganja ljudske misli, dok je Arsenjev smioni "organ osjetilnog percipiranja jednakosti između sebe i Božje kozmologije. Načelo izgradnje sižea u *Životu Arsenjeva* jest očitovanje doživljavanja procesa nicanja junakove duše u svijetu, njezina uspona i samousavršenja tijekom spoznavanja svog jedinstva sa Svjetskom Dušom i ujedinjenja s njom. Kao i Bunjin, Arsenjev je nadaren osobitom, visokom senzibilnošću. Čitatelju se daje mogućnost da slijedi njegovu unutarnju preobrazbu senzibilnog u duhovno. Kao i Faust, Arsenjev je zauzet spoznavanjem svijeta u sjedinjenju s Bogom (ili u "samozaboravnoj kontemplaciji").

28 Nilus, P. A, "Iv. Bunin i ego tvorčestvo", u: *Ivan Bunin. Literaturnoe nasledstvo*, sv. 84, knj. 1, Moskva: Nauka 1973, knj. druga str. 432-434. O ulozi "statičnih slika" u Bunjinovoj dinamičnoj slici svijeta vidi: Karpenko, I. N, "Problema dinamičeskogo i statičeskogo v proze I. A. Bunina", u: *Izvestija Voronežskogo Gornogo Instituta*, 1971, sv. 114, str. 106-114.

Pri opisu fenomena "svojeg" u Bunjina, mogućnost obraćanja Goetheu nije jedina. Čuli su se glasovi u korist dokaza o sličnosti između Bunjinove i poganske senzibilnosti (I. A. Iljin) ili između Bunjinovih "mitova" o svijetu i starozavjetne mitološke kozmologije (G. A. Karpenko). Pisalo se o analogijama i istovjetnostima Bunjinove naturfilozofije i Platonove filozofije Svjetske Duše, Tolstojeve filozofije panteizma te panestetizma Vl. Solovjova, a naravno i o naturfilozofiji njemačkih romantičara (Schelling, Aug. Schlegel), o bliskosti njegovim predodžbama o prirodi kao pulsirajućem svemiru u kome su odiskona identični životno (niže) i duhovno (više), te o čovjeku – tom slobodnom biću koje ne pokreću svrsishodnosti, nego ideja sveujedinjujuće Ljepote. S pravom se među ostalima istakla verzija o dubokim svezama između Bunjinovih i budističkih ideja o životu – htijenju i životu-patnji, o vječnom kretanju kotača reinkarnacije i dr. (O. V. Slivicka, E. K. Ljavdanski, O. V. Solouhina i drugi).

Sva nabrojena imena i nazivi, međutim, samo su izvori, analogije ili pak podudaranja. Osobna Bunjinova filozofija izvedena je iz života njegove epohe i s njom je povezana. Trebalo bi govoriti o postupnoj Bunjinovoj razradi filozofije "svebožanskog" ili "kozmizma". Već je 1918. godine N. A. Berdjajev definirao misaoni ustroj epohe kao "kozmičko osjećanje svijeta". S njegova gledišta, ni politika, ni civilizacija, niti socijalna struktura države ne mogu polagati pravo na srž života, na život osobe. Čovječanstvo se, po mišljenju Berdjajeva, kreće od sociološkog osjećanja svijeta XIX. stoljeća (ravnomjerna raspodjela dobara) prema kozmičkom osjećanju svijeta (vlast i uprava nad zemaljskim silama jest kozmička širina životnog procesa). Svjetski put postojanja čini se Berdjajevu složenim uzajamnim djelovanjem raznih stupnjeva svjetske hijerarhije individualnosti i stvaralačkim urastanjem jedne hijerarhije u drugu: "osobe u naciju, nacije u čovječanstvo, čovječanstvo u kozmos, kozmosa u Boga". Kozmičko osjećanje svijeta u usporedbi sa sociološkim nije tako zadovoljavajuće i smireno, manje je racionalistički optimistično i utopično.

"Kozmička svijest, – pisao je Berdjajev – ne dopušta racionalističke iluzije prema kojima se budućnost svijeta potpuno određuje površnim zemaljskim silama. Čovječanstvo čeka nepoznato. Sam razvitak čovječanstva je 'antinomičan i tragičan proces'."[29]

Stvaralački Bunjinov put utoliko je i put formiranja kozmičkog ili kozmogonijskog svjetonazora XX. stoljeća koji je opisao Berdjajev. Na to su utrošene sve duševne sile i njegov neobičan talent. Kozmički svjetonazor omogućio mu je podići se na visinu s koje je bilo moguće shvatiti "svoje", sebe i svijet. Bunjinov metatekst vezan je uz potragu za najtočnijim riječima, slikama, bojama, zvukovima i oblicima radi priopćavanja "sebe". Uspješnost je odredila i Bunjinovo mjesto u umjetnosti XX. stoljeća i zanimanje ljudi tog stoljeća za njega.

S ruskog, prema rukopisu, prevela

Sonja Ludvig

29 Berdjajev, N. A. *Sud'ba Rossii. Opyty po psihologii vojny i nacional'nosti*, Moskva 1990. (reprint izdanja iz 1918.), str. 97, 147-149.

РЕЗЮМЕ

Людмила А. Иезуитова

Автометаописание и автоинтерпретация в творчестве И. А. Бунина как способ выявления пути личности художника

Наличие автометаописания и автоинтерпретации у Бунина позволяет увидеть и сформулировать идею пути личности художника. Приемы объяснения "себя" направлены на максимальное сокращение элементов эпического повествования и на формирование и выявление собственного "Я", рассказа о "себе", "своем". "Я", "свое", у Бунина - это органическое взаимодействие с природой и бытием. Оценка человека, автобиографического героя, в частности, зависит от его способности подняться над повседневным, эмпирическим действительности и стать частью "Мировой Души", которая везде: на земле, водах, в небе, в человеке и во всей вселенной.

AUTOBIOGRAFSKA POEMA VJAČESLAVA IVANOVA "DJETINJSTVO"

Problemi autometaopisa

BORIS V. AVERIN

Autometaopis jest, po svoj prilici, osnovna metoda kojom se služi V. Ivanov u svojem stvaralaštvu, a razlog tome nalazi se upravo u osebujnosti simbolizma kao književnog pravca. Razmotati klupko njegovih tekstova, sastavljeno od mnoštva raznobojnih niti, teško je zato što se jedan te isti simbol u raznim djelima puni različitim smislom i jedino u tom mnoštvu skriva se istinska dubina pjesnikove riječi. Svaki novi Ivanovljev tekst čuva u sebi sjećanje o prethodnom tekstu i obavezno se mora s njime mjeriti. Sustav ponavljanja nuždan je simbolistima, dakle i Ivanovu, da bi pojmovi i simboli poprimili potrebnu im mnogoznačnost. Svoja umjetnička djela Ivanov često, i mnogo češće nego drugi simbolisti, razmatra u svojim filozofsko-estetičkim člancima. Ali, što je neobičnije od svega, svoje teorijske radove on obavezno ilustrira citatima iz vlastitih pjesama. Autocitiranje stvara nužni "odjek", različit od ranijeg zvuka riječi ili slike. Kako se to zbiva? Pokušat ćemo to rastumačiti na primjeru najprikladnijeg, a izvanjski najtradicionalnijeg njegova djela – autobiografske poeme "Djetinjstvo" (*Mladenčestvo*, 1913–1918) usporedno s "Autobiografskim pismom" (*Avtobiografičeskoe pis'mo*, 1917) u kojemu autor obilno citira poemu. Istodobno, Ivanovljevo "Djetinjstvo" uključuje teme i motive prije napisanih stihova čija autobiografičnost dotad nije bila očita. Zahvaljujući tome što je riječ o otvorenom, a ne o skrivenom ponavljanju, osobito značenje za poemu poprima neupadljivo ali vrlo značajno nepoklapanje s tekstom koji prethodi poemi.

Osim toga, pokušat ćemo uspostaviti vezu između semantičkog polja nekih od simbola u poemi, takvih kao što su to "san", "zvuk", "odjek", "prozor", "more" sa smislovima kojima su se oni punili u drugim njegovim djelima e da bismo osjetili njihovu "tamnu dubinu".

Ako se "autobiografsko pismo" javlja kao posve tradicionalan životopis u koji su uključeni stihovi iz poeme i ranijih Ivanovljevih pjesama, onda "Djetinjstvo" počinje "Uvodom u pjesnički životopis", dakle pripovijest o cijelom životu. Prvi stih "Uvoda" potvrđuje proturječje:

Vot žizni dlinnaja mineja...
(Eto života duga mineja...)

"Mineja", u prijevodu s grčkog označava "mjesečni", opet dakle kratki period, ali bogoslovne knjige, mineje, sadržavaju liturgijske tekstove za svaki mjesec cijele godine. A *Velikie Čet'i Minei* nastale u Rusiji, u 16. stoljeću, sastojale su se od dvanaest svezaka, uključujući, nadasve, životopise svetaca.

Sljedeći stih:

Vospominanij palimsest...
(Uspomena palimpsest...)

također zahtijeva komentar, i objasniti taj stih u kontekstu poeme značilo bi mnogo shvatiti u Ivanovljevu stvaralaštvu. Palimpsest je rukopis na pergamentu s kojeg je izbrisan prvotni tekst i nanesen novi. To se radilo zbog nestašice materijala za pisanje, dakle, da bi se uštedjelo. Brisao se tekst koji je bio manje važan. Tako su se u srednjovjekovlju brisali antički tekstovi: njih je bilo mnogo, oni su bili poganski, dakle, nisu čuvali važna znanja. U vrijeme renesanse, kada se obnovio interes za antiku, naprotiv, brisali su kršćanske tekstove, i, zahvaljujući toj činjenici, na primjer, čitani su tekstovi Tita Livija.

Nijedan čovjek ne sjeća se cijelog svog života. Ako bismo zamislili da je netko ipak vodio dnevnik od djetinjstva do starosti, taj bi se čovjek nemalo iznenadio pročitavši u cijelosti, pod konac života, svoj dnevnik. Začudio bi se kako mnogo toga je zaboravljeno, a mnogo toga doživio bi kao nešto što se događalo posve drugom čovjeku. U tom je smislu ljudsko sjećanje višeslojni palimpsest u kojemu su neki tekstovi posve izbrisani, neki – jedva razumljivi, neki pak – često ne oni posljednji! – jedva su čitljivi. Veza između pojedinih tekstova obično je teško uhvatljiva.

Memoari se znatno razlikuju od dnevnika. Oni su, tako reći, ekstrakt piščeva života. Sadržaj memoara zavisi od koncepcije vlastita života koju je sebi izgradio memoarist. Ili pak – od njegove ideološke orijentacije. Koncepcija je stoga Arijadnina nit koja vodi prema izlazu iz logički nekompatibilnih smjerova životnog labirinta, ili je ona okosnica koja omogućuje povezivanje razjedinjenih događaja. Zbog toga se memoarist često može prisjetiti takvih epizoda iz vlastitog života koje su bile, na izgled, posve zaboravljene.

Jedna je od osnovnih ideja simbolizma – nerazdvojivost, uzajamna veza i uvjetovanost; jedinstvo svjetova – vidljivog i nevidljivog, materijalnog i božanskog, karnalnog i spiritualnog. Ako se krećemo prema dubini sjećanja, kroz pokrov, koprenu konkretnih materijalnih jezičnih slika, moći ćemo doseći onaj prvobitni sloj u kojemu neartikulirano još diše duh. Ili, drugim riječima, što čovjek dublje ponire u svoja sjećanja, odbacujući sve osobno, individualno, to će prije doseći načelo narodnosnog, *saborskog* (*"sobornoe"*), sveopćeg, dakle i Dušu Svijeta (*Mirovaja duša*). Eto zbog čega je toliko važno Ivanovu, a i drugim simbolistima, da se prisjete djetinjeg, predjezičnog stanja svijesti.

Prema Platonu, naime, duša gubi blaženstvo u kojemu je obitavala u Emporiju, međutim, sjećanje na blaženstvo ne nestaje potpuno. Djetinjstvo za njime žali:

No s detstva ja v prostom išču
Razgadki tajnoj – i grušču.

(Ali još od djetinjstva ja u jednostavnom tražim / odgonetku – i tugujem).

Djetinjstvo je i radosno, ne samo zato što je duša još bez grijeha, nego i zato što bolje pamti svoju prošlost. Upravo su sjećanja na nezemaljski raj tragovi djetinjstva kao najzanimljiviji period ljudskog života.

Istodobno, "Djetinjstvo" posjeduje stanovita obilježja tradicionalne memoarsko-autobiografske poeme. Tako Ivanov ne rekreira jedino svoje "prasvjetske" djetinje uspomene, nego vrlo detaljno piše o svojem ocu i majci, pripovijedajući ne samo o njihovoj sudbini nego i analizirajući njihove karaktere, što inače nije bilo svojstveno njegovu stvaralaštvu. Realistički prikazani životopisi roditelja, ipak, podređeni su temeljnom cilju simbolističke interpretacije svijeta.

Ivanovljev otac, Ivan Tihonovič (1816–1871) bio je po struci geodet, a po svjetonazoru materijalist, "nevjernik". Posve konkretne biografske crte poprimaju u kontekstu poeme simboličnu dimenziju. U to su se doba geodetska mjerenja izvodila s pomoću lanca. Mjeriti, u širokom smislu, znači postavljati granice, određivati mogućnost obasezanja pojava. Racionalno mišljenje okiva svijet u lance, čini svijet plošnim, jednodimenzionalnim, tek horizontalnim, a ne vertikalnim.

Naivnost takva načina spoznaje sjajno ilustrira pjesnik u sljedećim stihovima posvećenim ocu:

I grudu vol'nodumnyh knig
Mež Bogom i soboj vozdvig.

(1, 242)[1]

(I gomilu slobodoljubivih knjiga / Podigao je između sebe i Boga.)

Ova ironična sličica ne smeta načelno ozbiljnom Ivanovljevu odnosu prema očevim osnovnim životnim načelima. Otac je, podcrtava se u poemi, imao "tragalački um" u kojemu su se, kao i kod većine ljudi, prema Ivanovu, borili "tajna Božja i uznositost". Mjerni lanci nisu posve okovali njegov razum i nisu ga posve lišili težnje prema beskonačnom.

Osim toga, autor je poeme u očevu materijalizmu vidio i jaku stranu koju je odredio kao "zdravi empirizam". Uostalom, doktorska disertacija samog Ivanova, njegovi mnogobrojni članci i predavanja filozofske, povijesne i književnoteorijske naravi, uvijek su se temeljili na brojnim empirijskim činjenicama.

Ali, i njegove su pjesničke zbirke, koje su, kao i kod Bloka, za njega "svesci" a njihovi dijelovi "knjige", uvijek racionalno odmjerene, veza među pojedinim dijelovima gotovo matematički precizno osmišljena da bi se postigao "arhitektonski sklad" – kako se Ivanov izrazio o *Cor Ardens*.

U Ivanovljevu cjelokupnom stvaralaštvu prepleću se simboli "dana" i "noći". Njihov izvor nije jedino u starim mitologijama (usp. npr. pjesme "Dan" i "Noć" u knjizi *Zvijezde vodilje* (*Kormčie zvezdy*) nego i njemački romantizam, Tjutčevljeva poezija, Nietzscheova filozofija. Ivanov od oca baštini "dnevnu stranu duše" ili "apolonijsko načelo" prema Nietzscheu. Noćno, dionizijsko, iracionalno načelo baštini od majke, Aleksandre Dmitrijevne Preo-

1 U tekstu se i nadalje citira izdanje Ivanov, V, *Sobranie sočinenij I-IV.* Bruxelles, 1971-1986.

braženske (1824–1896).

"Njezin svijet bio je šuma, živa od šapata čudesa" – govori se na početku poeme. "Naivno iskustvo viđenja", "netjelesno uočavanje sjena" sačuvali su u njezinoj duši, podcrtava autor, živu narodnu vjeru od racionalizma kao dominantnog utjecaja u njezinu stoljeću. Bila je vatreno religiozna, svakodnevno, u toku cijelog života čitala je *Psalme*, i bivala ganuta do suza. U razdobljima njezine epohe bremenitim događajima javljali su joj se proročki snovi i čak viđenja na javi; "u život se zagledavala nekom mističnom pronicavošću...", pisao je Ivanov u 'Autobiografskom pismu'). Uz to je dodao: "–ali, uza svu svoju živu sklonost fantazijama nije sebi dopuštala sanjarenja i odlikovala se, prema jednoglasnom mišljenju sviju, izuzetno trezvenim i prodornim umom" (II, 8). U poemi je to njezino svojstvo izraženo gotovo istim riječima, ali jedinstvo nespojivog, naime religioznosti, misticizma s trijeznim, racionalnim mišljenjem objasnit će Ivanov osebujnošću ruskoga nacionalnog duha:

S besplotnym zreniem tenej
Po - russki sočetalsja v nej
Duh nedoverčivoj dogadki,
Svobodnyj, zorkij, trezvyj um.

(I, 232)

(I s bestjelesnim osjetilom vida / Na ruski se način spajao u njoj duh nepovjerljive domišljatosti / Slobodan, jasan, trijezan um.)

Ranije je Ivanov bio napisao pjesmu pod naslovom "Ruski um" koja je ušla u treći dio njegove knjige *Zvijezde vodilje*. Istodobno težnja prema mističnim dubinama i prema racionalnoj jasnoći, težnja koja, generalizirajući i shematizirajući, čini osnovu simbola i karakteristična je osobina upravo ruskog uma, izražena je, kao glavni zaključak u završnim stihovima pjesme:

On zdravo myslit o zemle,
V mističeskoj kupajas' mgle.

(I, 556)

(On zdravo razmišlja o zemlji / U mističkoj se kupajući magli.)

Dakle, ako otac odmjerava granice i opsege, onda majka, u svojem stalnom porivu prema beskonačnom, izvrsno osjeća granice i, da se poslužimo riječima M. Cvetajeve, slaže se "s tom bezgraničnošću u svijetu granica".

Umjetnik, smatrao je Nietzsche, treba u svojim djelima ujediniti "apolonijsko" i "dionizijsko" načelo. Aleksandra Dmitrijevna, onakva kakvom ju je vidio Ivanov, sjedinjavala je u svojem karakteru ova načela i bila je osobito osjetljiva prema svemu lijepom. Njezina religioznost nije bila zadana jedino sredinom, racionalnošću, podrijetlom ("seoski svećenik njezin je bio djed"), nego se može protumačiti upravo njezinim živim i neposrednim osjećajem za lijepo.

Vladimir Solovjov, u svojem članku "Ljepota u prirodi" određuje lijepo kao "nerazdvojivo i nestopljeno sjedinjenje materije i ideje, svjetlosti i tvari, ali onda kad ni jedno ni drugo nije vidljivo u svojoj posebnosti, nego je vidljivo kao svjetonosna materija i utjelovljena svjetlost".[2]

Od njegove sedme godine Ivanov i njegova majka zajedno čitaju *Evanđelje*, ali ona ne tumači smisao pročitanog sinu, nego njih dvoje raspravljaju o tome koje je mjesto u *Evanđelju* najljepše. "Estetsko se prepletalo s religioznim", – tumači Ivanov u 'Autobiografskom pismu', – "također u našim malim hodočašćima na koja smo se zavjetovali ići pješice, do Iverske, ili do Kremlja. Ondje bismo se prepuštali, u posvemašnjem skladu naših raspoloženja, onom slatkom i pomalo jezivom čaru polumračnih starinskih crkava s njihovim tajanstvenim grobnicama" (II, 12).

Spomenuta veza između estetičkog i religioznog izražena je prelijepom aforističnom formulom u "Djetinjstvu", i ona se,

2 Solov'ev, V. S., *Sočinenija. V dvuh tomah.* Tom 2. Moskva, 1988, str. 358.

dakako, može primijeniti i na samog pjesnika:

No v tišine serdečnyh dum
Te obrazy ej byli sladki,
Gde v sreten'e lučam Hrista
Zemnaja rdeet krasota.

(I, 232)

(Ali u tihim mislima njezina srca / One su joj slike bile drage, / gdje u susretu s Isusovim zrakama / Zemaljska žari se ljepota.)

Logičnost poeme "Djetinjstvo" izravno se suodnosi s arhitektonikom prve Ivanovljeve knjige, *Zvijezde vodilje* (1903.). Knjiga je, znamo, posvećena uspomeni na majku koja je toliko željela vidjeti sina u ulozi pjesnika. Ona započinje odjeljkom "Impuls i granice" (*Poryv i grani*). U skladu s time, prva pjesma odjeljka, "Ljepota" (*Krasota*) posvećena je V. V. Solovjovu, a završava se odjeljak afirmacijom neizbježnog susreta, stapanja "raznobojne Geje (*"cvetonosnoj Gei"*), dakle Zemlje, i "krotke zrake tajanstvenog Da" (*"krotkogo luča tainstvennogo Da"*).

Druga pjesma – "Buđenje" uvodi središnje simbole, par "more" i "zvijezde vodilje", simbole koji su se u raznim njegovim pjesmama mogli dešifrirati različito, kao "poriv" i "granice", kao "duh" i "kormilo ljubavi", kao "krug", "prsten" i "središte", kao "beskonačna stihijnost" i "cilj". U povijesti kulture pak ti simboli imaju adekvate počevši od *Odiseje* pa sve do, na primjer, Solovjevljevih pjesama o Vječnoj Ženstvenosti u kojima se spominje "kopno nebesko" (*"tverd' nebesnaja") i "zemaljska vlaga" ("zemnaja vlaga"*) što se stapaju, a "nebo se spaja s pučinom voda" (*"nebo slijalos' s pučinoju vod"*)[3].

Ovakva supostavljanja i suprotstavljanja u pojmovnom svijetu pjesme ostvaruju se u neočekivanoj i efektnoj slici jarbola u pokretu

3 Solov'ev, V. S, *Stihotvorenija i šutočnye p'esy*. Leningrad, 1974, str. 121.

(on rabi izraz *"ščogla"*, prema crkvenoslavenskom), čiji vrh ocrtava linije po nebu povezujući zviježđa, mjereći razdaljine među zvijezdama:

I, mernaja v nebe vysokom
Ot sozvezdija hodit
Do sozvezd'ja ščogla.

(I, 518)

(I, mjereći u nebu visokom / Od zviježđa do zviježđa / kreće se jarbol.)

U većini autobiografski koncipiranih djela autori pišu o tome što su naslijedili od roditelja. Čini to i Ivanov. Ali, za autora "Djetinjstva" bilo je važno ispripovijedati o "naslijeđu roda", u onom smislu u kojemu se ta sintagma javlja u Tjutčevljevoj pjesmi "Sveta je noć na nebo uzašla" (*Svjataja noć na nebosklon vzošla*).

Naslijeđe roda jest znanje o "predvremenskom" svijetu koji nastaje kada se pokrov života, prebačen preko bezdana svlači, jasnoća životnih oblika i racionalnost mišljenja slabe i čovjek se nađe licem u lice s beskrajem. "Pokrov" je za odraslog čovjeka ono što znače slike, predodžbe, kojima on sebe ograđuje od bezdana ili svemira, predodžbe s pomoću kojih je prethodno izgradio strop, pod, zidove svoje sobe, doma, ograničenog i izmjerenog sa svih strana. Ali i u takvu domu, sobi postoji neki prozor, postoji, prema Tjutčevljevim riječima "mudra duša" koja tuguje "na pragu dvostrukog sna". A Vjačeslav Ivanov kao da ide Tjutčevljevim tragom kad u svojoj pjesmi "Sjećanje" (*Pamjat'*) kaže "mudrom dušom čezne za čarima živog sna".

Stvarnost je katkad simbolična bez ikakvih intervencija umjetnika. Prve djetinje uspomene junaka poeme doista su rajske – riječ je o vrtu, o vrtu s jelenima, slonom, nosorogom. Tumači se to na jednostavan način – naime, prozori kuće obitelji Ivanov gledali su prema zoološkom vrtu. Ali autorovo sjećanje seže još dalje:

Ešče starinnej èho lovit
Duša v kladbiščenskoj tiši

Dedala dnej, – hot' prekoslovit
Rassudok golosu duši.

(I, 241)

(Još drevniju jeku sluti / Duša u tišini groblja / Dedalusa dana – premda proturječi / Razboritost duše glasu.)

Suprotstavljanje "razboritosti" i "glasa duše" temeljno je za smisao poeme i razlikuje se od suprotstavljanja koje je formulirao B. Pascal: "Srce posjeduje svoj razum, koji je našem umu nepoznat." "Glas duše" kod Ivanova, dakako, ima veze s kategorijama "zvuka" ili "zvonjave" kod Jacoba Boehmea. Godine 1914., u izdavačkoj kući "Musaget", u Moskvi, izašla je njegova knjiga *Aurora ili jutarnja zora u nastajanju* (*Aurora ili utrennjaja zarja v voshoždenii*) za koju je Ivanov načinio prijevod s njemačkog popratnog teksta uz Boehmeov portret, a i Novalisove pjesme "Jacob Boehme". Ako je uopće moguće doživjeti ne samo ljepotu konkretnog predmeta ili pojave, nego osjetiti cjelokupnost ljepote svijeta kao manifestacije jedne od osobina Boga, onda će, vjerojatno, to psihološko stanje imati veze sa spiritualnim doživljajem "zvuka". Pri tome se za takvo stanje traži osobita usredotočenost, udubljivanje i distanciranost od svega izvanjskog, stanje za koje u povijesti kulture već postoji pojam "tišine". O smislu potonjeg pojma u bizantijskoj književnosti pisao je, na primjer, S. S. Averincev.[4] U šutnji i tišini odvija se skriveni rad duha, a budući da biva prerano utjelovljen – u riječi, transformira se u jalove, dogmatične konstrukcije, ispraznu cerebralnu igru. Osobita uloga "šutnje" u svakodnevnom životu očituje se u tome što je sa šutnjom usko povezana dobrota. Ako čovjek čini dobro i govori o tome, dobro blijedi, katkad posve nestaje i čak se može obrnuti u zlo. Dvojnost šutnje i govora tvori, prema mišljenju engleskog mislioca Thomasa Carlylea, temelj simbola: "U simbolu nalazimo skrivenost ali i

4 Averincev, S. S, *Poètika vizantijskoj literatury*. Moskva, 1977, str. 114.

otkrivenje, na taj način ovdje, s pomoću Šutnje i Govora što djeluju zajedno, dobivamo dvostruko značenje."[5]

Tako nastaje mogućnost da se sjedine "zvuk" i "šutnja" u dijalektičkom jedinstvu "zvučne tišine". Spomenuti je oksimoron vrlo rasprostranjen u poeziji simbolistâ. V. Brjusov u svojoj ranoj pjesmi "Stvaralaštvo" (*Tvorčestvo*, 1894) dvaput ponavlja:

Polusonno čertjat zvuki
V zvonko-zvučnoj tišine
(........)
I prozračnye kioski
V zvonko-zvučnoj tišine.

(Polusanjivo ocrtavaju zvuci / U zvonko/zvučnoj tišini (.....) / I prozračni kiosci u zvonko-zvučnoj tišini.)

A Blok u jednoj od ključnih pjesama za ciklus "Stihova o Prekrasnoj Dami", dakle u pjesmi "Ti odlaziš u sumrak rujni..." (*Ty othodiš' v sumrak alyj...*, 1901) pita:

Blizko ty, ili daleče
Zaterjalas' v vyšine?
Ždat' il' net vnezapnoj vstreči
V etoj zvučnoj tišine?

(Jesi li se blizu, ili daleko / Izgubila u visinama? / Da li da čekam ili da ne čekam nenadan susret u toj zvučnoj tišini?)

Kod Ivanova razum proturječi "glasu duše", kada ona u tišini "hvata jeku" "Dedalovih dana". A Dedal nije bio jedino veliki kipar i izumitelj krila nego i graditelj labirinta za čudovišnog Minotaura, sina Pasifaje i bika.

Godine 1904. Ivanov je napisao ciklus od sedam pjesama "Pjesme iz Labirinta" (*Pesni iz Labirinta*). Kasnije je taj ciklus

5 Karlejl', T, *Sartor resartus*. Moskva, 1902, str. 243.

postao dijelom njegove knjige, treće pjesničke zbirke *Cor Ardens* (*Cor Ardens*). Dvije od pjesama, naime "More" (*More*) i "Tišina" (*Tišina*), tematski i slikovno odgovaraju XX. i XXI. poglavlju poeme "Djetinjstvo". U oba teksta simboli "tišine" i "zvuka" sjedinjavaju se u simbolima "sna" i "prozora". Razlika je jedino u tome što u "Pjesmama iz Labirinta" dominira afirmativna intonacija, a u poemi intonacija refleksije i upitnosti.

"Tišina"

S otcom rodnaja sidela;
Molčali ona i on.
I v okna gljadela...
"Ču", – molvili oba, – "zvon"...

I mat', naklonjas', mne šepnula:
"Daleče – zvon... Ne dyši!..."
Duša k tišine pril'nula,
Duša potonula v tiši...

I slyšat' ja načal bezmolvno
(Mne bylo tri vesny), –
I serdcu donosit bezmolv'je
Zavetnyh zvonov sny

(II, 273)

(S ocem je majka sjedila; / Šutjeli su / U prozor je noć gledala... / "Tiho", – zborili su, – "zvonjava"... / I mati, sagnuvši se, šapnula je: / "U daljini – zvonjava... Suspregni dah!..." / Duša se privila tišini, / Duša je potonula u šutnji... / I počeo sam slušati bez riječi / (Bila su mi tri proljeća), / I srcu donosi tišina / Tajnih zvonjava sne.)

"Djetinjstvo"

No, verno, byl tot večer tajnyj.
Kogda, dyhan'je zataja,
Pri tišine neobyčajnoj,
Otec i mat', i s nimi ja,
U okon, v zamknutom pokoe,
V prostranstvo temnogoluboe
Ujdja dušoj, kak v nekij son,
Daleče osjazali – zvon...
Oni prislušivalis'. Tščetno
Lovil ja zvučnuju volnu:
Vskoleblet čto-to tišinu –
I vnov' umolknet bezotvetno....
No s toj pory ja čtit' privyk
Svjatoj bezmolvija jazyk.

(I, 241)

(Svakako, bila je to večer tajna. / Onda kad smo susprežući dah, / U neobičnoj tišini, / Otac i mati, i s njima ja, / Pred oknima, u svojoj smirenosti, / U prostor tamnomodri / Odlazili dušama kao u kakav san, / I u daljini ćutjeli – zvonjavu... / Oni su naprezali sluh. Uzalud / Hvatao sam zvuka val: / Uznemiri nešto tišinu – ... / I opet bez odjeka utihne... / Ali od tog sam upravo doba naučio štovati / Svete šutnje jezik.)

Gotovo neuhvatljiva logičnom tumačenju, karika simbola u pjesmi "Tišina" – "srcu donosi tišina tajnih zvonjava sne" – nestala je u "Djetinjstvu". Štoviše, nejasno ostaje je li autor doista čuo zvonjavu ili nije. Najvjerojatnije ipak jest, jer je od tog doba on "naučio štovati svete šutnje jezik".

Analognim se čini suodnos pjesme "Sjećanje" (*Pamjat*) iz ciklusa "Pjesme iz Labirinta" i poeme. Kao prva uspomena lirskog junaka poeme javlja se njegova uspomena na more i brod što ih je ugledao kroz prozor:

I kto-to glad' golubuju
Pokazyval mne iz okna...

(I netko mi je pučinu morsku / pokazivao kroz prozor...)

U poemi, međutim, autor sebi postavlja jedno od glavnih pitanja:

Počto ja pomnju glad' morskuju
V mercan'i blednom, i toskuju
Po noči toj i parusam
Vsju žizn' moju?

(I zbog čega ja pamtim pučinu morsku / U svjetlucanju blijedom, i čeznem / Za onom noći i jedrima / Sav svoj život?)

Ovo se pitanje ukazuje kao još složenije, jer autor tvrdi:

Ta mgla v lico mne ne dyšala,
Okna ne otkryval nikto...

(I, 240)

Povezivanje simbola "mora" i "sna" bilo je rasprostranjeno u stvaralaštvu ruskih simbolista. Na primjer, M. Vološin, koji je 1906. godine napisao sjajan članak o knjizi V. Ivanova *Eros* (*Eros*) i koji je stanovao kod njega "na Kuli" tijekom 1907. godine ovako tumači simbol sna, oslanjajući se pritom na znanstvena tumačenja, posebno ona francuskog fiziologa R. Kentona: "Jedna od najstarijih poredbi povezuje srce s oceanom, pa voli govoriti o plimama i osekama ljubavi. Znanstvena teorija R. Kentona polazi od proučavanja temperature krvi i morskih dubina, postotka soli u krvi i u morskoj vodi, pa ističe kako je ocean bio ona prva životna sredina u kojoj su se razvijali organizmi. Krv u žilama bića upravo i jest onaj ocean u kojem su bića nastajala, onaj ocean koji su bića u sebi sačuvala kroz vrijeme, zajedno s njegovom prosječnom temperaturom i kemijskim sastavom... S tim oceanom mi se nikad ne rastajemo. Nosimo ga u sebi. Svakodnevno se u njega vraćamo, kao u majčinu utrobu i, tonući u duboki san bez snova, prožimamo se s njegovim tokovima, predajemo se sili njegovih struja i obnavljamo u njegovoj dubini postajući u takvim trenutcima dijelom predvremenskog sna kamenja, minerala, voda, raslinja. Snovi niču upravo na granici tog tamnog i bezličnog svijeta. Mogu se usporediti s polumrakom kad se tek nazire zora dana u nastajanju."[6]

Vološin je pisao i o djetinjstvu te o ranoj mladosti kao o osobitom razdoblju koje nam pruža mogućnost da osmislimo metafizičku osnovu bitka. Čovjek je, po njegovu mišljenju, zapravo svemir u malom, a svijest odraslog čovjeka tek kapljica u svjetskom oceanu djetinje svijesti. Vološin je smatrao kako su ruski pisci koji su onako sjajno pisali o djetinjstvu – Dostojevski, Aksakov, Tolstoj, Čehov, ipak bili daleko od "djetinjstva u njegovoj velikoj biti", jer se promatranjem djece ništa ne može dodati onome što samo dijete već zna. Vološin je smatrao kako treba pokušati na takav način obnoviti svoje mladenačke i dječje doživljaje da oni postanu duševna ispovijest, "da se sve nesvjesno, dječje, organski stopi s odraslom sviješću onog koji svjedoči o tom doživljaju".[7]

U "Djetinjstvu", kao i u pjesmi "Sjećanje" more se vidi kroz prozor, ali u poemi postoji važna, presudna nadopuna koja zahtijeva objašnjenje, naime, taj je prozor "slijep":

Mež okon, čto v predel Èdema
Gljadeli, bylo – pomnju ja –
Odno slepoe...

(I, 239)

(Među prozorima što su u predio Edema / Gledali, bio je, sjećam se, / Jedan od njih slijep...)

U životu je slijep onaj prozor koji je samo arhitektonski ures što imitira stvarni prozor. On postoji, ali kroza nj se ne može gledati. U "Djetinjstvu" se kroz slijepi prozor doživljava ono što je ne-

6 Vološin, M, *Teatr kak snovidenie. Liki tvorčestva.* Leningrad, 1988, str. 349-350.

7 Vološin, M, *Liki tvorčestva.* Leningrad, 1988, str. 494.

moguće vidjeti očima – duhovnu osnovu svijeta ili prvi sloj palimpsesta. To viđenje postaje razumljivim kada se sve što je konkretno, materijalno, uključujući i psihičke doživljaje prevlada, učini "prozirnim". Dakle, u kretanju sjećanja kroz labirint uspomena mora doći do takvog trenutka kada se prva uspomena, više ili manje konkretna prevlada. Ako se poslužimo njegovim drugim simbolima, mogli bismo kazati kako je "zvonjava" čujna jedino onda kad se postiglo stanje apsolutne "tišine". Materijalno svojom tjelesnošću i težinom pritišće ono duhovno, ali i materija posjeduje svoje "svijetle trenutke", prozore, kroz koje možemo osjetiti vječnost i neprolaznost. Simbol bi trebao upozoriti na spomenutu vezu "zemaljskog" i "nebeskog", Ja i Ne-Ja. Neopterećena konkretnim, duhovnost se spoznaje kroz "slijepi prozor", ovdje konkretno Ja doživljava još nešto, što nije Ja, točnije nešto što nije tek zemaljsko, stvarno iskustvo. To nije zvuk, nego "odjek" (*"otzvuč'je"*).

Simboli "odjeka" i "jeke" pripadaju nizu najvažnijih među "individualnim" simbolima Vjačeslava Ivanova. Njihovo značenje dešifrirano je u njegovoj pjesmi "Alpski rog" (*Al'pijskij rog*, 1902), a zatim u nizu članaka, posebno u programatskom članku "Misli o simbolizmu" (*Mysli o simvolizme*) uz koji se članak ova pjesma javlja kao epigraf.

U pjesmi se gradi sljedeći slikovni lanac: pastir svira na rogu, ali rog služi jedino tome da nastane "čarobna jeka", istoznačna i različita od zvuka roga. Ispostavlja se kako je ta jeka uistinu "nevidljivi zbor" duhova koji s pomoću "nezemaljskih instrumenata" prevode "narječjem neba jezik zemlje". Nije to dakle samo odjek, u njemu je sadržan smisao koji melodija roga sama po sebi nije posjedovala. Što se promijenilo u jeci, kakvo je ona zadobila novo svojstvo? Ovako formulirano pitanje svjedoči o pretpostavci da postoji neka drugačija svijest izvan koje je na pitanje nemoguće odgovoriti. Ta svijest zna da "jeka" nije posljedica zvuka, nego je jeka smisao zvuka. A smisao prirode jest da stvara jeku. Zbog toga:

Priroda – simvol, kak sej rog. Ona
Zvučit dlja otzvuka; i otzvuk – Bog.
Blažen, kto slyšit pesn' i slyšit otzvuk.

(Priroda je simbol, kao i taj rog. Ona / Zvuči radi jeke; i odjek je Bog. / Blažen je onaj tko čuje pjesmu, i čuje njezin odjek.)

U poemi se ponavljaju tekstovi ranijih pjesama i samim time potvrđuje se njezina faktografičnost. Istodobno, u "Djetinjstvu" se paradoksalno ističe kako tih uspomena nije bilo, i kako je prozor bio "slijep". Stvar je u tome što su konkretne uspomene – "jeka", nužne da bi se rodili "drevni odjeci", realniji od same stvarnosti. Tako počinju međusobno korespondirati različiti slojevi palimpsesta, po mjeri kretanja u labirintu sjećanja prema "paslikama". Zbog toga cjelokupno stvaralaštvo V. Ivanova poprima značenje jedinstvenog teksta koji je povezan lancem zajedničkih simbola, i ranije stvoreni tekst postaje "zvuk" za izazivanje "jeke" u kasnijem tekstu.

S ruskoga, prema rukopisu, prevela

Magdalena Medarić

РЕЗЮМЕ

Борис В. Аверин

Концепция жизненного пути в поэме "Младенчество" и в "Автобиографии" Вячеслава Иванова

В "Автобиографии", написанной по анкетному принципу, Вяч. Иванов цитирует строки из поэмы "Младенчество", тем самым углубляя свою "внешнюю биографию" философским истолкованием собственной жизни, данным в поэме. По Вяч. Иванову, сознание человека представляет собой палимпсест, и успех попытки самосознания зависит от того, насколько возможно приблизиться к "первоначальному тексту", который есть чистая духовность. Настойчивое повторение поисков "первоначального текста" является структурной доминантой художественных и философско-эстетических произведений Вяч. Иванова.

ULOGA AUTOBIOGRAFSKOG PAMĆENJA U "BUCI VREMENA" OSIPA MANDELJŠTAMA

ŽIVA BENČIĆ

Autobiografija Osipa Mandeljštama *Buka vremena* u izdanju iz g. 1925. obuhvaća period koji seže od autorovih najranijih sjećanja do njegovih "krimskih iskustava" iz doba građanskog rata (usp. poglavlje "Feodosija"). Drugo izdanje knjige iz g. 1928. tematski je koherentnije jer je u njemu izostavljeno poglavlje o Feodosiji, a naracija je ograničena samo na Mandeljštamovo djetinjstvo i adolescenciju. Ta skraćena, "generički čistija" varijanta djela moga bi se, uz određene ograde, uvrstiti u žanr "djetinjstva" (usp. Isenberg 1987: 49) za koji u ruskoj književnosti nalazimo obilje primjera: od Aksakova, Tolstoja, Garin-Mihajlovskog i Hercena u devetnaestom stoljeću, do Korolenka, Gorkog, Bjelog, Pasternaka, Zoščenka i drugih u dvadesetom. Ograde u vezi sa žanrovskim određenjem *Buke vremena* javljaju se ponajviše zbog Mandeljštamove izričite namjere da u djelu opiše ne svoje djetinjstvo, nego odsječak vremena u kojem se to djetinjstvo odvijalo, da, drugim riječima, progovori ne o sebi, nego o "buci vremena". Osnovna narativna tehnika Mandeljštamova proznog prvijenca zasniva se, međutim, kao i u svakom drugom uzorku spoemnute književne vrste na autobiografskom pamćenju. Već za prvu fazu *Buke vremena* slobodno možemo reći da zvuči kao samouvjerena pohvala vlastitoj memoriji: "Ja dobro pamtim gluho doba Rusije..." (II: 45). Pripovjedač nam odmah daje do znanja da će prošlost prikazati onako kako mu to nalaže proces prisjećanja: "devedesete se godine slažu u mojoj predodžbi od slika..." (II: 45). Doista, na stranicama ove osebujne autobiografije život u ruskoj prijestolnici, u Peterburgu na razmeđu stoljeća oslikan je u svem bogatstvu i šarenilu pojavnih oblika, koji utisnuti jednom u dječju percepciju oživljuju ponovno u književnom djelu upravo snagom autobiografskog pamćenja. Dovoljno je, na primjer, navesti Mandeljštamov prvi doživljaj smrti (smrt Aleksandra III.) i uvjeriti se da prošlost izranja pred čitaocem ne kao gola povijesna činejnica, nego kao osobna uspomena, kao mentalna slika koju je mnoštvom i dojmljivošću konkretnih detalja mogao opremiti samo očevidac:

> "Mračne gomile naroda na ulicama bile su moja prva svjesna i jarka percepcija. Bile su mi točno tri godine. Godina je bila devetsto i četvrta, poveli su me iz Pavlovska u Peterburg, u namjeri da pogledaju sahranu Aleksandra III. Na Nevskom, negdje nasuprot Nikolajevskoj, iznajmili su sobu na četvrtom katu namještene kuće. Još uvečer uoči sahrane uspentrao sam se na prozorsku dasku i vidim: ulica je crna od naroda, pitam: "Kad će oni poći?" - kažu: "Sutra." Osobito me zapanjilo što su sve te ljudske mase čitavu noć provele na ulici. Čak i smrt mi se javila prvi put u savršeno neprirodnom, raskošnom, paradnom obliku" (II: 53-54).

Većina ljudi, mjesta i događaja prikazana je u *Buci vremena* na sličan način, dakle, kao dio osobno proživljene i stoga živo doživljene povijesti. I nehotice se nameće pomisao da je Mandeljštam gotovo spontano udovoljio jednom od osnovnih zahtjeva što ih pred povjesničare postavlja začetnik duhovnopovijesnih znanosti Wilhelm Dilthey: istinsko povijesno znanje treba biti doživljaj (*Erlebnis*), unutrašnje iskustvo predmeta koji se istražuje. Taj filozof života korijen i temelj svake povijesne spoznaje stoga vidi upravo u autobiografiji. U njoj, naime, "onaj tko razumijeva životni tijek (*Lebenslauf*) identičan je s onim koji ga je stvorio. Odatle proizlazi posebna prisnost (*Intimität*) razumijevanja" (1958: 200).

Buka vremena u kojoj opća povijest postaje predmetom autobiografske memorije, u bitnome, dakle, udovoljuje Diltheyevu kriteriju autobiografičnosti. Ona bi se, međutim, mogla uklopti u Diltheyevu hermeneutiku života i po jednoj drugoj osobini: po načinu na koji autor pokušava razumjeti sama sebe, konkretno, po udjelu koji se u tom procesu samorazumijevanja dodjeljuje povijesti. Diltheyeva misao da "čovjek spoznaje sebe samo u povijesti, a nikada introspekcijom" (279) mogla bi, zapravo, Mandeljštamovoj autobiografiji poslužiti kao moto. Ne mislim pritom da se Mandlještam svjesno nadovezao na Diltheyevu ideju o povjesnosti čovjeka. Ta je ideja, uostalom, početkom dvadesetog stoljeća bila tako reći "u zraku". Od nje su kao od opće pretpostavke kretali mnogi europski mislioci koji odgovore na pitanja što su se otvarala pred vremenski konačnom ljudskom egzistencijom izloženom potresima i novotvorevinama vremena nisu više tražili ni u tradicionalnoj metafizici apsolutnoga ni u mehanicističkim objašnjenjima prirodnih znanosti (usp. Windelband, Heimsoeth 1978: 290–315). U *Buci vremena*, u svakom slučaju, Mandeljšam posve u duhu Diltheyeva recepta "privodi u svoju svijest sve ljudske supstrate i povijesne veze u koje je utkan", proširujući na taj način "autobiografiju u povijesnom sliku" (204).

> "Ne želim govoriti o sebi nego pratiti stoljeće, buku i klijanje vremena" - izjavljuje on programatski u poglavlju o Komisarževskoj. - "Moje je pamćenje neprijateljsko prema svemu osobnome. Ako bi ovisilo o meni, ja bih se samo mrštio, prisjećajući se prošlosti. Nikada nisam mogao razumjeti Tolstoje i Aksakove, Bagrove unuke zaljubljene u porodične arhive s epskim kućnim uspomenama (...) Raznočincu nije potrebno pamćenje, dovoljno je da ispriča o knjigama koje je pročitao, - i biografija je gotova. Tamo gdje kod sretnih pokoljenja govori epos heksametrima i kronikom, tamo kod mene stoji znak hijata, a između mene i stoljeća je jama, jarak napunjen bučnim vremenom, mjesto doznačeno porodici i kućnom arhivu" (II: 99).

Treba li, međutim, povjerovati Mandeljštamu da je on, odustavši od introspekcije i otvorenoga bavljenja samim sobom doista želio prikazati samo epohu u kojoj je odrastao? Široko prihvaćenu u književnoj kritici tezu o Mandeljštamovoj "impersonalnosti" valjalo bi razmotriti s krajnjim oprezom jer se ona, kako je dobro primijetio C. Brown, pretvorila s vremenom u "neprovjereni kritičarski klišej" (1965: 24) koji ne nalazi prave primjene ni u Mandeljštamovoj poeziji ni u njegovoj prozi. Mandeljštama bi se, smara Brown, moglo slikovito usporediti s nekim tko opčarano promatra vlastiti muzej voštanih figura, muzej vlastite prošlosti u kojem se svi eksponati - od majčine edicije Puškina, preko braće Krupenskih, "dobrih poznavalaca vina i Židova" do Erfurtskog programa Karla Kautskog - s ljubavlju čuvaju iza stakla. U staklu koje, s jedne strane, odvaja pisca od onoga što opisuje, odražava se, s druge strane i piščev lik (24). U citiranom odlomku iz poglavlja o Komisarževskoj Mandeljštam se, štoviše, potrudo da taj lik poprimi posve jasne obrise: obrise raznočinca koji, za razliku od Akasakova i Tolstoja, svoj identitet ne traži u uskom krugu aristokratske porodice, nego ga kao izopćenik iz visokih društvenih struktura oblikuje u sveobuhvatnoj i zaglušujućoj "buci vremena".

Problem identiteta je, čini mi se, ona točka na kojoj se Mandeljštamov pristup autobiografiji oštro odvaja od Diltheyeva. Dok je Dilthey, naime, zaokupljen čovjekom zato da bi razumio povijest, Mandeljštam je, upravo suprotno, zaokupljen poviješću da bi razumio čovjeka, prije svega sama sebe i svoj položaj u vlastitom vremenu. Dok Dilthey još pripada sretnom naraštaju koji ne dvoji u cjelovitost i smislenost individualne ljudske egzistencije, a pitanje osobnog identiteta privhaća kao neupitnu danost, Mandeljštamu se nakon iskustva rata i revolucije ljudi čine lišeni i biografije i prirodnog osobnog razvoja. Ali o tome malo kasnije. U Mandeljštamovu prepuštanju autobiografskoj memoriji, u njegovu prisjećanju na vlastitu prošlost valja vidjeti ponajprije znak krize identiteta, znak poremećenih odnosa između osobe i svijeta. Mandeljštamovu otvoreno izraženu želju da ocrta jedno razdoblje ruske povijesti treba, dakle shvatiti samo kao izgovor, jer njegovo autobiografsko pamćenje nastoji rasvijetliti prošlost prije svega zato da bi se razumjela sadašnjost, da bi se, preciznije rečeno, u sadašnjosti pronašla neka beskonfliktna zona u kojoj se ponovno uspostavlja sklad između individuuma i njegova socijalnog okruženja.

U čemu se, zapravo, sastoji osjećaj osobnog identiteta? Prema mišljenju nekih psihologa, npr. E. H. Eriksona, taj se osjećaj temelji na dva simultana zapažanja: s jedne strane na neposrednom uvidu u istovjetnost i kontinuitet našega Ja u vremenu, a s druge strane na uvjerenju da konzistenciju naše ličnosti priznaje i društvo kojemu pripadamo (1959: 23). U procesu socijalizacije pojedinac će po Eriksonu pokušavati pronaći "nišu u pojedinim područjima svojega društva, nišu koja je čvrsto definirana, a ipak se doimlje kao da je stvorena isključivo za njega" (111). Mandeljštam se nakon revolucije nije uspio smjestiti u takvu socijalnu nišu, što je i rezultiralo njegovom dubokom osobnom i pjesničkom krizom. Definicija krize identiteta koju nudi novija psihološka literatura, na primjer, C. R. Barclay, potpuno odgovara stanju u kojem se Mandeljštam tada nalazio. "Kriza je", kaže Barclay, "period donošenja odluka tijekom kojega osoba preispituje i ponovno ocjenjuje svoja temeljna vjerovanja i vrijednosti" (1988: 185).

Zanimljivo je da u *Sjećanjima* Mandlještamove supruge Nadežde Jakovljevne Mandeljštam poglavlje koje opisuje unutrašnje lomove našeg pisca, kao i početak njegova rada na prozi, nosi vrlo sličan naslov: "Prevrednovanje vrijednosti" (*Pereocenka cennostej*). Pod prevrednovanjem vrijednosti autorica, da budem sasvim precizna, razumijeva misaoni proces koji je početkom dvadesetih godina zahvatio veći dio ruske inteligencije, a trebao je po mišljenju vlasti uroditi radikalnim odbacivanjem starih vrijednosti i neograničenim prihvaćanjem novih. Posvemašnje odbacivanje prošlosti radi afirmacije sadašnjosti Mandeljštamu nije pošlo za rukom. Njegovo oklijevanje da se bez otpora svrsta na stranu "novoga", tj. revolucije ubrzo mu je priskrbilo status unutrašnjeg emigranta, a zajedno s tim statusom i brigu za svakodnevno "preživlajvanje". Prema svjedočanstvima Nadežde Jakovljevne sredinom dvadesetih godina Mandeljštamovo ime praktički nestaje sa stranica eminentnih književnih časopisa, njegovi se rukopisi uglavnom ne prihvaćaju za tisak, a jedini izvor prihoda postaju prijevodi. S druge strane, i sam Mandeljštam je, našavši se u duhovnoj izolaciji, počeo sumnjati u vlastiti pjesnički dar i u relevantnost tog dara za druge. U lirici iz tog perioda pjesnik sebe vidi još samo kao "bolesnog sina stoljeća" koji s "ovapnjelim žilama" pokušava stvarati za "tuđe pleme" (usp. pjesmu "1. siječnja 1924."), drugim riječima, kao nekoga tko nije u stanju uklopiti se u suvremenost i odgovoriti na njezine zahtjeve. Ne začuđuje stoga da taj čovjek "koji je sebe izgubio" ("1. siječnja 1924."), koji je izgubio, kako bi rekao sam Mandeljštam, "dragocjenu spoznaju o pjesničkoj ispravnosti" (usp. esej "O sugovorniku", 1913.) od g. 1926. do g. 1930. nije napisao ni jedne pjesme. "Dvadesete su godine zacijele najteže vrijeme u životu O. M. - prisjeća se njegova udovica - Nikada, ni prije ni poslije, premda je život kasnije psotao mnogo strašniji, O. M. nije s toliko gorčine govorio o svom položaju u svijetu" (180). "Oslobođenje je", nastavlja ona, "došlo preko proze, ovaj put 'Četvrte' (1930). (...) Upravo je ta proza raskrčila put stihovima, odredila mjesto O. M. u stvarnosti i vratila mu osjećaj ispravnosti" (185).

"Traženje svog mjesta u stvarnosti" započelo je, međutim, već mnogo ranije, i to upravo s *Bukom vremena*. Istina, neposredan poticaj za nastanak *Buke vremena* došao je izvana. To je djelo naručeno i trebalo je, da se kojim slučajem svidjelo naručiocu I. Ležnevu, biti objavljeno već g. 1923. u časopisu *Rossija*. Ležnev ga, međutim, nije prihvatio za tisak jer je, prema riječima N. Mandeljštam, "imao na umu sasvim druga sjećanja i posve drukčije djetinjstvo, kakvo je na posljetku napisao sam: pripovijest židovskog momčića iz omanjega gradića o tome kako je za sebe otkrio marksizam" (260). U svakom slučaju, Mandeljštam se već tada, čim se jaz između njega i svijeta produbio, a pjesničko se komuniciranje s publikom svelo na uzaludno obraćanje "tuđem plemenu", priklonio književnom žanru koji možemo shvatiti ponajprije kao oblik autokomunikacije, kao "put kojim čovjek može stupiti u odnos sa samim sobom" (Iser 1974: 130). Preispitujući svoj odnos prema prošlosti, pisac je, zapravo, kako napominje Nadežda Jakovljevna, učvršćivao svoju poziciju i otkrivao ono na čemu će stajati" (185). U *Buci vremena* u procesu autobiografskog prisjećanja Mandeljštam je doista našao ono na čemu će stajati i osvijestio poziciju koju će zauzimati do kraja života – poziciju raznočinca. Sva mjesta i ljudi koje pisac pamti kao istinski poticaj svojem unutrašnjem razvoju prožeti su duhom raznočinstva: od Teniševskog učilišta i učitelja ruske književnosti V. V. Gippiusa, s njegovim duboko osobnim i strastvenim odnosom prema velikanima ruske književne tradicije, do kruga oko porodice Sinani i rano preminulog prijatelja Borisa s njegovom gotovo svetačkom čvrstinom i čistoćom (usp. poglavlja iz *Buke vremena*: "Teniševsko učilište", "Porodica Sinani" i "U neprimjereno gospodskoj budni"). Biti raznočinac za Mandeljštama pak najkraće rečeno znači pomiriti se sa svojim izvanstaleškim statusom, odustati od borbe za mjesto u službenoj kulturi svoga vremena, i služeći ne samo službenim nego kulturnim vrijednostima uopće, steći posvemašnju unutrašnju slobodu. Osim toga, za nekoga tko je poput Mandeljštama bio svjedokom socijalnih preokreta i kataklizmi, takav identitet posjeduje, uz nedvojbeno snažnu etičku komponentu, i svojevrsnu povijesnu opstojnost: on je moguć i smislen ne samo u Carskoj Rusiji 18. i 19. stoljeća nego i u vremenu iz kojega je potekao Dante (II. 372–373), kao i u postrevolucionarnom društvu kojemu je pripadao sam Mandeljštam. Raznočinstvo je, dakle, da se poslužim ponovno Eriksonovim riječima, "socijalna niša", do koje Mandeljštama vodi njegovo pamćenje, kako bi u njoj osmislio sebe i svoj odnos prema svijetu.

Autobiografska je memorija, kako vidimo, organon osobnog identiteta u svoj njegovoj dvostrukosti: ona osigurava cjelovitost osobe u vertikali vremena, ali i njezinu konzistenciju u horizontali društvenih odnosa. Time se, međutim, kad je riječ o *Buci vremena* funkcija autobiografske memorije ni izdaleka ne iscrpljuje. Ona je, naime, Mandeljštamu podjednako zanimljiva i kao estetička kategorija, kao narativna tehnika na kojoj se temelji osebujnost i prepoznatljivost njegove proze, ili općenitije rečeno, njegov umjetnički identitet. Jedino se tako može objasniti činjenica da se pisac, čije je pamćenje programatski usmjereno protiv svega osobnog, ni u jednom od svojih proznih djela ne rasterećuje od osobnih uspomena. Ne samo *Buka vremena* nego i *Egipatska marka* (*Egipetskaja marka*, 1928), *Četvrta proza* (*Četvertaja proza*, 1930) i *Putovanje u Armeniju* (*Putešestvie v Armeniju*, 1933) oslanjaju se u značajnoj mjeri na autobiografsko pamćenje. Uz pomoć sjećanja Mandeljštam, čini se, krči put nekim posve novim mogućnostima proznoga izraza, primjerenijima, po njegovu mišljenju, dvadesetom stoljeću.

Struktura Mandeljštamova autobiografskog pamćenja najjasnije izalazi na vidjelo ako joj pristupimo s inverznim pitanjem što u tom pamćenju nije sadržano, ako se, drugim riječima, zapitamo što Mandeljštam, opisujući svoje djetinjstvo, nije zapamtio, nego zaboravio. Na taj ćemo način lako odgovoriti i na jedno općenitije pitanje: u čemu se sastoji Mandeljštamovo odstupanje od devetnaestostoljetne tradicije žanra s Aksakovim i Tolstojem kao njezinim glavnim predstavnicima, odnosno u čemu je specifičnost Mandeljštama kao autobiografa. C. Brown je u predgovoru svojim prijevodima Mandeljštamove proze na engleski zgodno primjetio da je čitateljima *Buke vremena* pružen kakav-takav uvid u sudbine i stranih guvernanti i pohabanih učitelja hebrejskog, ali se zato Mandeljštamova braća, Aleksandar i Evgenj, ni slovom ne spominju, dok su roditelji svedeni na jedva nešto više od svog osebujnog izgovora (23).

> "Što je htjela reći porodica? Ja ne znam. Ona je bila mucava od rođenja" – žali se Mandeljštam – " a imala je što reći. I mene i mnoge moje suvremenike tištala je mucavost rodenja. Mi nismo učili govoriti nego tepati – i, tek osluškujući rastuću buku stoljeća i izbijeljeni pjenom njezine kreste, stjecali smo jezik" (II: 99).

Nadodala bih jedino da Mandeljštam ni samom sebi nije dodijelio status lika koji djeluje, tj. status nosioca fabule podudarne s biografijom. Ono Ja kojeg se narator prisjeća prisutno je u djelu pretežno kao percipirajuća svijest kroz koju se prelama "buka vremena". Ljudi i događaji s kojima je to Ja u doticaju izlaze pritom iz okvira suženog dječjeg svijeta kakav poznajemo iz romana S. T. Aksakova (*Porodična kronika* / *Semejnaja hronika*, 1856; *Dječje godine Bagrova – unuka* / *Detskie gody Bagrova – vnuka*, 1858) ili L. N. Tolstoja (*Djetinjstvo. Dječaštvo. Mladost* / *Detstvo. Otročestvo. Junost'*, 1825–57).

> "To su bili ne prijatelji, ne bliski već strani, daleki ljudi!" – kaže o njima Mandeljštam u posljednjem poglavlju svoje autobiografije. – "A ipak su maskama stranih glasova ukrašeni pusti zidovi mog stana. Sjećati se – ići sâm obratno po koritu isušene rijeke!" (II: 104) jer upravo "tako ulaziš u sadašnjost, u suvremenost, kao u korto isušene rijeke" (II: 103).

Pamte se, zapravo, ponajprije one osobe, mjesta i događaji koji u sebi na ovaj ili onaj način utjelovljuju, diltajevski rečeno, duh jedne epohe. Po svojoj sklonosti da se u naraciji ne ograniči samo na "porodične arhive s epskim kućnim uspomenama" kao što to čine Aksakov i Tolstoj, nego da oslika što širi društveni kontekst jednog razdoblja, Mandeljštam bi se mogao usporediti s Hercenom (*Prošlost i razmišljanja* / *Byloe i dumy*, 1868), na što upozorava već N. Mandeljštam (1970 : 178), a od pisaca dvadesetog stoljeća s Gorkim (*Djetinjstvo* / *Detstvo*, 1913; *Među ljudima* / *V ljudjah*, 1915; *Moji univerziteti* / *Moi universitety*, 1923). Ni oni, naime, ne opisuju svoje mlade godine samo iz skučene, "komorne" perspektive života u obitelji, nego nastoje uočiti tragove koje je na toj mladosti ostavila sam povijest.

Valja, međutim, istaknuti da se po tendenciji koju bismo ovdje nazvali "osporavanjem biografizma" Mandeljštam oštro razlikuje kako od Aksakova i Tolstoja s jedne strane tako i od Hercena i Gorkog s druge. Narator u Mandeljštamovoj autobiografiji pripada, naime, vremenu u kojem "akcije ličnosti u povijesti padaju" (II:

268), a pritisak socijalne atmosfere lišava pojedinca njegove individualne sudbine. On sliči onim Europljanima za koje će Mandeljštam u eseju "Kraj romana" (1928) konstatirati da su "izbačeni iz svojih biografija kao bilijarske kugle iz svojih ležišta" (II: 269). Memorija nas naratora, drugim riječima, ne uvodi u njegovu biografiju. Iza njegovih sjećanja ne nazire se nekakav jasno obilježeni životni tijek na koji bi se mogla osloniti fabula. Sjećanja se, zapravo, svode na dojmove, a ne na fabularno povezane biografske činjenice.

Po tome je, zapravo, *Buka vremena* srodna *Kotiku Letajevu* (1922) A. Bjelog, ali tu analogija i prestaje. C. Isenberg (1987: 50) u svojoj je studiji o *Buci vremena*, štoviše, pokazao da je Mandeljštam upravo s Bjelim kao najznačajnijim predstavnikom tzv. "psihološke proze" u ruskoj književnosti u oštroj, premda prikrivenoj polemici. Mandeljštamu se, naime, psihološka proza simbolističke orijentacije čini podjednako neprimjerenom dvadesetom stoljeću kao i fabularni roman 19. stoljeća.

> "Čovjek bez biografije" – tvrdi on u već spomenutom eseju – "ne može biti tematskom okosnicom romana, a roman je s druge strane nezamisliv bez interesa za individualnu ljudsku sudbinu – za fabulu i sve ono što je prati. Osim toga, interes za psihološku motivaciju – kamo se zatjecao dekadentni roman, predosjećajući svoju propast – potkopan je u kroijenu i diskreditiran današnjom nemoći psiholoških motiva pred snagama realnosti kojih je obračun sa psihološkom motivacijom iz časa u čas sve okrutniji" (II: 269).

Mandeljštamu je, nadalje, neprihvatljivo i samo viđenje djetinjstva u *Kotiku Letajevu*, viđenje prema kojem se razvoj osobe, i to uglavnom njezinih spoznajnih mogućnosti, promatra kao izoliran i o povijesnim faktorima posve neovisan proces.

I konačno, najvažniji razloga za Mandeljštamovo neprihvaćanje Bjelog možda leži u činjenici da se Bjeli u svojoj naraciji oslanja na tip autobiografskog sjećanja načelno različit od Mandeljštamova. To je antropozofsko "pamćenje o pamćenju" ("pamjat' o pamjati"), potaknuto vjerovanjem da se dijete može sjetiti ne samo svojih prvih trenutaka na zemlji nego i svojeg života prije rođenja.

> "Pamćenje o pamćenju je – ovakovo", piše autor *Kotika Letajeva* – "ono je ritam; ono je muzika sfere, zemlje – gdje sam bio do rođenja! Uspomene su me prekrile; uspomena je muzika sfere; a ta je sfera – svemir" (1964: 112).

Za razliku od Bjelog koji u procesu prisjećanja očito od realnoga putuje prema idealnome, Mandeljšam je lišen metafizičke dimenzije, a njegovo pamćenje, krećući se po ontološki uvijek istoj ravnini ovozemaljskoga, zadržava, uvjetno rečeno, "horizontalni" karakter. Po Bjelom, osim toga "pamćenje o pamćenju" s odrastanjem blijedi pa je stoga razumljivo da se narator *Kotika Letajeva* usredotočuje na najranija, a time i predjezična stanja svoje egzistencije u kojima se svijet doživljava bez jezika. Mandeljštam, naprotiv, užasavajući se već i od pomisli na tepanje, a pogotovu od posvemašnje nemogućnost govora, za takvu predjezičnu infantilnu svijest ne pokazuje nikakav interes.

Što preostaje prozi koja se više ne želi oslanjati ni na fabulu ni na psihologiju? Mandeljštam, koji u *Buci vremena* odustaje od lika i njegove sudbine, rješenje pronalazi u osobi i njezinu pamćenju. Preciznije rečeno, pravu kohezijsku silu djela tvori narator i njegova osebujna strategija sjećanja. Kronološki labavo povezane, tematski heterogene i fragmentarne predodžbe od kojih se sastoji *Buka vremena* tvore koherentnu estetičku cjelinu uglavnom zato što proizlaze iz jedinstvena osobnog iskustva pretočena činom pamćenja u jedinstven prozni izraz kojemu u ruskoj književnosti dvadesetog stoljeća, usuđujem se reći, nema para. U svakom slučaju, Mandeljštam, prepuštajući se sjećanju, otkriva sebe ne samo kao čovjeka nego i kao prozaika, on, oslanjajući se na autobiografsko pamćenje, izgrađuje istodobno i svoj osobni i svoj umjetnički identitet.

LITERATURA

Barclay, C. R. 1988. *Schematization of autobiographical memory* u: *Autobiographical memory.* (edit. D. C. Rubin) Cambridge: Cambridge University Press.

Belyj, A. 1964. *Kotik Letaev.* München: Eidos Verlag München.

Brown, C. 1965. *The Prose of Osip Mandelstam.* Princeton: Princeton University Press.

Dilthey, W. 1958. *Gesammelte Schriften,* VII. Band (Hrsg. B. Groethuysen), Stuttgart: Vandenhoeck & Ruprecht in Göttingen.

Erikson, E. H. 1959. *Identity and the Life Cycle.* New York: International Universities Press.

Isenberg, C. 1987. *Substantial Proofs of Being: Osip Mandelstam's Literary Prose.* Columbus Ohio: Slavica Publisher, Inc.

Iser, W. 1974. *The Implied Reader.* Baltimore and London: The John Hopkins University Press.

Mandel'štam, N. 1970. *Vospominanija.* New York: Izdatel'stvo imeni Čehova.

Mandel'štam, O. 1967–1971. *Sobranie sočinenij v treh tomah.* Washington - New York: Meždrunarodnoe Literaturnoe Sodružestvo.

РЕЗЮМЕ

Živa Benčić

Роль автобиографической памяти в "Шуме времени" Осипа Мандельштама

Автор статьи показывает, что автобиографическая память является органоном личного самотождества (Identity, Identität) во всей его двойственности: она обеспечивает целостность личности на вертикали времени и ее консистентность на горизонтали общественных отношений. Этим, однако, функция автобиографической памяти, когда речь идет о *Шуме времени*, далеко не исчерпывается. Она одинаково занимает Мандельштама и как эстетическая категория, как повествовательная техника, на которой основывается своеобразие его прозы, или, говоря обобщенно, его художественное самотождество. Опираясь на автобиографическую память, Мандельштам, таким образом, открывает себя не только как человека, но и как прозаика. Он одновременно строит и свое личное и свое художественное самотождество.

JEDAN ŽIVOT – DVIJE AUTOBIOGRAFIJE

Problem "genija" u autobiografskoj prozi B. Pasternaka

JOSIP UŽAREVIĆ

Svi koji idu ili putuju cestom vide se iz kuće dvaput.
B. Pasternak, *Ljudi i situacije*

O *Zaštitnoj povelji,* napisanoj krajem 20-ih godina, a završenoj 1931, Pasternak je u *Ljudima i situacijama,* svome drugom autobiografskom djelu, završenom u listopadu 1957. godine, tj. tri godine prije smrti, rekao ovo: "U *Zaštitnoj povelji,* autobiografskome ogledu napisanom u 20-im godinama, ja sam razmotrio životne okolnosti koje su me formirale. Na žalost, knjiga je iskvarena nepotrebnom izvještačenošću, općim grijehom tih godina. U ovome ocrtu neću moći izbjeći određeno njezino prepričavanje, iako ću nastojati da se ne ponavljam" (Pasternak 1982: 413). Već iz terminologijske razlike – "ogled" (*opyt – Zaštitna povelja*) i "ocrt" (*očerk – Ljudi i situacije*) – može se zaključivati o razlici dvaju rečenih Pasternakovih djela. I doista, ona su izgrađena na različitim, može se čak reći suprotnim kompozicijskim načelima. Dok je *Zaštitna povelja* (dalje ZP) cjelovito djelo koje pokazuje logiku duhovnoga i svjetonazornoga autorova sazrijevanja, i koje se samim time vodi teleologijskim načelom (sve se kreće prema poeziji kao prema svomu životno-osmišljavajućemu vrhuncu), "ocrt" *Ljudi i situacije* (dalje LjiS) izgrađen je kronologijsko-razmrvljenim načinom: događaji se daju u vremenskome slijedu ne pokazujući nekakvu tendenciju razvitka. Kronologijsko načelo može se smatrati nekom vrstom "loše beskonačnosti": LjiS se završavaju uspomenama autobiografskoga subjekta na "tri sjene" (M. Cvetajeva, P. Jašvili i T. Tabidze), prekidajući se, prilično neočekivano, negdje na 30-im godinama ovoga stoljeća, gotovo isto kao i ZP! I sam Pasternak shvaća mehaničnost takvoga prekida. Zato on u zaključku LjiS govori da "pisati o ljudima i sudbinama, obuhvaćenima okvirom revolucije", "treba tako da zamire srce i ježi se kosa", ne pisati slabije "nego što su prikazivali Peterburg Gogolj i Dostojevski". "Ali", dodaje Pasternak, "mi smo još daleko od takvoga ideala" (1982: 469).

Naznačenu razliku među dvjema autobiografijama ne bi trebalo tumačiti samo imajući na umu autodeklarativno-svjesnu poziciju samoga Pasternaka. Već je znamenita, na primjer, njegova izjava iz LjiS koja u argumentacijskome smislu kao da precizira već citirano mišljenje o ZP: "Ja ne volim svoj stil prije 1940. godine, odričem polovicu Majakovskoga, ne sviđa mi se sve kod Jesenjina. Tuđe mi je tadašnje opće raspadanje forme, osiromašenje misli, nečist i hrapav stil" (448). Ta se izjava može tumačiti s gledišta opće Pasternakove potrebe da "prelazi na novu vjeru", da se "drugi put rađa", ali je zanimljivo da su citirane sintagme smještene u kontekst razgovora o *književnim gubicima*. Taj moment upozorava da izjave "kasnoga" Pasternaka ne treba shvaćati doslovno, nego se mora imati na umu moguća ironično-sarkastična autorska pozicija (o tome će biti riječi poslije).

Kao što je već rečeno, osnovna se razlika među dvjema Pasternakovim autobiografijama sastoji u suprotstavljanju duhovno-stvaralačke neposrednosti ZP načelu distancije (vremenske, prostorne, emocionalne) u LjiS. Rečenu razliku ovdje ćemo ilustrirati odnosom Pasternaka prema fenomenu "genija" i "genijalnosti". ZP možemo u tome smislu shvatiti kao traktat o stvaralačkoj genijalnosti: genij glazbe je Skrjabin, genij filozofije – Cohen, a genij poezije – Majakovski. Pritom autobiografski subjekt kao da sebe (uostalom, sasvim dosjetljivo, kao što ćemo još vidjeti) potiskuje, zauzimajući "nultu poziciju" u odnosu prema "tuđim" biografijama "genija": "Ja ne pišem svoju biografiju. Ja se njoj obraćam kada to traži tuđa. /.../ Cijelomu svojem životu pjesnik pridaje takav dobrovoljno strm nagib, da njega ne može biti u biografskoj vertikali gdje očekujemo da ga susretnemo. On se ne može pronaći pod njegovim imenom, nego se treba tražiti po tuđim, u biografskoj koloni njegovih sljedbenika. Što je zatvorenija tvoračka individualnost, to je kolektivnija, bez ikakve alegorije, njezina povijest. Područje podsvjesnoga u genija se ne podvrgava premjeravanju. U to područje ulazi sve što se događa s njegovim čitateljima i što on ne zna" (201).

Vrlo je zanimljiv odnos autobiografskoga subjekta ZP i LjiS (tj. Pasternaka) prema pojedinim nositeljima genijalnosti. Kao pravilo, u početku autobiografski subjekt kao da je u cijelosti uvučen u orbitu genijalnih osoba (Skrjabina, Cohena, Majakovskoga); on, začaran i apsorbiran njima, ne može u dostatnoj mjeri izraziti svoj ushit. Ali potom kao da se njima razočarava, pronalazi u njima nedostatke. Na kraju pak sasvim odlazi, pronalazeći vlastiti put. Evo kako stvar stoji sa Skrjabinom. U početku: "Najviše na svijetu volio sam glazbu, više od svih u njoj – Skrjabina" (196). A zatim: "Ako na priznanje /da Pasternak nema apsolutnoga sluha/ on /Skrjabin/ odgovori: 'Ali, Borja, toga nemam ni ja', tada – dobro, tada se, znači, ne namećem ja glazbi, nego je ona sama suđena meni. Ako pak u odgovoru počne govoriti o Wagneru i Čajkovskome, o ugađačima i tako dalje... – ali ja sam već pristupao uznemiravajućemu predmetu te sam, prekinut na pola riječi, već gutao odgovor: 'A Čajkovski? A Wagner? A stotine ugađača koji su obdareni njime?...' (198). I malo dalje: "Je li ta slučajnost skidala nimbus s mojega boga? Ne, nikada; s prijašnje visine ona ga je podizala na novu. Zbog čega mi je on uskratio taj sasma jednostavan odgovor što sam ga ja očekivao? To je njegova tajna" (198–199).

A na kraju: "Nisam znao, opraštajući se s njime, kako da mu zahvalim. Nešto se podizalo u meni. / *Nešto se trgalo i oslobađalo. Nešto je plakalo, nešto likovalo*" (199; naglasio J. U.).

U LjiS Skrjabin više nije "bog", nego "ladanjski susjed" (421), "Skrjabin srednjega perioda" (425) i t. sl. Riječ "genij" tu se upotrebljava prije u negativnome nego u pozitivnome smislu: "Harmonijski bljeskovi Prometeja u njegovim posljednjim djelima meni se čine više kao svjedočanstva njegova genija, a ne kao svakodnevna hrana za dušu" (425).

Mnogo okrutnije Pasternak je postupio s Cohenom. U početku: "Već sam uspio provjeriti kako se dramatizira veliki nutarnji svijet u prezentaciji velikoga čovjeka /.../ (219). A zatim, nakon ljubavne traume, odbacujući s nutarnjom, skrivenom ozlojeđenošću i filozofiju i Cohena, Pasternak se pita: "Zar on /Cohen/ neće za mene ostati genij? Zar ja s *njime* prekidam?" (232). Što se dalje dogodilo s Cohenom i filozofijom? Dakako, Pasternak je odbacio Cohenov prijedlog da položi doktorski ispit iz filozofije, a poslije polaganja državnoga ispita u domovini – "da se vrati na Zapad i ondje se nastani" (236). On se definitivno oprostio s filozofijom, s mladošću, s Njemačkom. Zatim, kad je Pasternak ponovno dospio u Marburg, Cohena nije više "bilo moguće vidjeti. Cohen je umro" (241).

U LjiS Marburgu je posvećeno tek devet rečenica. O filozofiji i Cohenu nema ni riječi. To je utoliko čudnije što u ZP Marburg, filozofija i Cohen igraju u kompozicijskome smislu središnju ulogu: oni zauzimaju drugi dio knjige. U trijadi *glazba-teza, filozofija-antiteza, poezija-sinteza* filozofiji se dodjeljuje uloga onoga dijalektičko-teleologijskoga momenta u razvitku duhovnoga života (točnije: biografije) bez kojega nema konačne "sinteze". Očito su Marburg i filozofija bitni za Pasternaka upravo u negativnome smislu, tj. kao popuna praznoga, prijelaznoga mjesta u duhovnoj biografiji. U to se nije teško uvjeriti ako se uzme u obzir da glavnu ulogu u marburškome dijelu ZP ima ljubavna storija s jednom od sestara V-e (o čemu, uostalom, također nema ni riječi u LjiS). Može se čak pomisliti da se filozofija slučajno podudarila s periodom duhovne krize autobiografskoga subjekta, to jest s momentom njegova duhovnoga i životno-uzrasnoga sazrijevanja. Nije stoga čudno da se kod Pasternaka susreće katkad nekakav narogušeno-ironijski odnos prema filozofiji. Usp. npr. ove stihove:

I razišavši se u narodnome plesu
U bezbrižnoj daljini ćor-sokaka
Pred krčmom je zbor supstancija
Plesao trepjak /ruski narodni ples, op. J. U./
(Pasternak E. V. 1969)

Najsloženija situacija, s gledišta koje nas ovdje zanima, jest Pasternakov odnos prema "genijalnosti" Majakovskoga. Proglašujući Majakovskoga genijem poezije, Pasternak uspijeva ostvariti kompozicijsko-umjetničku cjelovitost, logični završetak ZP. Ali s gledišta kasnijega Pasternakova života (koji je trajao još trideset godina nakon samoubojstva Majakovskoga), odnos prema Majakovskomu, koji je uspostavljen u ZP, zahtijevao je, tako reći, reviziju, ili, u najmanju ruku, dodatno obrazloženje. Pritom treba imati na umu da su neki aspekti umjetničke logike ZP dopuštali takav produžetak, ili ga čak zahtijevali. Nije isključeno da su LjiS upravo i zamišljeni kao produžetak "raščišćavanja računa" s Majakovskim.

Kako je već istaknuto, teleologičnost ZP najočitija je u općoj težnji duhovno-stvaralačkoga "sižea" prema poeziji kao "primarnoj umjetnosti, umjetnosti u cjelini" (201). Već u trenutku raskida s glazbom, kao što smo vidjeli, tj. u trenutku najranijega prijelaza autobiografskoga subjekta "na novu vjeru", nešto se u njemu "podizalo", "kidalo" i "oslobađalo" (199). Odmah je bilo jasno da konačni cilj te nutarnje težnje nije filozofija. Već je bilo govora i o "prijelaznosti" filozofije. Skrivajući od prijatelja da prekida s glazbom, Pasternak se "sa snažnim zanosom" bavio filozofijom, "pretpostavljajući negdje *u njezinoj blizini početke budućega ozbiljnog rada*" (207; naglasio J. U.). Napregnuta usmjerenost cjelokupne strukture ZP prema budućnosti očituje se već na sintaksno-gramatičkoj razini, gdje glagoli i rečenice često imaju oblik budućega vremena (usp. makar str. 221). Teleologičnost ZP, koju pronalazimo na razini kompozicije, ne treba brkati s centrifugalnošću Pasternakova pjesničkoga mišljenja, koja je vrlo karakteristična upravo za rani period njegova stvaralaštva. Sam je Pasternak tu pojavu nazivao "biljnim mišljenjem", objašnjavajući je ovako: "/.../ bilo koji pobočni pojam, prekomjerno se razvijajući u mome objašnjavanju, počinjao je zahtijevati za se hranu i brigu /.../" (227). Na sintaksnome planu to je rezultiralo razgranavanjem glavne rečenice u mnogo zavisnih (usp. npr. u ZP na str. 193 i 238–239), a na planu kompozicije lirskih pjesama - u "drobljenju" neke jedne teme na (ne)određenu količinu među sobom neposredno nepovezanih podtema (usp. Užarević 1991: 174–196). S tom je osobinom povezano Pasternakovo shvaćanje "strasti", "sile", "čuda", "neočekivanosti" (usp. u ZP: 256, 262, 263, a u LjiS: 421, 422, 424, 428).

I tako, sve se kretalo prema poeziji. Stjecajem okolnosti poezija se utjelovljivala u osobi Majakovskoga: "Pokret se nazivao futurizmom. Pobjednikom i opravdanjem tiraže bio je Majakovski" (260). S Pasternakova gledišta on je nedvojbeno posjedovao genijalnost: "Iza njegove manire držanja naziralo se nešto nalik odluci, kada je ona izvršena i njezine posljedice ne podliježu opozivu. Takva odluka bila je njegova genijalnost, susret s kojom ga je tako potresao da mu je postao za sva vremena tematskom direktivom, čijem je utjelovljenju on predao cijeloga sebe bez samilosti i oklijevanja" (262). Čuvši tragediju *Vladimir Majakovski,* Pasternak je shvatio da je "naslov skrivao genijalno jednostavno otkriće da pjesnik nije autor, nego predmet lirike koji se u prvome licu obraća svijetu. Naslov nije bio ime pisca, nego prezime sadržaja" (264).

Fatalno značenje Majakovskoga za Pasternakovu pjesničku sudbinu svoj je krajnji oblik zadobilo u trenutku kada je Pasternak, čuvši poemu *Rat i mir,* osvijestio svoju "potpunu nenadarenost". "Da sam", piše on u povodu toga, "bio mlađi, odbacio bih književnost. /.../ Nakon svih metamorfoza nisam se mogao odlučiti na četvrto preopredjeljivanje" (272). Očito preuveličavajući značenje svoga idola, koji je imao sposobnost "da uokviri bilo koji pejsaž", Pasternak, po momu sudu, neuspjelo "uokviruje" svoj tadašnji život u Moskvi te putovanja u Peterburg i na Ural upravo "golemošću" Majakovskoga (usp. 271).

Ali u svim tim postupcima skriva se, kako se meni bar čini, osobito pasternakovsko pjesničko lukavstvo. Ovdje je već nekoliko puta isticano da je sva ZP posvećena fenomenu genijalnosti i genija u različitim područjima umjetnosti i duha. U stvarnosti – to su one umjetnosti i oni umjetnici koji su u obliku izvanjske prirodne i duhovne sredine-hrane bitno odredili sudbinu i duhovno-stvaralački oblik samoga Pasternaka. Ushićujući se "genijima", a istodobno zauzimajući kritičko-izvanjsku poziciju u odnosu prema njima, Pasternak kao da posrednim (neočitim) putem iznosi misao o vlastitoj genijalnosti (jer samo genij može shvatiti genija!). Općenito se može reći da je misao o "sebi" u Pasternaka uvijek dobro skrivena mnoštvom misli i iskaza o "njemu" (ili o "njima"). U tome je smislu za ranoga Pasternaka vrlo karakteristična relacija on *kao ja* (ili *on*→*ja*), gdje "ja" sve vrijeme svim pjesničkim (pa čak i nepjesničkim) sredstvima prelazi u "on", maskirajući se "njima", tj. okolnim svijetom, preko kojega se posredno i očituje "nulta" pozicija "ja" (usp. Flejšman 1980; 1984; Užarević 1990; 1991: 118-121). Ako se ima na umu taj Pasternakov postupak, postat će jasnijom sljedeća rečenica iz ZP: "Kada su mi predlagali da ispričam nešto o sebi, ja sam započinjao govoriti o Majakovskome. U tome nije bilo greške. Ja sam njega obožavao. *Ja sam utjelovljivao u njemu svoj duhovni horizont* (266; naglasio J. U.). Ta Pasternakova potreba da dolazi k sebi i shvaća sebe preko "drugoga" i "tuđega", tj. posredovanjem okolnoga svijeta, jedna je od temeljnih osobitosti kako njegove poezije/poetike, tako i njegova života/biografije.

Odnos prema Majkovskomu morao je svoj konačni oblik dobiti u LjiS stoga što je ona mjera odstojanja koju je Pasternak zauzeo u ZP (supostavljajući, na primjer, lik Majakovskoga s likom mlade sovjetske države) ipak bila nedovoljna. Trideset godina nakon smrti Majakovskoga njegova je "genijalnost" sasvim nestala. Nema ni riječi o njegovoj "ogromnosti", "natprirodnosti" (*sverhestestvennosti*). Sada je pred nama "mladić" koji podsjeća na "lik mladoga terorista-ilegalca iz Dostojevskoga, jednoga od njegovih mlađih *provincijalnih* likova" (453; naglasio J. U.). Istina, on je još uvijek "talentiran i, *možda*, arhitalentiran, ali on je "imao susjede", "on u poeziji nije bio sam, on se nije nalazio u pustinji" (455). I ne samo da u sinkronijsko-horizontalnome (geografskom) smislu Majakovski nije bio samostalna pojava (njegovi su "susjedi" bili Igor Severjanin i Sergej Jesenjin); i u dijakronijsko-vertikalnome (povijesnom) smislu on je bio ucijepljen u tradicije drevne umjetnosti jer se koristio, zajedno s Blokom i Jesenjinom, ruskim crkvenim napjevima, koji su mu sugerirali "parodijsku izgradnju njegovih poema" (454–455). O kritičkim istupima samoga Pasternaka, čija je svrha da što jače istaknu razliku između njega i Majakovskoga, ne treba ni govoriti (na neke od njih već sam upozorio).

Upravo u povodu Majakovskoga u LjiS se, u usporedbi sa ZP, pojavljuje nova dimenzija: neskriveni sarkazam. "Postojale su dvije znamenite rečenice o vremenu. Da je život postao bolji, veseliji, te da je Majakovski bio i ostao najbolji i najtalentiraniji pjesnik epohe" (458). Majakovskoga su počeli "uvoditi prinudno, kao krumpir za Ekaterine. To je bila njegova druga smrt. On za nju nije kriv" (458). Dalje se sarkazam proširuje na cjelokupni tadašnji sovjetski život: "To je vrijeme kada je prema oštroumnomu zapažanju Bjeloga, trijumf materijalizma dokinuo na svijetu materiju. Nema ničega za jelo, nema se u što odijevati. Uokolo ničega opipljivoga, same ideje" (466).

Treba naglasiti da se u LjiS problem genija i genijalnosti više ne postavlja. On, dakako, postoji, ali dobiva drukčiji, suzdržaniji izraz. "Genijalnost" tu kao da zahtijeva šire prostorno-vremenske perspektive. Ona se, na primjer, spominje u kontekstu *Peterburga* – "besmrtnoga grada", koji se uspoređuje s "genijalnom kamenom knjigom" (431). Na samome kraju LjiS, u *Zaključku*, Pasternak se, kao što smo već vidjeli, poziva na *Gogolja* i *Dostojevskoga* – pisce koji su uspjeli "zaprepašćujućim" načinom izraziti u književnosti svoje vrijeme (469). U "genijalnome" kontekstu spominje se isti Skrjabin (o čemu je također ovdje bilo riječi), a od "novih" – Belyj (također više u negativnome nego u pozitivnome smislu) te – Lenjin (usp. 491).

2

Nema nikakva proturječja u tome da se na jedan te isti život odnose dvije stvaralačke autobiografije, to prije ako se jedna autobiografija piše s gledišta prve polovice života, a druga se piše s gledišta gotovo cjelokupnoga ljudskoga života. U prvoj se autobiografiji (ZP) osjeća dramatizam oblikovanja pjesničkoga počela, još uvijek nesigurno pjesnikovo sazrijevanje. U drugoj (LjiS) – poezija se davno utvrdila, dramatizam traženja je nestao, a prevladava načelo izlaganja onoga što se davno dogodilo i što je u povijesti već zauzelo svoje prilično čvrsto mjesto. U jednome se slučaju očituje *neposrednost života* (autobiografija se pojavljuje kao životno-stvaralačka aktualnost), a u drugoj – *životna distancija* (razmatranje svojega živoga kao kulturne i povijesne činjenice). Zato u LjiS susrećemo, osim kronologijskoga, i panoramski princip izgradnje: pred čitateljem promiče mnoštvo lica i situacija (sam se ocrt, kao što pamtimo, naziva *Ljudi i situacije*), koje se uklapaju u širok prostorni i vremenski okvir. Krupni plan i pozadina (daleki plan) – to su dvije međusobno suprotstavljene perspektive koje razlikuju ZP od LjiS. Nije stoga čudno da se u LjiS, u vezi s općom orijentacijom na distanciju, pojavljuje tema proze, točnije – odnosa proze prema poeziji (usp. 430, 433, 464). (Ne treba ovdje posebno govoriti o visokome značenju i statusu proze u poetici "kasnoga Pasternaka".)

U skladu s rečenim, može se govoriti o dvjema načelno različitim pozicijama autobiografskoga subjekta ("ja") u ZP i LjiS. Dok je "ja" u ZP obuhvaćeno događajima, "genijima", stvaralačkim potragama, u LjiS "ja" obuhvaća – s povijesne distancije – događaje i sudbine.

Nastajuće "ja" u ZP kao da se povlači pred duhovnim i materijalnim svijetom, pretvarajući se u nulto mjesto, u nevidljivo središte svijeta. U LjiS, naprotiv, ogoljuje se pozicija "ja" – u obliku estetičkih, etičkih i kulturno-povijesnih procjena i iskaza. U takvim se kontekstima prilično često susreću banalnosti i etičke parole tipa: "Treba živjeti ne posustajući", "Gubiti je u životu nužnije nego stjecati" i sl. Osobitu pozornost zaslužuje Pasternakova postavka o "javno-predstavljačkom /*zreliščnom*/ shvaćanju biografije" koje se pojavilo u simbolizmu, a osobit je procvat doživjelo u avangardi (usp. 272–273). S time je najuže povezana problematika "poze" i "poziranja", vrlo karakteristična i za samoga Pasternaka (usp. u ZP: 226, 254, 262, 263). Ali time se ovdje nećemo baviti.

Ljudi i događaji koji se odvijaju na cesti vide se dvaput: kada se približavaju i kada se udaljavaju, kada su blizu i kada su daleko. Dio se odražava u cjelini i, kako god to izgledalo čudno, cjelina je pred-viđena dijelom. Pritom pred-postavljena istina života uključuje u sebe te na neki način i nadilazi istinu svake moguće (auto)biografske perspektive.

Zagreb, 7.9.1993. i 3.3.1995.

LITERATURA

Flejšman, L. 1980. *Boris Pasternak v dvadcatye gody,* München: Wilhelm Fink Verlag.

Flejšman, L. 1984. *Boris Pasternak v tridcatye gody,* Jerusalem: The Magnes Press, The Hebrew University.

Pasternak, B. L. 1982. *Vozdušnye puti. Proza raznyh let,* Moskva: Sovetskij pisatel'.

Pasternak, E. V. 1969. "Pervye opyty Borisa Pasternaka" (Publikacija E. V. Pasternak); u: *Trudy po znakovym sistemam,* 4, Tartu, str. 239–281.

Užarević, J. 1990. "K probleme liričeskogo sub'ekta v lirike Borisa Pasternaka", *Studia Filologiczne,* zeszyt 31 (12). *Poètika Pasternaka,* Bydgoszcz, str. 23-35.

Užarević, J. 1991. *Kompozicija lirske pjesme (O. Mandeljštam i B. Pasternak),* Zavod za znanost o književnosti Filozofskoga fakulteta u Zagrebu, Zagreb.

РЕЗЮМЕ

Josip Užarević

Одна жизнь - две автобиографии

Проблема гения в автобиографической прозе Б. Пастернака

Две пастернаковские автобиографии - "Охранная грамота" (1931) и "Люди и положения" (1957) - относятся практически к одному и тому же периоду его жизни, обрываясь где-то в 30-х годах этого столетия; но по своему смыслу и компоновке это два разных, даже противоположных сочинения. В то время как ОГ цельное произведение, показывающее логику духовного и мировоззренческого созревания художника, и самим этим обладающее телеологическим принципом (все движется к поэзии), ЛиП построены хронологически-раздробленным способом: события даются с дистанции, во временной последовательности, не обнаруживая какой-нибудь тенденции развития. Разница между ОГ и ЛиП развертывается в статье через отношение Пастернака к феномену "гения" и "гениальности". При этом ОГ можно понять как трактат о творческой гениальности (гений музыки - Скрябин, гений философии - Коген, гений поэзии - Маяковски), в то время как в ЛиП категория гениальности редуцируется и направляется в другую сторону (в соответствии с мерой культурно-исторической дистанции, которую занял автобиографический субъект). Можно говорить о двух принципиально разных позициях автобиографического субъекта в ОГ и ЛиП: в то время как "я" в ОГ охвачено событиями, "гениями", творческими исканиями, в ЛиП "я" охватывает - с исторической дистанции - события и судьбы.

"DRUGE OBALE" VLADIMIRA NABOKOVA KAO AUTOMETAPOETSKI TEKST

S posebnim obzirom na ulogu igre u njegovu stvaralaštvu

MAGDALENA MEDARIĆ

Čini se da nema umjetnika u povijesti ruske književnosti uz čije je ime u kritici toliko često, uporno i detaljno bio vezan pojam igre.* Zašto je tome tako? Javlja li se Vladimir Nabokov doista kao najveći homo ludens u ruskoj književnosti? Drugom pitanju, pitanju o valorizaciji Nabokovljeva udjela u najblistavijim trenutcima ruske književnosti, ne bi li trebalo pridružiti potpitanje - koja svojstva Nabokov kao pisac posjeduje, osim svoje facultatis ludendi da bi ugrozio položaj Tolstoja i Dostojevskog, umjetnikâ nimalo zaigranih, uostalom pisaca iz književnog razdoblja koje do igre nije mnogo držalo. Nije li to njegova sposobnost ostvarenja umjetničke iluzije koja je u svezi s njegovim paramimetizmom, ili njegove veze s misaonošću, znanstvenom i filozofskom, koje su u recepciji njegovih književnih tekstova uočene tek nakon što je bila izgrađena njegova reputacija kao homo ludensa?

* Uvodni dio članka prerađeni je tekst referata, pročitanog na simpoziju posvećenom ludizmu, *Zagrebački pojmovnik kulture XX stoljeća*, Zagreb, svibanj 1994.

Odgovor, premda posredan, mogli bismo potražiti pokušamo li rekapitulirati kako je došlo do toga da se Nabokov recipira kao igralački orijentiran umjetnik, kakvu su ulogu pritom odigrali kritičari i čitatelji, kakvu on sam, kao autor i kao sudionik književnih kretanja dvadesetog stoljeća. Ovaj rad nema namjeru da odgovori na sva postavljena pitanja, on želi upozoriti na njih i naznačiti osnovne konture mogućih odgovora.

Uostalom, već pionirski rad J. Huizinge iz 1938. u svojem završnom poglavlju navodi vrlo zabavne primjere naše strukovne uključenosti u igre, igraju se naime i sudionici književnog procesa okupljeni u grupe i škole (*izme*) kao zatovren krug igrača zaokupljen igrom kojoj su sami izmislili pravila, igraju se filolozi u posvećenom ozračju neke teorije. Jedna od igara koju igraju kritičari zainteresirani za Nabokova jest, možda, igra koja se sastoji u tome da treba izmisliti neku novu igralački orijentiranu metaforu koja bi odredila neki od Nabokovljevih umjetničkih postupaka ili čak bît njegove umjetnosti. U toj se igri teško natjecati sa samim Nabokovim.

Uostalom, često kritičari preuzimaju gotove ideje za svoje metafore izravno iz Nabokovljevih literarnih ili izvanliterarnih iskaza, ondje gdje on sudi o umjetnosti općenito, vlastitoj ili tuđoj poetici. Od bezbroj primjera možemo navesti dva, nasumce izabrana. Tako američka istraživačica P. Meyer svoj rad o romanu *Blijedi oganj* (*Pale Fire*, 1962) naslovljuje "Look what Sailor Has Hidden". Sintagma potječe sa zadnje stranice Nabokovljeve autobiografije gdje se taj pojam odnosi kao mogući skupni naziv na jednu od onih vizualno zasnovanih zagonetki u kojima se od nas traži da unutar zbrke detalja uočimo smisleni obris nekog predmeta. U Nabokovljevoj autobiografiji govori se zapravo o obrisu upravo onog prekooceanskog broda, uočenog među desetinama plovila u jednoj francuskoj luci, koji je predodređen da autora i njegovu obitelj spasi od svjetskog rata i odvede u sigurnost prekooceanije. Mogli bismo zaključiti, ne poznavajući kontekst, da se roman kao predmet istraživanja doista može tumačiti kao struktura svjesno koncipirana na načelima konkretnog tipa igre. Tome nije tako, riječ je o dosjetki kritičara. U svojstvu sljedećeg primjera možemo navesti poznatu metaforu *matrjoški* koja bi se imala odnositi na jedno od temeljnih načela semantičke strukturiranosti Nabokovljevih romana. *Poetika matrjoški* doista pogađa srž. (Jedna monografija o Nabokovljevoj prozi nosi taj naslov, međutim autor monografije, Sergej Davidov, njome ponajprije označava hijerarhijske suodnose među tekstovima u tekstu, između svojega i tuđega govora, polazeći od Bahtina.) *Poetika matrjoški*, naime, predstavlja metaforu kojom se može locirati jedna od najvažnijih, po mojem sudu, opsesija Nabokova kao pisca i mislećeg bića, a to je fascinacija pojmom beskonačnosti. Uzgred se može reći i to da autor spomenute monografije ne uočava da je prispodobu književnog teksta s igračkom matrjoškom izmislio već sam Nabokov (i to u dopisivanju s E. Wilsonom, na mjestu gdje, opisujući romane Ellen Terhune kaže kako oni posjeduju stanovitu *"matreshka like quality", pismo je datirano 8. III. 1946).*

Primjera u tom smislu ima bezbroj, dakle primjera igralački orijentiranih metafora koje se odnose na Nabokovljevu poetiku u cjelini, na pojedini tekst ili pojedini postupak. Čovjek bi pomislio da ulazeći u svijet Nabokovljeve proze ulazi u kakav luna park sa svim njegovim atrakcijama. Kritičari spominju "dvoranu zrcala", "kazalište lutaka", "čarobnu kuglu", "iluzionista, magičara", "žonglera", "labirint". Ili da se našao u zemlji čudesa gdje je moguće igrati partiju šaha ili karata s književnim likovima u svojstvu figura ili karata, gdje lete žar ptice i oživljavaju igračke. Po mojem mišljenju, takvoj recepciji Nabokov je osobno, svojim autokomentarima, u dobroj mjeri kumovao. Riječ je o posve svjesnoj intenciji pisca, njegovu modeliranju kritičarske percepcije posredstvom autokomentara, često mistifikatorskih. Naime, dobar dio vatrometa ovih šarenih metafora možemo pripisati svjesnoj mistifikaciji na koju su nasjedali kritičari.

Ipak, čini mi se nedvojbenim veliko značenje pojma igre u općoj koncepciji umjetnosti, pa i stvarnosti, kakvu je zastupao Nabokov.

Dakle, jedna razina pristupa problemu bila bi za nas uočavanje faktičnog mjesta i funkcije raznih igara u strukturi njegovih djela (na jezičnom, motivskom, tematskom, kompozicijskom i komunikacijskom nivou). Druga razina bila bi iščitavanje stavova samog pisca o umjetnosti shvaćenoj kao igra, iz njegove eksplicitne poetike, zadane ponajprije nizom tekstova esejističke prirode. Treća razina pristupa problemu mogla bi se sastojati u književnopovijesnom opisu recepcije Nabokova u ulozi homo ludensa ruske literature. Po mojem mišljenju taj bi pristup morao potvrditi pretpostavku da je recepciji Nabokova u spomenutoj ulozi pogodovala, uz ostale čimbenike, kao što su to fluidnost književnoteorijskih moda, osebujan položaj Nabokova unutar korpusa ruske i svjetske književnosti, naglašena autoreferencijalna dimenzija njegovih djela, upravo njegova intencija da ga kao ludičkog pisca doživljavaju. Zbog njegova inzistiranja na tom aspektu kritičari ga često i nekritično prihvaćaju u toj ulozi, javljaju se pretjerivanja, pojava *"trop de zèle"* na koju je jednom zgodom upozorio Huizinga. No uloga igara u strukturiranju njegovih tekstova, po mojem mišljenju, ipak je manja nego što su to kritičari tvrdili.

Članak će se zadržati na prikazu osnovnih obrisa problema koji je ovdje naveden kao treća razina problema, dakle recepcijska (vlastite zaključke o stvarnoj ulozi igara u Nabokovljevim romanima iznijela sam drugdje, /Medarić, M. 1989/). Isto tako, u članku će biti, u sklopu onih pitanja koja čine drugu razinu problema, dakle, razmatranje iskaza i stavova samog Nabokova o igri, upozoreno na ulogu piščeve autobiografije u recepciji ludističkih aspekata njegovih djela. Riječ je o knjizi *Druge obale* (*Drugie berega*, 1954), poznatoj i u svojim dvjema verzijama na engleskom jeziku (*Conclusive Evidence: A Memoir*, 1951, *Speak, Memory: An Autobiography Revisited*, 1966).

Vratimo li se sudbini Nabokova kao (ne)suđenog najvećeg igrača ruske književnosti, poći ćemo, dakako, od njegove recepcije u krugu ruskih emigrantskih kritičara. (Ovdje treba upozoriti da recepcija njegovih mladenačkih zbirki objavljenih u predrevolucionarnoj Rusiji, njegove zrele poezije, kao uostalom i većine novelističkih i dramskih tekstova za nas nije zanimljiva jer u njima uglavnom nije naglašen igralački aspekt. U tom su smislu zanimljivi ponajprije romani, kako ruski, nastali u 20-im i 30-im godinama tako, i osobito, američki, nastali nakon Drugog svjetskog rata. Nadasve su, po mojem sudu, važni i Nabokovljevi autointerpretacijski tekstovi, nastali također uglavnom u njegovoj američkoj fazi, dakle od 50-ih do 70-ih godina.) Prisjetimo li se, dakle, prvih odjeka, ali i pokušaja prvih sintetičnih sudova o Nabokovljevu stvaralaštvu u ruskoj kritici 20-ih i 30-ih godina, zaključit ćemo da je prvi impuls budućem problematiziranju igralačkih aspekata Nabokovljevih djela bio zadan, na stanovit način, člankom objavljenim prvi put 1937, "O Sirinu" Vladislava Hodaseviča. Premda je članak često bio citiran u literaturi o Nabokovu, dopustit ćemo si da podsjetimo na njegove osnovne teze, koje su, karakteristično, odjevene u metaforičko ruho igralačkih prispodoba.

"Pozorni pogled na Sirina" (Vladimir Sirin je pseudonim Vladimira Nabokova kojime se služio u svojoj emigrantskoj, ruskoj fazi. Prim. MM.) potvrđuje ga kao, ponajprije, umjetnika forme, književnog postupka, i to ne samo u onom općepoznatom i općeprihvaćenom smislu da se formalna strana njegova pisanja odlikuje izuzetnom raznolikošću, složenošću, bljeskom i novinom. Sve je to općepriznato i poznato upravo zato što svakome pada u oči. Ali to se baca u oči zbog toga što Sirin ne samo što ne maskira, ne skriva svoje postupke kao što to na primjer čini Dostojevski i u čemu je on dostigao poražavajuće savršenstvo, nego naprotiv: Sirin ih sam ističe na očigled, poput magičara koji, tek što je prenerazio gledatelja, odmah demonstrira radionicu svojih čudesa. U tome je, kako se meni čini, ključ za cijelog Sirina. U njegovim tekstovima ne obitavaju jedino likovi nego i bezbrojno mnoštvo postupaka, koji, poput vilenjaka i patuljaka, vrteći se među likovima, snuju i izvode golem posao: režu, pile, zakucavaju, liče, pred očima gledatelja slažu i razlažu one kulise među kojima se zbiva komad. Oni grade svijet djela i sami se ukazuju kao njegova nimalo sporedna lica. Sirin ih ne skriva upravo zbog toga što je on sebi postavio kao jednu od glavnih zadaća - pokazati kako žive i rade postupci. (Hodasevič, V. 1954:249–250)

Dalje slijedi Hodasevičeva analiza romana *Poziv na smaknuće* koja vrvi izrazima poput: "igra samovoljnih postupaka"; "igra vilenjaka, scenskih radnika", "igra postupaka i slika kojom gori stvaralačka svijest, ili bolje rečeno, halucinacija umjetnika Cincinata..." Dakle, naglašava se prisutnost igre, shvaćene kao bît artizma. Istodobno postoji u članku moment na koji smo već upozorili u vezi s recepcijom Nabokova kao homo ludensa. On se očituje i posredno preko niza "igralačkih" metafora kojima kritičari ocrtavaju bît njegove umjetnosti. Već kod Hodaseviča se dakle, premda uzgred, može uočiti krug pojava igralački orijentirane kulture na kojemu se temelji i niz metafora kojima su kasnije i kritičari i Nabokov kao tumač vlastite umjetnosti zasnivali svoje diskurse. Riječ, je, dakle, ne samo o bajkovitim likovima iz svijeta dječjih slikovnica nego i o svijetu magičarskog, kabaretskog opsjenarstva, te iluzionizma scenskih umjetnosti uopće. Upozoravam pritom i na jednu, katkad zaboravljanu činjenicu, naime da su Vladislav Hodasevič i Vladimir Nabokov bili, u književnim pitanjima – istomišljenici, u životu – prijatelji. Biografske činjenice mogu nas, možda, uputiti i na posredni put kojime se Nabokovljeva autointerpretacija, po mojem sudu bitna za njegovu recepciju kao homo ludensa, prvi put ukazala. U istom svjetlu mislim da bismo smjeli i promotriti još jednu crtu Hodasevičeva suda o Nabokovu koji je upravo citiran, naime, da taj sud treba doživjeti na pozadini stavova ruskih formalista na koji osim terminologije, odnosno isticanja "postupka" kao dominante književne strukture, upućuju i opći prisutp, isticanje činjenice da, premda forma i sadržaj nisu odvojivi, u analizi teksta treba poći od njegove forme, pa i naglašavanja udjela igre i umjetnosti.

Dakako, u kritici onog doba nije igralaštvo Nabokovljevo isticano i eksplicirano na način koji se uobičajio istodobno s njegovim zrelijim stvaralaštvom. Treba se prisjetiti da su jedino Vl. Hodasevič, V. Vejdle i donekle P. Bicili inzistirali na momentu autotematizacije umjetničkog stvaralaštva kao osnovnog cilja ili teme Nabokova. Kao da se tertium comparationis, odnosno, artizam je poput igre, podrazumijevao u kritikama te trojice, po mnogočemu, uostalom, najkvalitetnijih u ruskoj emigrantskoj kritici Berlina i Pariza tih godina. Osobito je značajno što, u kontekstu jednog od osnovnih sporova u ruskom književnom životu emigracije, sporu o funkciji i smislu suvremene emigrantske književnosti, u sukob s Nabokovom (dakle i Hodasevičem, i njihovim istomišljenicima) i po tom povodu ulaze G. Adamovič, G. Ivanov, B. Poplavski i drugi. Zanimljiva točka razlike među njima jest odnos prema Puškinu. Sukov se posebno rasplamsao u vezi s jednom od godišnjica koje je trebalo ili nije trebalo proslaviti, dakle, i time se očitovati prema značenju pojave Puškina u ruskoj kulturi. Za Nabokova, pa i Hodaseviča Puškin je bio autoritet čija se vrijednost nije zasnivala na prihvaćanju klišeja, nego na promišljenom, osobnom stavu (pa prema tome "zbacivanje s parobroda suvremenosti" ne bi imalo mjesta). Adamovič i njegovi istomišljenici, naprotiv, izrugivali su se ne samo kultu Puškina (općenito svojstvenom oficijelnoj ruskoj, a i sovjetskoj kulturi, odnosno "srednjem čitatelju"), nego i Puškinu kao samosvojnom umjetniku. Prihvatimo li artizam Puškina ili njegovo igralaštvo kao osobni stav, a ne samo dio poetike romantičarske ironije, jedan od povoda odbacivanja Nabokova u sredini ruske emigracije postat će mnogo jasniji. Adamovič i njegovi istomišljenici, naime, zahtijevali su od suvremene ruske književnosti ne artizam u smislu igralaštva, nego iskreni zapis autentičnih ljudskih iskustava, po njima neizbježno tragičnih. Pogledajmo načas kako su oni karakterizirali Puškina da bismo možda razumjeli zbog čega nisu mogli, ni htjeli, prihvatiti Nabokova. Georgiju Adamoviču pripadaju sljedeće tvrdnje: "Puškin se sušio u tridesetim godinama, i nisu jedino Benkendorf i Natalija Nikolajevna bili tome krivi. Puškina je načeo crv jednostavnosti" (*Čisla*, № I, 142); Puškin je jedva uspio spasiti svoju 'graciju' od gluposti koja ju je obuzimala (*Čisla*, № 2/3, 168); "Tko zna kad su uspjeli pred njime nakaditi toliko benevolentnog tamjana, da se više iza dima ne da ništa razabrati" (*Čisla* № 7/8, 159). U istom pariškom književnom časopisu objavljene su i srodne misli pjesnika Borisa Poplavskog: "A svi su uspješni ljudi pomalo lupeži, čak i Puškin. Ljermontov je pak nešto posve drugo. Puškin je čedo epohe Katarine Velike, najviše savršenstvo dostigao je u ironijskom žanru 'Evgenij Onjegin'. Za rusku dušu, međutim, sve je ozbiljno, komičnog nema, i svi koji se smiju završit će u paklu" (*Čisla* № 2/3, 309–310); Kakve su tek brbljarije svi ti Child Haroldi, 'Chartreuse de Parme', Schillerovi razbojnici i svakojake Belkinove pripovijesti... Puškin se javlja kao posljednji među velikim ljudima renesanse, vedrim i prljavim. No nije li i najveći među crvima ipak samo – najveći crv? (*Čisla* № 4, 171).

Ovdje bismo mogli istaknuti i činjenicu kako je zapravo prvi dio Hodasevičeva članka o Nabokovu krenuo upravo od razmatranja Puškinovih pogleda na umjetnost da bi njima ilustrirao vlastite. Kao pjesnički kredo Puškinov, Hodasevič ističe glasovite stihove:

My roždeny dlja vdohnovenija,
Dlja zvukov sladkih i molitv.

(Prividno) suprotstavljanje polova opozicije, "zvukova slatkih" i "molitava" ne postoji u početnom impulsu, nadahnuće, ali ni u realizaciji umjetničkog djela koje obuhvaća spektar smislova između oba pola: artizma i metafizike, oblika i sadržaja, igre i ozbiljnosti. Hodasevič nastoji, zapravo, na lijevom dijelu kao obaveznom za početak bilo kakve analize gotovog umjetničkog djela. Mogli bismo ustvrditi da se spomenuta opozicija, koja bi se mogla izraziti u nizu ovdje nespomenutih binarnih opreka, očitovala u tijeku recepcije Nabokova kao homo ludensa, i to prema načelu kretanja njihala.

Prema takvom se kretanju dadu svrstati i svi odjeci na književnu pojavu Vladimira Nabokova u ruskoj emigraciji, kako oni afirmativni tako i oni negativni. Suvremenom istraživaču onog doba nedostaje potvrđivanje činjenice o uzajamnoj vezi s matičnom književnošću pisca, osobito pojavama književnoteorijske naravi. Naime, sličnosti između koncepcija ranoga ruskog formalizma o prozi, pogotovo onih kod V. Školvskog, čine se i odviše upadnom analogijom a da ne bismo pretpostavili kontakt. Drugdje sam imala priliku na tu činjenicu upozoriti, uključujući i razinu popratne metaforike kod Šklovskog. Mislim, dakako, prisjetimo li se samo najpoznatijih, na brojna prisličavanja zbivanja u tekstu sa zbivanjima na crno-bijeloj dasci šaha, na "hod konja", književne likove kao "igraće karte" među kojima je jedna *joker*, tj. Kordelija u *Kralju Learu* i sl. Ovamo treba svrstati i druge sličnosti, na primjer, naglašeni interes ranog formalizma za artističku "sižejnu" prozu, roman tajne, pogotovo detektivski, za prepletanje bulevarskog i visokog romana itd. (Medarić, M, 1989: 84–90, i drugdje). Sve to karakteristično je i za ranog Nabokova, od romana *Kralj, dama, dečko* (1928) nadalje, ali je ostavilo traga i u formiranju poetike njegovih američkih romana. Pitanja sinkronih pojava u matičnoj i emigrantskoj književnosti nisu dovoljno proučena. U doba rane recepcije Nabokovljevih djela ta pitanja, zbog ideološke suprotstavljenosti, nisu ni mogla biti doticana. Ipak donekle sam za svoje pretpostavke našla podršku kasnije u radovima dvojice istaknutih zapadnoeuropskih rusista. Prvi je Austrijanac Aage Hansen Löve, autor najbolje postojeće monografije o ruskom formalizmu. On je naime, ustvrdio kako se Vladimir Nabokov javio kao ruski pisac koji je ostvario postavke formalista o "začudnosti" i "ogoljavanju postupka" mnogo potpunije nego bilo koji pisac u matičnoj književnosti. A u vezi s temom igre mogli bismo pridodati kako upravo formalisti povezuju ili čak izjednačavaju umjetnost s igrom preko zajedničke im kategorije *uslovnosti* (uvjetnosti, katkad bi bilo bolje reći konvencije, slobodnog dogovora o pravilima). Drugi je autor finski istraživač Pekka Tammi, on pak u svojoj izvrsnoj knjizi o Nabokovu ističe, između ostalog, i svu "šahovsku metaforiku" u svojstvu ilustracija za znanstvene koncepte kao danak vremenu, navodeći uz Školovskog i Reformatskog, te de Saussurea, i odbijajući doslovnu aplikaciju takvih metafora kao mehanizma u analizi kompozicije Nabokovljevih djela. Naime, P. Tammi osporava onu tendenciju u kritičarskoj recepciji Nabokova u svojstvu homo ludensa koja traga za potezima neke stvarne partije šaha (ili karata) u kompozicijama i fabulama Nabokovljevih romana.

Ovo nas zapravo uvodi u pregled druge faze u recepciji Nabokova, one od 60-ih godina nadalje, kad su takvi kritičarski pokušaji bili nadasve popularni. A zapravo može biti govora jedino o prisličavanju konceptualizacije pravila jedne igre s konceptualizacijom lingvističkih ili književnih konvencija. U oba slučaja postoje zadane i prihvaćene konvencije ili pravila kojima se barata ili slobodno poigrava. To nikako ne može značiti da je, na primjer, u slučaju Nabokovljeva ruskog romana *Kralj, dama dečko* (*Korol', dama, valet*, 1928) na bilo koji način riječ o partiji karata. Recimo, pokera, s obzirom na to da u svojem predgovoru prijevodu romana na engleski jezik (*King, Queen, Knave* 1968) autor tvrdi kako je jednoj od karata označio ugao pa će, dakle, čitatelja varati na kartama. I opet je u pitanju dosjetka, ili lažni metatekstualni signal. Igraće karte javljaju se u romanu jedino u tom smislu što autor eksperimentira s književnim likovima izgrađenim "antirealistički", dakle s "plošnim likovima", zatim, da se upozori, naslovom, na situaciju neistostraničnog ljubavnog trokuta. Postoji, dakako, i moment neizvjesnosti, ishoda "životne partije", jer se autor poigrava gledištem glavnog lika, kralja, koji možda zna, a možda i ne zna da je rogonja i da mu prijeti umorstvo... Ali to je sve. Isto tako, ruski roman u vezi sa šahom *Lužinova obrana*, nije izgrađena na principima šahovske igre, ali je zato šah prisutan na svim mogućim razinama strukture romana, romana koji pripada tipu konceptualno ornamentalnog romana.

Američki, odnosno zapadnoeuropski i srednjoeuropski kritičari, dijele se u pitanju valorizacije Nabokova pa i pitanju prikladne metodologije istraživanja njegovih tekstova otprilike po istom načelu kao i ruski kritičari. Stav jednog dijela ruske emigrantske kritike bio je afirmativan prema mjestu igre u umjetničkim koncepcijama svojeg doba, kao što smo vidjeli, a stav drugog dijela kritike bio je negativan. U piščevoj domovini, u 30-im godinana, zajedno sa sutonom avangarde prevladavaju pseudorealističke umjetničke koncepcije koje su prema igri bile ravnodušne, ako ne i neprijateljske. Zajedno s ideološkom barijerom prema emigraciji socrealističke koncepcije čine sovjetsku recepciju neosjetljivom za tip artističkog pisca kakav je bio Nabokov.

Smjerove njihala u recepciji Nabokova kao igralačkog pisca, u drugoj fazi koja se poklapa s drugom polovicom dvadesetog stoljeća, možda je najjednostavnije prikazao Marc Lily u svojem eseju "Nabokov: Homo Ludens". Polazeći od pojma igre kakav je zadao Huizinga, M. Lily osnovnu opoziciju između igralačke i neigralačke književnosti svodi ipak na opoziciju prisutnu u Horacijevoj definiciji poezije kao *dolce et utile*. I opet se, dakle, umjetnički užitak, "slatkoća" (*zvuki sladkie*) koju su isticali Puškin i Hodasevič, sve u svemu artizam, nesputana igra zadanim književnim konvencijama, dražest invencije, te šaljiv ili prkosan odnos prema tradicionalnim vrednotama dolaze u prvi plan valorizacije. (Njegov je esej rad od općenitog značenja. Specifičnije analize igara kod Nabokova, na planu motivskom, tematskom pa i kompozicijskom i svjetonazorskom suvremeni će istraživači naći navedene u knjigama Don Barton Johnsona i Pekke Tammija.)

U kretanju njihala treba uočiti međupojave i na jednom i na drugom polu spominjane opozicije. Naime, nisu jedino osporavatelji Nabokovljeve koncepcije umjetnosti inzistirali na desnom polu opozicije. Dok u polemikama oko Nabokova Vladislav Hodasevič i "formalistički" orijentirani američki i europski kritičari govore o Nabokovu upravo na pozadini optužbi kako je on doduše umjetnik blistave forme, ali nikakva ljudski relevantnog sadržaja, dotle se "simpatizeri" Nabokova u drugoj fazi njegove recepcije suprostavljaju optužbama i na protivničkom polju igre. Iz obrane kreće se u napad. U toj vrsti recepcijskih igara poznate su dvije strategije. Ranija od njih polazi od poznatog Nabokovljeva autointerpretacijskog iskaza objavljenog u *Strong Opinions*, 1974. U tom se iskazu on obraća imaginarnim čitateljima, budućem naraštaju čitatelja, koji će možda uočiti da on nije bio samo *fire bird* (žar ptica blistavog perja!), nego i strogi moralist koji je svojom književnošću bičevao poroke i grijehe, a uzdizao vrline, nadasve talent, hrabrost, ponos i nježnost. Javlja se niz recenzija, članaka, monografija, uz to i "uspomena na mentora" bivših studenata rusistike s Wellesleya i Cornella, od kojih su mnogi s vremenom postali uglednim rusistima ili uglednim američkim književnicima. Svi oni redom postavili su sebi kao zadatak da obrane Nabokova od optužbi za ispraznost i taštinu, u umjetnosti i u životu.

Dakle, u 60-im i 70-im godinama, unatoč općem tonu koji zadaje šezdesetosmaška generacija, *flower power*, pomodnost igre i pratećih teorija kao načela koje je zadano duhom neobvezujućeg društvenog hedonizma naspram duha utilitarnosti buržoazije, tonu koji svakako obilježava procvat radova u američkoj kritici što tretiraju Nabokova kao književnog igrača, javlja se i suprotna, premda u namjeri također afirmativna tendencija. Ta tendencija očituje se, dakle, u nizu interpretacija njegovih ruskih i američkih književnih djela koje svjedoče o postojanju onih značenjskih aspekata njegovih književnih struktura što ih možemo odrediti, kao zajedničkim nazivnikom, Nabokovljevim društvenim i političkim angažmanom u općenitom smislu antitotalitarizma. (Dakako, nisu te interpretacije bile bez osnove jer cijeli red njegovih romana pruža dobre mogućnosti da ih shvatimo u kôdu distopijskih tekstova, spomenimo barem roman *Poziv na smaknuće*, neke slojeve romana *Podvig* i *Dar*, roman *U znaku nezakonito rođenih*, drame *Izum Valjsa* itd.). U tom smislu možemo shvatiti i niz onih interpretacija koje ističu vrednote individualnog etičkog izbora u Nabokovljevim književnim strukturama (nema potrebe pojedinačno nabrajati!).

Spomentutu tendenciju kao da nastavljaju i mnogi od "post-sovjetskih" kritičara u njegovoj domovini, pripremajući recepcijski teren za masovnog čitatelja. Taj je teren, naime, u međuvremenu postao prilično jalov upravo zbog toga što su čitatelji godinama slušali o tome kako Nabokova ne bi ni vrijedilo čitati jer je riječ o razmaženu buržuju, dekadentnu i izopačenu snobu, koji ne mari za osnovne ljudske vrednote. Odatle se teren za recepciju (i profit novonastalih izdavačkih tvrtki) u postsovjetskoj eri pripremao upravo društvenom narudžbom članaka, predgovora i pogovora izdanjima koji će u prvi plan istaknuti, općeprihvatljiv aspekt unutar bogatstva značenja njegova djela – izabran je aspekt "nostalgije za domovinom"... Taj je aspekt, kao aspekt koji će njegovu recepciju u domovini učiniti na najširoj razini masovnom, katkad obogaćen i elitističkim društvenim aspektom za nešto izbirljivije potencijalne čitatelje. Naime, tvrdi se kako čitanje Nabokovljevih djela može u novoj Rusiji pomoći restauraciji ili rekonstrukciji kulturnih vrednota uništenih revolucijom 1918. godine. (Ovdje se zapravo i opet poziva na nostalgiju, ali onu žitelja postsovjetske Rusije za Rusijom u kojoj su živjeli njihovi pretci.)

Ovaj zamah njihala kao da je bio i previše za Veru Nabokov, piščevu udovicu i izvršiteljicu njegove umjetničke oporuke. Svojim predgovorom posthumno publiciranoj zbirci Nabokovljevih stihova 1979. ona je odredila novo područje unutar desnog zamaha njihala. Svojim iskazom o tome kako je glavna književna tema u radovima pokojnog supruga bila tema *potustoronnosti* ("onog svijeta") pokrenula je lavinu američkih članaka koji tretiraju Nabokova kao književnika metafizički orijentiranog. Uz to je bila spomenula kako navedenu "glavnu" temu nitko od kritičara nije uočio. Bez obzira na to javlja li se spomenuta tema kao glavna ili ne, nije točno da nije i prije doticana u radovima o Nabokovu. Uostalom, Nabokov je sam sebe u jednom od autointerpretacijskih teksotva odredio kao "dijete Srebrnog vijeka", dakle ruske književnosti na razmeđi dvaju stoljeća. U tom smislu bilo je naznaka u kritici o tome kako je Nabokov, u filozofskom smislu, baštinik idealističkih, neoplatonskih ideja karakterističnih za rusku kulturu na razmeđi stoljeća. Međutim, predgovor je doista bio važan impuls na području književnoznanstvene recepcije. U svojstvu ilustracije možemo navesti poziciju dvaju igrača na polju američkih pristupa Nabokovu. Prvi je Woodin Rowe, drugi Don Barton Johnson.

Autor niza članak i knjiga o Vladimiru Nabokovu, W. Rowe je onaj tip stručnjaka za Nabokova koji odveć revno primjenjuju u svojim interpretacijama najnoviju ideju, odnosno bacaju se zajedno s njihalom lijevo i desno. Tako, dok je u modi bilo raspravljati, o igrama kod Nabokova, spomenuti je kritičar u svojoj knjizi *Nabokov's Deceptive World*, 1971, uključio poglavlje na temu "sportova i igara" kod Nabokova, ali je njegova interpretacija igralačke motive kod pisca svela (uzdigla?) na *sexual symbolism*. Potpuno je promašio temu, a autor u pitanju, Vladimir Nabokov, inače poznat i po tome što je iskoristio svaku moguću zgodu da se podrugne frojdizmu i njegovim pristašama, ovu knjigu nije mirno otrpio, nego ju je svojski napao u *Strong Opinions*. (Nabokov, V., 1974, 304–307). Slijedeći pak desni zamah njihala, naime trenutak kad je u modu ušlo istraživati *metafiziku* kod Nabokova, isti je kritičar napisao knjigu (*Nabokov's Spectral Dimensions* 1981), istraživanje odjeka s onog svijeta u ovom svijetu Nabokovljevih fikcionalnih djela, i to tako temeljito da su se Nabokovljevi tekstovi ukazali kao napučeni duhovima.

Nasuprot pristupima koji, dakle, svojom doslovnom primjernom najnovijeg trenda u istraživanju Nabokova dosežu karikaturalne oblike, možemo istaknuti pristup D. Barton Johnsona, uostalom, najboljeg stručnjaka za Nabokova u SAD-u. Njegova knjiga *Worlds in Regression* objavljena je 1985, dakle u razdoblju proučavanja Nabokova koje je već zahtijevalo sintezu obaju oprečnih pristupa. D. Barton Johnson je upravo takvu sintezu i izveo, mudro i elegantno riješivši prividnu proturječnost već i samim konceptom izlaganja građe. Naime, središnji je pojam za Johnsona zagonetka. Ona je, svakako, oblik igre. Poglavlja, odnosno interpretacije pojedinih Nabokovljevih književnih tekstova, ruskih i američkih, polaze od tekstova zasnovanih na jezičnim zagonetkama, dakle na prvotnijim oblicima igre kao temeljnim načelima kompozicije (tekstovi se analiziraju kao, na primjer, zasnovani na načelima anagrama ili palindroma). Ide se zatim preko složenijih kao što su to šahovski problemi, sve do rasprave o gnostičkim koncepcijama u nekim od romana čije čitanje odgovara rješavanju *zagonetki svemira* ("zagonetka svemira" je, uostalom citat iz Nabokovljeve pripovijesti "Ultima Thule").

Ipak, kao da najnoviji period u proučavanju Nabokova biva više obilježen desnim zamahom njihala. Zanimanje za Nabokova kao mislioca, filozofa i metafizika dominiralo je naslovima, u bilješkama uz članke pojavljivale su se jedinice iz teologije (Florenski, Florovski, uz njih razni povjesničari gnosticizma, fizke, matematike). U San Franciscu je, na primjer, održan 1991. znanstveni skup, pa je uz referat spomenutog već D. Barton Johnsona, što je govorio o Nabokovljevoj pripovijesti "Užas" na pozadini I. Kanta, L. Šestova, W. Jamesa i J.-P. Sartrea, zapaženi referat održao ruski znanstvenik Mihail Epštejn. On je pak ustvrdio kako je, unatoč uvriježenu pogledu na Nabokova kao tipičnog predstavnika racionalnih ruskih "zapadnjaka", Nabokov zapravo baštinik one ruske autohtone duhovne tradicije koju M. Epštejn vidi u ruskoj eshatološkoj mistici, pa ga, prema tome, razmatra na pozadini ruskih mislilaca Solovjeva i Berdjajeva...

Već iz navedenih primjera vidljivo je kako su se smjerovi proučavanja Nabokova razgranali u posve začudnoj perspektivi koja ga, eto, prikazuje kao pojavu vrlo različitu od one pojave neozbiljnog, lakomislenog zabavljača publikuma, žonglera književnim trikovima od koje je recepcija Nabokova svojedobno i započela.

***

Bibliografija radova posvećenih V. Nabokovu izuzetno je opsežna. Samo do 1984. godine (godine kad sam završila svoju monografiju o Nabokovu kao ruskom romanopiscu) pojavilo se u svijetu 45 monografija, 11 tematskih brojeva časopisa, uz stotine članaka i recenzija o tom rusko-američkom književniku. Možda se za posljednje desetljeće broj bibliografskih jedinica i udvostručio jer se Nabokovom sad već intenzivno bave i desetine istraživača u njegovoj domovini, Rusiji. Zbog toga se prvi dio članka, kratki pregled njegove recepcije u ulozi homo ludensa nužno ograničio na oris osnovnih smjerova. Ilustrirali smo ih lijevim i desnim zamahom njihala u proučavanju Nabokova. Izmjenično prenošenje interesa istraživača s početnog na suprotni pol opozicije u djelima Nabokova shvaćenim kao opozicija igre i ozbiljnosti, "dolce" i "utile" očitovalo se u svim fazama recepcije. Dakako, recepcija Nabokova odvijala se s obzirom na kulturni i ideološki obzor očekivanja koji je bio uvjetovan širokim rasponom književnopovijesnih situacija.

Promotrimo li krugove književnopovijesnih promišljanja koji su se bili skloni baviti, svaki na svoj način, Nabokovom kao igračem, možemo ih odrediti kao tri osnovna kruga. Prvi je krug promišljanja onih kritičara koji su bili zaokupljeni naknadnim interesom za ruski formalizam, i uopće književnopovijesnim interesom za ludičke postupke književne avangarde u Rusiji, i drugdje, dakle pojavama gotovo istodobnim s nastajanjem Nabokovljeve vlastite književne poetike. Drugom krugu idejno središte nalazilo se u onoj sociologiji kulture koja je bila utjecajna u 60-im i 70-im godinama. Te su godine zabilježile niz rasprava o igri kao važnom čimbeniku civilizacije, ali i umjetnosti (R. Callois, J. Lotman i drugi), rasprava koje su se nadovezivale na srodne, već postojeće rasprave (one K. Grossa, J. Huizinge i dr.). Treći teorijski krug iz kojega su potekla razmatranja Nabokova kao igrača u svezi je s pojavom "postmodernizma" u književnosti, shvaćenog kao eklektička igra tuđim i vlastitim citatima, i pratećom književnom teorijom koja je polazila od objašnjavanja intertekstualnih i autorefrencijalnih aspekata književnosti. Unutar potonjeg kruga promišljanja književnosti možda nije nezanimljivo čitati autobiografiju V. Nabokova *Druge obale* kao autometapoetski tekst.

***

Druge obale mogu se shvatiti kao svojevrsni metatekstualni komentar vlastitoga književnog korpusa (dakle i u svezi sa značenjem igre unutar vlastite poetike). Istodobno, *Druge obale* mogu se tumačiti i kao autometatekst, implicitni autokomentar vlastite sudbine shvaćene kao tekst. Kako autobiografska proza može biti razmatrana u statusu autometateksta? Za takav pristup književnom djelu naći ćemo potporu u mnogim novijim radovima o prirodi autoreferencijalnosti.

Na primjer, ruski termin *avtometaopisanie* dakle, autometaopis, odnosi se na osebujni metapoetski autokomentar. On u načelu nastaje tako da autor svjesno ili čak naglašeno uvodi u poetski (književni) tekst razinu formalne analize istog tog teksta (Levin – Segal – Timenčik – Toporov – Civ'jan: 1974, 73). Za određeni tip autora karakteristično je da autometaopis jednog teksta bude sadržan, tj. nalazi se u nekom drugom tekstu istog autora pa se na taj način dodatno potvrđuje potreba da se sve ono što je taj autor napisao, cio njegov književni korpus, razmatra kao jedan jedinstveni, cjeloviti tekst.

U upravo navedenom članku grupe autora na taj se način razmatraju poetike Ane Ahmatove i Osipa Mandeljštama. Poetiku Aleksandra Bloka i Andreja Bjelog, u vezi s očitovanjem zasada ruskog simbolizma i moderne na sličan je način proučavala tartuska škola. Tako je istražen problem autocitiranja (ruski termin je *avtocitata*, katkad *samopovtorenie*, *samovzaimstvovanie*, *avtoreminiscencija*) u stvaralaštvu ruskih simbolista koji su svoju cjelokupnu književnu produkciju doživljavali kao jedan jedini tekst (Minc, Z. :1974).

Srodnu poetiku V. Nabokova, srodnu u biti, i s poetikom ruskog simbolizma i s poetikom ruskog akmeizma, istraživao je, polazeći i od spomenutih teorijskih koncepcija ruskih znanstvenika finski istraživač Pekka Tammi. On drži kako se cjelokupni Nabokovljev korpus (u ruskih i 8 američkih romana, pjesničke zbirke, novelistika, dramska djela, autobiografska proza, kritika pa pak i članci s područja entomologije) može čitati kao jedan Tekst. Sve se kod Nabokova suodnosi sa svime, u svemu je sadržan (auto) komentar nečeg drugog u osnovnom Tekstu.

Osobito mi se čini važnim pojam "teksta života" koji se također veže uz poetiku ruske moderne, pa i ruske avangarde, jer naime dolazi do pojava stiliziranja vlastita života kao književne činjenice i obrnuto, književne poetike određuju životno ponašanje.

I u tom smislu zanimljivo je supostaviti mnogobrojne iskaze Vladimira Nabokova koje ćemo naći u tekstovima njegove eksplicitne poetike (intervjui, predgovori, pogovori vlastitim djelima pisma) gdje se on oštro protivi traženju autobiografskog supstrata njegovih književnih djela, s onim drugim izričajima u kojima je sam čitatelje navodio na zaključke o bjelodanim podudarnostima između vlastitog života i života njegovih fikcionalnih likova.

Autobiografski zapisi Vladimira Nabokova (1899, Sankt Peterburg - 1977, Montreux) objavljeni 1954. u knjizi *Druge obale* izloženi su u četrnaest poglavlja, od kojih se svako dijeli na nekoliko manjih cjelina, najčešće između četiri i sedam, označenih svojim rednim brojem. Poglavlja i njihovi dijelovi nemaju svojih naslova i podnaslova premda bi mogli jer posjeduju unutrašnju koherenciju, ne samo na kronološkoj razini nego i tematski. Uostalom neka su od njih i bila objavljena kao zasebne cjeline, na primjer poglavlje peto, posvećeno uspomenama na jednu od piščevih guvernanta, onu švicarsku, osobito dragu i značajnu. Riječ je, naime, o cjelovitoj pripovijesti koja obnavlja sjećanja na životnu sudbinu "Mademoiselle" i prati njezinu osobnu historiju do 1921, a ne samo na njezin trag u ranim doživljajima piščeva djetinjstva u Rusiji. Doista svako bi se poglavlje moglo objaviti zasebno jer su ona nešto nalik onim novelama koje se cikliziraju oko centralnog lika, junaka svojevrsnog romana. Postupak se razlikuje od onog poznatog nam iz povijesti ruskog romana jedinstvenošću perspektive, jer ipak je riječ o autobiografiji, premda vrlo osebujnoj. *Druge obale* su po mnogočemu hibridan žanr, "eksperimentalna autobiografija" izgrađena na intencionalnom poigravanju granicom između dokumentarnog i fikcionalnog. Nabokov je smatrao kako život sam po sebi, njegov život u prvom redu, sadržava konstitutivne elemente i čvrstu strukturu umjetničke tvorevine. On sadržava svoju fabulu i svoju kompoziciju, svoje teme i motive pa čak i lajtmotive, kao da je riječ o, na primjer, kakvom ornamentalnom, artističkom romanu ruske moderne. U predgovoru *Drugim obalama* autor će uzgred upozoriti da je cilj njegove autobiografije "opisati prošlost krajnjom točnošću i potražiti u njoj puno značenje svih kontura, a to znači: razvoj i ponavljanje tajnih tema u javnoj sudbini. Pokušao sam, dakle, darovati Mnemozini ne samo slobodu nego i zakon" (Nabokov, V.: 1954, 7). Upute o čitanju vlastite autobiografije kao očitovanja višeg, transcendentnog reda, naći ćemo i u usporedbi modela vlastita životnog puta s obojenom spiralom u staklenoj špekuli (opet igralačka metafora, sic!). "Spirala predstavlja spiritualizaciju kruga. U njoj, ispravivši se i oslobodivši se od plošnosti, krug prestaje biti poročan. To mi je palo na pamet još u gimnazijskim danima, pa sam, u isti mah, nadošao na ideju kako je hegelovska trijada, toliko popularna u Rusiji onog doba, zapravo izraz prirodne spiralnosti pojava u njihovu odnosu prema vremenu. Zavoji slijede jedan za drugim, i svaka je sinteza teza sljedeće trojen serije. /.../ Obojena spirala u staklenoj kuglici – eto modela mojega života. Obruč teze nalazim u mojemu dvadesetogodišnjem ruskom periodu (1899–1919). Kao njegova antiteza javlja se doba emigracije (1919–1940) provedeno u zapadnoj Europi. Onih četrnaest godina (1940–1954), koje sam proveo već u svojoj novoj domovini daju slutiti kako je riječ o početku sinteze" (Nabokov, V.:1954, 235 - 236).

U tom je smislu, dakako, unutar Nabokovljeva cjelokupnog korpusa, *Drugim obalama* pandan, svojevrsni zrcalni odraz njegov zadnji roman uopće, američki roman *Pogledaj harlekine!* (*Look at the Harlequins!* 1974). Književnoj vrsti eksperimentalne autobiografije, dakle djelu u kojemu se unatoč prvotnoj, dokumentarnoj odrednici na osebujan način upleće fikcionalno, romanom *Polgedaj harlekine!* supostavljena je književna vrsta samo načelno fikcionalna, a zapravo izgrađena na poigravanju dokumentarnim te autobiografskim načelom. Sve je u tom romanu zasnovano na ludičkom – autoparodijskom, autoironičnom – poigravanju činjenicama vlastite autobiografije, osobne i javne.

Poglavlja obuhvaćaju kronološkim slijedom razdovlja u piščevu (ponajprije osobnom) životu. Tako prvo poglavlje govori o najranijim djetinjim uspomenama i o prvim, neizbrisivim dojmovima o osobama roditelja. Zadnje poglavlje posvećeno je prvim godinama vlastitog djeteta, jedinca, Dmitrija Nabokova. Dogodovštine iz kasnijeg piščeva javnog života, kao i dogodovštine iz života roditelja kao figura javnog života, ali i dojmovi samog Vladimira Nabokova, u početku neosviještenog, s vremenom upućenog, sudionika mnogih važnih povijesnih zbivanja i mijena dani su iz subjektivnog rakursa – kao pozadina onog bitnog – individualiziranog, subjetkivnog, intimnog i lirskog doživljaja. Sva su zbivanja i događaji od općeg, povijesnog značenja prelomljeni dvostruko, kroz prizmu zapamćenu kao prvotnu, naivnu, autentičnu i kroz prizmu formirane osobe, zrelog umjetnika. Rani doživljaji i zbivanja prikazani su kao intuitivni, sudbinski susreti s bitnim, riječ je o supstratu njegova budućeg osobnog i umjetničkog svjetonazora. Riječ je o bitnim etapama u oblikovanju njegova zrelog estetičkog i metafizičkog svjetonazora. U dobroj mjeri riječ je i o nizanju životnih epizoda koje su, očito, ostavile neizbrisiv trag u svim Nabokovljevim tekstovima napisanim do 1954, bilo da je riječ o emotivnim nukleusima za pojedinu umjetničku temu bilo kao čvorovi potke u tkanju metaforičkih i simboličkih slika, bilo kao temelj za kasnije, eksplicitno izražene, stavove o umjetnosti (dakle i igri, što je sfera koja nas posebno zanima).

Autobiografija je pisana, uzgred budi rečeno, u lakom, živom i duhovitom stilu. Usputne impresije i anegdotalne situacije prepleću se s autorovim očitovanjima o rezultatima vlastitih filozofskih ekskursa ili sa sudovima o smislu povijesnih zbivanja čijim je sudionikom nehotice bio. Naracija se odvija na način kozerije, s ironičnim i šaljivim opaskama čak kad su posrijedi koncepti koje Nabokov ne shvaća nimalo olako – vrijeme i beskonačnost, prostor i beskraj. Već u prvom poglavlju autor nas uvodi u svoj metafizički svijet. Njegovo zapažanje "Zipka se ljulja nad bezdanom. Život je svega tek zraka svjetlosti kroz odškrinuti otvor između dvije idealno crne vječnosti" prva je u nizu autorovih opaski o prirodi ljudskog postojanja u svemiru, ali i o smislu njegova života za zemaljskog trajanja. U toj je autobiografiji, po mojem mišljenju, u indirektnom obliku sadržano sve što čini jezgru Nabokovljeva svjetonazora.

Zanimljivo je kako Nabokov, premda izrazito "apolonijski" nastrojen umjetnik, uvijek raspoložen da u svemu pronalazi simetriju, ravnotežu, red, odaje značenje emotivnog, dakle iracionalnog načela za svoje stvaralaštvo samom strukturom autobiografije. Naime uočit ćemo kako se od 14 poglavlja autobiografije samo posljednja tri bave njegovom sudbinom kao punoljetne osobe i osobe profesionalnog književnika. A svoju je autobiografiju Nabokov napisao, uzmemo li u obzir čak i prethodne varijante na engleskom jeziku, kao pedesetogodišnjak, s gotovim korpusom svoje ruske faze.

Dakle, podatke koje bi nas mogli zanimati kao povjesničare književnosti, na primjer podatke o književnim utjecajima, jedva da ćemo moći iščitati. Tako se susret s Marinom Cvetajevom (pjesnički susret kojemu je poneki od ruskih književnika znao posvetiti niz stranica pa i umjetnička djela o toj temi – prisjetimo se pjesama O. Mandeljštama!) u Nabokovljevoj autobiografiji registrira u epizodi zajedničkog, prilično besmislenog, lutanja po vjetrom šibanim obroncima u blizini Praga, grada, gdje je u emigraciji živjela književnikova majka – činjenica neusporedivo važnija među značenjskim akcentima cijelog poglavlja. Razdoblje u Krimu, neposredno uoči emigracije za koje znamo iz drugih izvora kako je proteklo u druženju mladog Nabokova s pjesnikom M. Vološinom kad ga je Vološin upućivao, između ostalog, u poetiku A. Bjelog, osobito njegovu prozodiju, u autobiografiji ima posve druge akcente. Vološin se čak i ne spominje...

Dakle, značenje djetinjstva i rane mladosti u formiranju Nabokova kao umjetnika jedva da se može precijeniti. U spomenutih jedanaest poglavlja opisano je zlatno neiscrpno vrelo svih budućih životnih i umjetničkih poteza. Teško da tako promišljen umjetnik kao što je bio Nabokov nije zapazio ono što smo mi kao čitatelji autobiografije zapazili, i po svoj prilici, njegova je namjera i bila da nam pruži svojevrsni ključ za formalnu analizu poetike njegovih prethodnih književnih djela. Unatoč svim deklarativnim ispadima protiv "biografske metode" u proučavanju (vlastite) književnosti! Svi poznavaoci Nabokovljeva opusa prisjetit će se metatekstualnog prstena njegova ruskog romana *Podvig*, dakle akvarela s krajolikom šume koji je visio ui dječjoj sobi protagonista romana Martina i stvarnog krajolika u koji je, na kraju romana, otišao Martin. A u Nabokovljevoj autobiografiji upravo taj krajolik visi na zidu njegove dječje sobe, krajolik koji ga podsjeća na dječju priču u kojoj je moguće putovati imaginarnim pejsažima.

Sljedeći primjer, jedan od mnogih, ali isto tako jasan poznavateljima Nabokovljeva ruskog opusa jest tema i metaforička slikovnost ruskog romana *Poziv na smaknuće*, promotrena na pozadini one epizode u autobiografiji pisca kad on daje instrukcije iz stranih jezika mladom Berlincu, očito antipatičnom vlastitom instruktoru čiji je pak hobi sakupljanje fotografija u vezi sa smaknućima, raznim formama smrtnih kazni u Europi njegova doba. Autobiografija Nabokova tako se može shvatiti i kao posredna autointerpretacija vlastite književne poetike.

Autobiografija *Druge obale*, dobrim dijelom slika izgubljene Arkadije, slika izuzetno privilegirane situacije djeteta kojemu je omogućen pristup onom najboljem u svjetskoj kulturi u svakodnevnom životu, pruža i opise golema niza igara. U jednom tako zaigranom, idealno sretnom djetinjstvu spomenute su gotovo sve poznate dječje igre našeg doba, igre odraslih članova obitelji, dakako i sportovi. Ujedno su to upravo one igre i sportovi koji će biti motivska, tematska, konstrukcijska potka Nabokovljevih književnih tekstova – kako onih koje je ostvario do autobiografije, 1954. godine tako i svih kasnijih.

Da bi se čovjek orijentirao u boilju konkretnih igara spomenutih i tematiziranih u *Drugim obalama* mora ih nekako razvrstati ne bi li pronašao neki za književnost relevantan zaključak. Ja sam to učinila poslužívši se poznatom shemom R. Calloisa. Posebno mi je bio zanimljiv rezultat ondje gdje se ispostavilo kako su zaigranosti mladog Nabokova osobito bliske bile one koje su se kasnije ispostavile kao najplodotvornije ili barem najistaknutije u književnom stvaralaštvu zrelog Nabokova. Riječ je o dvije grupe igara. Prvu sam bila prisiljena svrstati na razmeđi između rubrika – kad je bio u pitanju udio *agona* i *ludusa* u tim igrama. U tekstu autobiografije neusporedivo se naglašenije, u usporedbi s drugim igrama, ističu one koje pripadaju, prema Calloisu, rubrici *agon*, ali se horizontalno gledajući nalaze vrlo blizu krajnje točke *ludusa*, dakle načela sistematiziranih, osmišljenih igara. Zanimljivo je da se taj rezultat, nastao na osnovi analize subjektivnog značenja tih igara u djetinjstvu mladog Nabokova posve poklapa s rezultatima koje pruža svaki uvid u postojeće analize Nabokova kao umjetnika konstruktora. Kao što je bilo bezbroj puta spomenuto, Nabokov kao sastavljač "šahovskih problema u prozi", kao autor "književnih rebusa" itd. već je opće mjesto "nabokovologije".

Zapravo nam svrstavanje Nabokovljevih dječjih i mladenačkih igara (kao nukleusa budućih književnih motiva i postupaka) unutar sheme R. Calloisa pruža mnogo neočekivanog, kako na razini vertikalnoj tako i na razini horizontalnoj. Tako se izuzetno popunjenom na kraju vidi i rubrika igara što ih Callois zove *mimicry*. Nabokov tumači jednu od njih, zametak budućih znanstvenih bavljenja entomologijom, u djetinjstvu lov na leptire, kolekcioniranje rijetkih primjeraka, svojom ranom fascinacijom pojavom mimikrije u prirodi. Njegovo tumačenje posve je nalik onom koje daje Callois pa se naziv cijelog razreda igara oponašanja i scenskih umjetnosti koji je Callois izabrao na prvi ogled nespretno ovdje, kod Nabokova, nalazi opravdano s pomoću vrlo sličnih argumenata.

Navest ćemo, dakle, neke odlomke koji svjedoče o značenju prve spomenute grupe igara za poetiku književnika Nabokova, a zatim ćemo citirati i objasniti njegovo shvaćanje mimikrijskih igara.

TABLEU I
RÉPARTITION DES JEUX

	AGON (*compétition*)	ALEA (*chance*)	MIMICRY (*simulacre*)	ILINX (*vertige*)
PAIDIA ↓	courses, luttes, etc. } non réglées	comptines	imitations enfantines	« tournis » enfantin
vacarme	aythlétisme	pile ou face	jeux d'illusion	manège
agitation			poupée, panoplies	balançoire
fou rire			masque	valse
			travesti	
cerf-volant	boxe, billard	pari		volador
solitaire	escirme, dames	roulette		attractions foraines
réussites	football, échecs			ski
mots croisés	compétitions sportives en général	loteries simples, composées ou à report	théâtre	alpinisme
LUDUS ↑			arts du spectacle en général	voltige

N. B — Dans chaque colonne verticale, les jeux sont classés très approximativement dans un ordre tel que l'élément *paidia* décroisse constamment, tandis que l'élément *ludus* croît constamment.

	AGON	ALEA	MIMICRY	ILINX
PAIDIA	("boks") ("mačevanje") "tenis" "nogomet, golman"		("igra skrivača") ("kozaci razbojnici") ("igre iz Main Reeda")	
			"lutke"	
		"poker"	"lovački laboratorijski" "pustolovine s leptirima"	
	"pasjans" "enigmatika svih vrsta" "sastavljanje šahovskih problema" "šah"			"kabare"
		"karte"		
			"puzzles" "zagonetne slike gdje je sve pobrkano" tipa "Nađite što je mornar sakrio"	"žongler" "magičar"
LUDUS			"čarobni fenjer"	"labirint"

Objašnjenje uz shemu: U zagradi su navedene igre koje su malo ili uopće nisu važne za književnu poetiku Nabokova. Podertane su one koje su osobito važne.

Cijelo trinaesto poglavlje posvećeno je objašnjavanju uloge koju je u autobiografovu životu odigralo sastavljanje šahovskih problema. Navest ćemo za nas najzanimljivije odlomke. U njima se, naime, dade uočiti Nabokovljevo isticanje analogije između dvaju kreativnih procesa. U slučaju prvog procesa rezultat je novi šahovski problem, u slučaju drugog – kompozicija proznog teksta. Autobiografski opis tako prerasta u autometatekst. Osim toga, u sljedećim rečenicama zanimljiva je i mreža poredaba koja u isti splet s umjetnošću ravnopravno veže dvije pojave igralačke kulture (opsjenarstvo u cirkusima i kabareima, sportske igre), umjetnost (književnost, glazba) pa i znanosti (matematika).

"U tijeku nekih dvadesetak godina emigrantskog života u Berlinu posvećivao sam čudovišnu količinu vremena izmišljanju šahovskih problema. Ova složena, zanosna i posve nekorisna umjetnost stoji nekako postrani od ostalih: s običnom igrom šaha, s borbom na dasci, ona je povezana jedino u tom smislu, kao što se na primjer istim svojstvima lopte služi i žongler, da bi stvorio u zraku svoj krhki umjetnički svemir, i tenisač da bi što brže i temeljitije svladao protivnika. Uz to je obična stvar da se igrači šaha – podjednako amateri kao i velemajstori – slabo zanimaju za tu elegantnu i fantastičnu enigmatiku, i premda osjećaju svu dražest lukavo smišljenog zadatka, posve su nesposobni da takav zadatak sami izmisle.

Za takvu vrst komponiranja potrebno je imati ne samo tehniku izoštrenu iskustvom nego i nadahnuće, i to nadahnuće pripada nekom zajedničkom glazbeno-matematičko-pjesničkom tipu..../

Mene su osobno u zadacima očaravale fatamorgane i opsjene dovedene do vraške istančanosti. I premda sam se u pitanjima konstrukcije nastojao pridržavati, koliko je to bilo moguće, klasičnih pravila kao što su to na primjer jedinstvo, izražajnost, sažetost, uvijek sam bio pripravan čistoću intelektualne forme podrediti zahtjevima fantastičkog sadržaja./.../ U takvom stvaralaštvu postoje točke dodira sa spisateljstvom i osobito s pisanjem onih, nevjerojatno složenih u koncepciji pripovijesti, kad autor, u stanju lucidnog, ledenog bezumlja postavlja sebi

> neviđena pravila i prepreke, čije savladavanje upravo i pruža čudotvorni impuls za oživljavanje čitavog djela, i njegov prelazak iz anorganskog stanja kristala u stanje sa živim stanicama. /.../ Stvar je u sljedećem: u šahovskim problemima natjecanje se ne odvija između bijelih i crnih, nego između gonetača i imaginarnog odgonetača (posve nalik onome što se odvija u djelima umjetnosti riječi gdje se prava borba ne vodi među junacima romana nego između romanopisca i čitatelja) pa zbog toga znatan dio vrijednosti zavisi od broja i kakvoće *iluzornih rješenja*, svakakvih prijetvorno jakih prvih poteza, lažnih tragova i ostalih podvala, koje je autor himbeno i s ljubavlju pripremio da bi s pomoću niti pseudo Arijadne zapleo pridošlicu u labirint. (Nabokov, V.:1954, 245–257).

Šesto poglavlje *Drugih obala* posvećeno je u cijelosti onim veseljima koja su na priloženoj shemi ukratko određena citatom "lovačke i laboratorijske pustolovine s leptirima". I opet ćemo navesti fragment u kojem su sadržani aspekti na koje želimo upozoriti. Prvi je aspekt, kakako, njegov status autometateksta u odnosu na tekst Nabokovljeva književnog korpusa. Njime se posredno tumače neki od temeljnih stavova autora o prirodi stvaralaštva, pa tako i vlastitoj poetici. Drugi aspekt na koji upozoravamo, kao i u slučaju fragmenta o koncipiranju šahovskih problema, jest preplitanje semantičkih nizova koji ovdje izjednačavaju umjetnički užitak lepidopterista s onim tenisača a i šahovskog velemajstora (taj se citat nalazi na 123. stranici *Drugih obala*, ovdje neće biti citiran). U citiranom će fragmentu priroda biti doživljena kao umjetnica, a kukci kao glumci, što samo po sebi svjedoči o kompresiji igralački zasnovanih poredbi upravo u onom segmentu klasifikacije R. Calloisa koji je određen općim nazivom "mimicry" a uključuje među ostalim, upravo scenske umjetnosti.

> Kako objasniti to što fascinantna gusjenica bukove noćnice, opskrbljene do svojeg odraslog stadija čudnim člankovitim pridodatcima i ostalim neobičnostima, maskira svoju gusjeničnu bit time što se upušta *igrati dvostruku ulogu* kakva dugonoga kukca što se grči a istodobno i mrava koji kao da ga proždire – je li to kombinacija sračunana na obmanu ptičjeg

> oka? Kako objasniti da južnoamerička leptirica prijetvornica, potpuno slična mjesnoj modroj osi i oblikom i bojom, oponaša potonju i time što se kreće poput ose, nervozno kriveći ticala? Takvi glumci u svakodnevici kukaca nisu nimalo rijetki. A što reći o umjetničkoj savjesti prirode kada ona, umjesto da se zadovolji time što od preklopljene leptirice kalime napravi zadivljujuću priliku suha lista s nervaturom i peteljkom još na tom *jesenskom* krilu dodaje neobaveznu reprodukciju onakvih rupica kave na listovima bušeličinke kukaca? Zbog toga sam na posljetku morao izreći da je "prirodni odabir" u grubom smislu Darwina nedovoljno objašnjenje onoga poklapanja koje susrećemo tako često da je to zakonom vjerojatnosti neobjašnjivo, poklapanja koje podrazumijeva barem tri faktora oponašanja u jednom stvoru – oblika, boje i ponašanja (tj. kostima, šminke i mimike). S druge strane, *borba za opstanak* nema s time nikakve veze jer je često zaštitni trik doveden do takve točke savršenstva koja je daleko iznad one razine koju je sposoban razumjeti mozak hipotetičnog neprijatelja – ptice, recimo, ili guštera: nemaju koga, dakle, obmanjivati, osim možda prirodoslovca početnika. Na taj način ja sam već u djetinjstvu pronašao u prirodi onu "složenost i neutilitarnost" koje sam kasnije tražio u sličnoj očaravajućoj obmani – u umjetnosti. (Nabokov, V.,: 1954, 116–117)

Navedeni autometapoestki iskaz izražava u eksplicitnom obliku ono što u implicitnom obliku sadržava autometapoetski iskaz u romanu *Ada*. Aludiramo na opis u kojemu autor (Nabokov u svojoj američkoj fazi) očima junaka opaža prepletanje, uzajamno prožimanje znakovne i neznakovne stvarnosti, ili iskustvene i transcendentne stvarnosti. Riječ je pritom o jednom od junaka favorita Nabokovljevih romana koji često (ali ne uvijek, prisjetimo se Lužina) već u svojem imenu i prezimenu ili njihovim inicijalima, sadržavaju djelomične ili potpune anagrame koji signaliziraju ime i prezime Vladimira Nabokova.

Junak *Ade* zove se, dakle, Van Veen. U spomenutom opisu Van Veen promatra svoju ljubljenu, Adu, kako precrtava cvijet s ilustracije u botaničkom atlasu. A taj cvijet pak u procesu mimikrije oponaša veliku noćnu leptiricu koja pak oponaša skarabeja. Dakle, osoba Nabokov, u svojstvu autora književnog teksta, opisuje književni lik koji se pojavljuje, posredstvom književne umjetnosti kao reprezentant Nabokovljeve "stvarne", "autobiografske" osobnosti. Reprezentant pak promatra, odnosno opisuje drugi, sekundarni lik, koji crta (opet, opisuje...) cvijet, koji pak... itd. Ovdje se pojavljuje niz karika u semantičkom lancu koji u beskraj produljuje naš pojam o stvarnosti. Stvarnosti koja je uvijek kreacija, dakle umjetnost, dakle igra svojeg Stvaraoca.

Lepidopterija kao grana zoologije, prirodoslovne znanosti ("leptiri") izvor je niza umjetničkih poredaba unutar Nabokovljevih književnih tekstova, što ovdje ne možemo potanko argumentirati. Uostalom to je već učinjeno drugdje /Tammi, P, 1985, 334–338/. Zanimljivo je da se taj krug metaforike odnosi ponajprije na kasniji, američki dio Nabokovljeva romanesknog korpusa.

Cilj nam je bio da upozorimo, u prvom redu, na sukladnost Calloisove koncepcije igara tipa *mimicry*, gdje se Callois i izričito poziva na značenje naziva kao naziva inspiriranog pojavama mimikrije kod najelementarnijih stvorenja životinjskog carstva kao što su to kukci. Kao što je poznato, u dodatcima o osnovnom tekstu knjige o igrama i ljudima, Callois navodi opsežan niz primjera (prethodno već objavljenih u ranijoj knjizi *Mit i čovjek* iz 1938.) iz mimikrijskog života insekata, pritom se pozivajući na znanstvene izvore u literaturi o zoologiji. Callois, međutim, svu tu podrobnu argumentaciju rabi da bi upozorio na ono što on smatra temeljnim životnim impulsom svih igara oponašanja. Nabokov kao da slijedi (ili obrnuto, uzmemo li u obzir dogine objavljivanja njihovih tekstova), ali ide i dalje. Kao što smo vidjeli, iz Nabokovljeva tumačenja pojave mimikrije u životinjskom svijetu dade se naslutiti kako je za njega mimikrija dokaz o umjetničkoj igri prirode same, odnosno onoj njezina Tvorca.

Razlog za postojanje mimikrije u prirodi, međutim odavno je fenomen koji zaokuplja pozornost tumača, stvarnosti, kako onih prirodoznanstveno orijentiranih tako i onih humanističke orijentacije. Naime, ubrzo nakon pojave Darwinovih temeljnih radova sredinom 19. stoljeća, dakle onih o evoluciji biljnih i životinjskih vrsta u borbi za opstanak, i to putem prilagodbe vanjskim uvjetima sredine, javili su se među prirodnjacima pobornici i protivnici njegove teze (s filozofske strane gledano, teze u prilogu materijalističkim koncepcijama o nastanku i smislu života). Otpočele su rasprave "evolucionista" i "kreacionista" – podjela, dakako, očituje već nazivima razliku između njihovih pogleda na presudni impuls u stvaranju svijeta, života i njegovih oblika. Obje grupe znanstvenika, zapravo oba znanstvena smjera (a ta se podjela među učenjacima iz sfere prirodnih znanosti zadržala sve do naših dana) iznosile su podjednako valjane argumente pa taj prijepor nije do danas riješen (i možda ne može ni biti...). Argument kojime su se obje strane u sporu služile često je bila upravo činjenica postojanja mimikrije, činjenica tumačena posve različito s obzirom na različita polazišta prirodnjaka.

Humanistički orijentirani mislioci s kraja devetnaestog i početka dvadesetog stoljeća nisu bili neupućeni u spomenuti prijepor i preuzeli su argument mimikrije u svoje rasprave. Njihove su rasprave, dakako, bile posvećene drugim životnim fenomenima, ljudskim aktivnostima kao što su to umjetnost i književnost na primjer. Kao što smo spomenuli R. Callois u 30-im godinama u svojoj raspravi pomno nabraja razne entomološke kuriozitete u prilog svojoj tezi kako je kod mimikrije riječ o igri prirode, a u svojoj novijoj raspravi ne odustaje od tog stava pa u svoju znamenitu klasifikaciju igara uvodi pojam *mimicry* kao naziv za golem niz igara oponašanja bliskih scenskim umjetnostima. Samo na prvi pogled veze izmeđuz Nabokovljevih antidarvinističkih pogleda na smisao mimikrije i pogleda francuskog kulturologa čine se jasne, pa bi ih čovjek možda mogao protumačiti utjecajem R. Calloisa na suvremenike, na primjer na Nabokova kao izuzetno obaviještenog intelektualca u Europi 30-ih godina. Stvari se kompliciraju tražimo li utjecaje, da Callois nije bio jedini mislilac koji je u to doba svoje koncepcije potkrepljivao argumentom mimikrije. Vrijedi navesti barem još dva istaknuta autora osobito zbog toga što oba pripadaju ruskoj kulturi, i to onoj koja je u prijevodima postala poznata i utjecajna u zapadnoj Europi, oba prethode knjigama Calloisa i Nabokov ih je mogao poznavati u izvorniku (kao što ih je Callois mogao upoznati u prijevodu).

Naime, 1912. u Sankt Peterburgu izlazi *Tertium Organum* Pjotra Uspenskog, predstavnika "sinkretičnog misticizma", pravca toliko utjecajnog u Rusiji i zapadnoj Europi početkom dvadesetog stoljeća, koliko su bili utjecajni srodni, premda ponešto različiti sustavi teozofije i antropozofije. Kao što je poznato Uspenski je bio izuzetno mnogo prevođen i čitan u zapadnoj Europi a njegovi najvažniji tekstovi objavljeni u Rusiji početkom stoljeća, te oni koji su ostali u rukopisu, na ruskom, doživjeli su na Zapadu prvo objavljivanje upravo u 30-im godinama. U knjizi *A New Model of the Universe*, 1931; 1934 prvo poglavlje napisano navodno 1912–1929) sadržava njegove misli o mimikriji kod insekata. Uspenski drži kako je mimikrija kod insekata manifestacija tzv. četvrte dimenzije (i taj je pojam postao popularan upravo na prijelomu stoljeća), odnosno Uspenski je smatrao kako je mimikrija dokaz da je u svemiru neka viša inteligencija naumila stvoriti na kraju evolucije biće sposobno da dosegne transcendentno, dokuči nedokučivo. Uspenski u svojoj antidarvinističkoj raspravi odbacuje utilitarnost mimikrije, razlog njezina postojanja u brobi za opstanak među vrstama. Vrlo su srodne Nabokovljevim mislima mnoge njegove misli, na primjer misao o tome da je temeljna tendencija prirode da bude dekorativna, "teatralna", da se prikazuje drugačijom od onog što ona zapravo jest, u danom trenutku i na danom mjestu. Priroda tako živi u beskonačnom prerušavanju, stalno pod krabuljama. A to se odnosi i na kukce, pogotovo leptire – svi oni provode svoj život na sceni dotjerani za maskaradu. Osnovna je namjera njihova života da ne budu ono što jesu, nego da nalikuju nečemu drugom, zelenom listu, čuperku mahovine, svjetlucavom kamenčiću /Uspenskij, P. 1934, 44).

Zanimljivo je da Uspenskij sam upućuje čitatelja na bliskost svojih ideja s idejama Nikolaja Jevreinova, poznatim iz njegove knjige *Teatar u životu* (*Theatre in Life*, 1927), knjige koja je prijevod na engleski niza članaka, poglavlja iz prethodno objavljenih, u Rusiji početkom stoljeća, knjiga i članaka. Svoju najpoznatiju tezu, naime da je teatar posve prirodna, a ne kulturna pojava, odnosno da je svijet prirode sam po sebi ispunjen teatarskim načelom, N. Jevreinov na jednome mjestu potkrepljuje upravo argumentom mimikrije kod leptira (Evreinov, N,: 1927, 11, 14).

Nabokov je svakako poznavao djela Jevreinova i bez posredstva Uspenskog, a kakvo je mjesto R. Calloisa u tom četverokutu mogućih prepletanja utjecaja nije moguće zasad utvrditi. Dakako, osim sličnosti, premda ne i istovjetnosti, u mnogim njihovim pogledima na umjetnost pomnija analiza otkrila bi važne razlikovne nijanse koje ovdje nisu predmet našeg interesa (Alexandrov, V. 1988).

I da zaključimo. Knjiga *Druge obale* kao autointerpretacijski tekst može viti shvaćena i kao svežanj ključeva za čitanje Nabokovljevih fikcionalnih tekstova. Tako je i s problemom igre i njezina udjela u implicitnoj poetici njegovih djela ali i s njegovim osobnim stavovima o prirodi stvaralaštva i umjetnosti. Možda bismo od niza Nabokovljevih eksplicitnih iskaza o književnosti, kao najkarakterističniji mogli navesti onaj iz njegove knjige *Predavanja o ruskoj književnosti* (*Lectures on Russian Literature*) kad Nabokov, govoreći doduše o Dostojevskom, iskazuje svoju misao o prirodi stvaralaštva: "*....art is divine game... because this is the element in which man comes nearest to God through becoming the true creator in his own right*" (Nabokov, V,: 1982, 2, 106).

Ova bi rečenica mogla stajati i kao epigraf cijelom Nabokovljevu književnom korpusu.

IZVORI

Nabokov, V. 1954. *Drugie berega,* New York.

Nabokov, V. 1974. *Strong Opinions*, London.

Nabokov, V. 1979. *The Nabokov - Wilson Letters: Correspondince between Vladimir Nabokov and Edmund Wilson 1940-1971* (Simon Karlinsky ed.) New York.

Nabokov, V. 1982. *Lectures on Russian Literature.* New York.

LITERATURA:

Alexandrov, V. E. 1988. "Nabokov's Metaphysics of Artifice: Uspenskij's Fourth Dimension and Evreinov's Theatrach" *Rossia/Russia*, 6, nos 1, 2.

Alexandrov, V. E. 1991. *Nabokov's Otherworld.* Princeton, New Jersey.

Barton Johnson, D. 1980. "Text and Pre-Text in Nabokov's *Defense*", *Modern Fiction Studies*, XXX, 2.

Barton Johnson, D. 1985. *Worlds in Regression: Some Novels of Vladimir Nabokov*, Ann Arbor.

Bernhard, E. 1964. "La Thématique échiquéenne de Lolita", *L'Arc*, 24.

Bodenstein, J. H. 1977. *The Excitement of Verbal Adventure: A Study of Vladimir Nabokov's English Prose.* Heidelberg.

Callois, R. 1938. *Mythe et l'Homme.* Paris.

Callois, R. 1958. *Les Jeux et les Hommes. Le masque et le vertige.* Paris.

Davydov, S. 1982. *Teksty-matreški Vladimira Nabokova* München.

Medarić, M, 1989. *Od Mašenjke do Lolite*. Zagreb.

Meyer, P, 1988. *Look What Sailor Has Hideen: V. Nabokov's Pale Fire*. Welesley, I.

Moddy, F. 1976. "Nabokov's Gambit", "Russian Literature Triquarterly", 14.

Nabokova, V. 1979. "Preface". u: Vladimir Nabokov, *Stihi*, Ann Arbor.

Prudy, S. B. 1968. "Solus Rex: Nabokov and the Chess Novel", *Modern Fiction Studies*, 14. 4.

Rowe, W.W. 1971. *Nabokov's Deceptive World*. New York.

Rowe, W.W. 1979. *Nabokov and Others: Patterns in Russian Literature*. Ann Arbor.

Rowe, W. W. 1981. *Nabokov's Spectral Dimensions* Ann Arbor.

Sampson, E. 1982. "Games Nabokov's Characters Play". *Russian Language Journal*, 36.

Sheidlower, D. J. 1979. "Reading between the Lines and Squares". *Modern Fiction Studies*, 25, 3.

Struve, G. 1931. "Les romans – escamotage de Vladimir Sirin", *Le Mois*, IV, avril-mai.

Tammi, P. 1984. "Nabokov's Symbolic Cards and Pushkin's The Queen of Spades". *The Nabokovian*, 13.

Tammi, P. 1985. *Problems of Nabokov's Poetics. A Narratological Analysis*. Helsinki.

Updike, J. 1965. "Grandmaster Nabokov". u: *Asserted Prose*. New York.

Ouspensky, P. D. 1922. *Tertium Organum: The Third Canon of Thought, A Key to the Enigmas of the World.* Revised Translation by E. Kadloubovsky and the Author. London (reprint New York, 1982).

Ouspensky, P. D. 1934. *A New Model of the Universe: Principles of the Psychological Method in its Application on Problems of Science, Religion, and Art.* London (reprint New York, 1943).

РЕЗЮМЕ

Magdalena Medarić

"Другие берега" В. Набокова - автометатекст творчества

В статье рассматриваются те аспекты автобиографии русского писателя, которые являются автокомментариями собственной судьбы в ее статусе Текста жизни. Наряду с этим выделяются те аспекты поэтики *Других берегов*, которые свидельствуют о том, что автор все свои произведения считал едным художественным Текстом. *Другие берега*, несмотря на документальность, заданную жанром, надо воспринимать и как строго структурированное литературное произведение, в котором искусно и замысловато переплетается арабеска тем и мотивов всех ранее написанных Набоковым, т.е. до 1954 г., фикциональных текстов. В статье особо указывается на темы и мотиви, связанные с игрой. Автобиография Набокова является и источником имплицитно и эксплицитно поданных Набоковым суждений о значении и сути искусства, причем автором статьи особо прослежена проблема соотношения игры и искусства в художественном мировоззрении Набокова.

"SLAVA" VLADIMIRA NABOKOVA

O funkciji autometaopisa u ruskoj emigrantskoj poeziji

IRENA LUKŠIĆ

Kogda čelovek nesčasten, on v buduščem.
Iosif Brodskij

I. Sporenja oko mjesta i uloge Vladimira Nabokova (1899-1977) u korpusu ruske književnosti XX. stoljeća ne pripadaju krugu onih kritičkih promišljanja kojima se cilj ocrtava u jednostavnom smještanju autora u odgovarajući formacijski okvir, nego se dubinski vezuju za širi problem prispodobivosti određenom tipu kolektivnog pamćenja i određenom kolektivnom programu, dakle – "sudbinskoj" pripadnosti ili posvemašnjoj nepripadnosti ruskoj kulturi XX. stoljeća. Složenost Nabokovljeve situacije generira se iz činjenice da on kao pisac nije pripadao niti jednoj grupi ili pravcu sa zajedničkom poetikom, da je bio geografski odvojen od ruske književnosti u domovini (gdje je publicirao prvu knjigu), te da se naposljetku, u zreloj životnoj i stvaralačkoj dobi uključio u američki književni proces. Enciklopedijska su ga izdanja najčešće predstavljala kao ruskoga emigrantskog pisca, apatrida, koji piše i na engleskom, što bi moglo funkcionirati da proces pridruživanja emigrantskoga podsustava ruskojezičnome književnome sustavu, potaknut koncem 80-ih godina u SSSR-u, nije nametnuo nove kriterije za određivanje cjeline kulture, kulturnoga konteksta i način spajanja prekinutih veza između ruske i sovjetske civilizacije. Zbog svih ovih okolnosti ispalo je da je Nabokovljevo djelo, protegnuto do rubova ruskoga modernizma pa do glavnoga poprišta američkoga postmodernizma, najzgodnije klasificirati prema načelu kojega se u svojim problematskim raščlambama držala Magdalena Medarić: ona, naime, Nabokovljev romaneskni opus, kojim se poglavito bavila, nije motrila u kontekstu gravitirajućih stilskih formacija prve polovice ruskog XX. stoljeća, nego ga je grosso modo podijelila prema književnim postupcima koji participiraju u dvama dominantnim paradigmama - stvarnosno orijentiranoj i eksperimentalnoj (usp. Medarić, 1989).

Ovakvo načelo primjenjivo je i u bavljenju pjesničkim opusom, spram kojega ne samo da nije artikuliran jasan stav, nego, nažalost, nije pokazano niti ozbiljno zanimanje. Akademska se kritika, može se konstatirati, u ne odveć brojnim pokušajima kontekstualizacije i klasifikacije obilne građe – Nabokov je, kao što je poznato, pjesme pisao cijeli život, od 1916. do 1974. godine – dvojako ponijela: pred *eksperimentalnim* je stihovima očitovala zbunjenost zbog nazočnosti *inotacija* i *glasova* pjesnika različitih epoha i ideoloških matrica – Pasternaka, Hodaseviča, Feta, Majkova, Bunina, Ščerbine, Puškina – da spomenemo samo neke s duljega popisa (usp. Struve, 1984), dok je spram radova koji se mogu (opet uvjetno, dakako) označiti izvornima, pokazala sasvim neutemeljeno neuvažavanje.

Naše bavljenje "eksperimentalnim" obrascem Nabokovljeve poezije, opis funkcioniranja njenoga glavnoga mehanizma, pokušat će naznačiti put delikatnoga rješavanja pitanja piščeva mjesta i uloge u korpusu ruske književnosti XX. stoljeća. U tom poslu opirat ćemo se na tri ključna pojma: nostalgija, semantička poetika i filologija.

II. Raščlanjujući tematsko-motivski kompleks poezije prvoga vala ruske emigracije, oprimjerenoga na stihovima Vladislava Hodaseviča i Vladimira Nabokova, Inna Broude krenula je od pretpostavke da su pojmovi "emigracija" i "nostalgija" toliko uzajamno vezani da često zvuče kao sinonimi (Broude, 1990: 5), tj. da je tuga za domovinom zamalo jedina – a središnja svakako – tema u poeziji prve emigracije. Aplicirajući ovakvo gledište na analizu poetskoga rukopisa Marine Tjomkine (1948), ruske emigrantske poetese trećega vala, utvrdili smo da je fenomen nostalgije bitno obilježio rusku emigrantsku poeziju svih naraštaja (valova), i to ne samo na tematskom planu, nego i duboko strukturno (usp. Lukšić, 1995), te da tu činjenicu valja uzeti kao polazište u poslu otkrivanja bitnih obilježja i općega smisla stvaralaštva u egzilu.

Nostalgija je, prema definiciji Broudeove, psihološka pojava (osjećaj) koja unosi disproporciju između kategorija vremena: prošlost se pojavljuje kao jedina hipostaza, sadašnjost se odbacuje zbog nezanimljivosti, a budućnost je odsutna kao nepoželjna. Apsolutna koncentracija na prošlost pritom poprima različite oblike. Prateći ih na materijalu Nabokovljeve rusko-jezične poezije u dijakronijskoj perspektivi, autorica je izdvojila nekoliko moćnih semantičkih nizova.

Kao semantički najpotentniji ističe se niz nazvan "Rusija-svjetlo-sreća" s pjesmama napisanim 20-ih godina, u kojima kao postupak dominira standardni opis. Riječ je o stihovima koji detaljno opisuju neki dio prošlosti (npr. mladenački doživljaj smjene godišnjih doba u ruskoj prirodi), a odlikuju se jasnoćom, istaknutošću detalja te osobito njihovom brojnošću. Nostalgija u pravilu iz prošlosti izabire samo sretne trenutke, dok negativne momente ignorira. Lirskom je subjektu autor pritom uposlio sva osjetila. Karakterističan naslov iz ovoga lanca jest "Rusija" (*Rossija*, 1918).

Jedan dio niza "Rusija-svjetlo-sreća" kontaminirali su djelići sadašnjosti. Funkcija tih vremenskih umetaka svodi se mahom na poticanje asocijativnosti. Stihovi, naime, u koje je prodrla realnost suvremenosti (označeni kao "pjesme dvostrukoga viđenja"), prezentiraju nejasan i razliven prostor prošlosti te nisku bezimenih sjećanja, koja treba ispuniti prikladnim sadržajem. Primjer je

"Priviđenje" (*Videnie*, 1924). Svijest o prostorno-vremenskoj udaljenosti Rusije zatim polako potiskuje pamćenje kao modus vivendi i nakon nekoliko desetljeća uspostavlja se skladan odnos između prošlosti i sadašnjosti. Odbacivanjem pamćenja rasuti fragmenti života spajaju se u čvorištu različitih puteva, tvoreći neki opći uzorak (opći smisao), koji naposljetku oblikuje osjećaj "središta svijeta" i mogućnost vladanja njime. "Ali ne samo to: nakon što je ovladao prošlošću i postao središtem svijeta u sadašnjosti, pojavila se mogućnost predosjećaja budućnosti. Međutim, niti to nije sve: spjeni u jedan čvor - prošlost sadašnjost i budućnost omogućuju dodir s vječnošću" (Broude, 1990 : 80). Godine 1943. Nabokov je u "Pariškoj poemi" (*Parižskaja poèma*) formulirao povratak u život i osjećaj njegova svjetla i sreće (semantika: život – svjetlo – sreća):

V ètoj žizni, bogatoj uzorami
(nepovtornoj, poskol'ku ona
po-drugomu, s drugimi akterami,
budet v novom teatre dana),
ja počel by za lučše sčast'e
tak složit' ee divnyj kover,
čtob prišelsja uzor nastojaščego
na byloe - na prežnij uzor;
čtob opjat' očutitsja mne - o, ne
v obščem meste hotenij takih,
ne na karte Rossii, ne v lone
nostal'gičeskih nerazberih -
no s dalekim najdja sootvetstvie,
očutit'sja v načale puti,
naklonit'sja - i v sobstvennom detstve
končik sputannoj niti najti.

(Nabokov, 1962 : 52)

(U ovome životu, bogatom uzorcima / (neponovljivom, jer on će se / drukčije, s drugim glumcima / dati u novom kazalištu) / držao bih najvećom srećom / tako složiti njegov neobičan sag / da odgovarao bi uzorak sadašnjosti / na prošlom – na prijašnjem uzorku / da ponovno se nađem – o, ne / na općem mjestu želja takvih / ne na karti Rusije, ne u okrilju / nostalgičnih nereda – / ali s dalekim našavši sklad / naći se na početku puta / sagnuti se – i u vlastitom djetinjstvu / krajičak zapetljanog konca naći.)

Izvori ove formule su u godini 1920. S jedne strane zaključak se doima paradoksalnim, primjećuje Broudeova (1990), jer ispada da je Nabokov od samog početka na neki način anticipirao moguće puteve razvitka svojih nostalgičnih proživljavanja. Vsevolod Sečkarev smatra da je "nadosjetilno progledavanje svijeta uz naše unutarnje sudjelovanje" (Nabokov, 1952 - 346), kako tvrdi jedan od junaka romana *Dar*, vjerojatno temeljna formula Nabokovljeva pogleda na svijet (usp. Setschkareff 1980). Ovo "progledavanje svijeta" prisutno je još u jednom osjećaju, isto tako opisanom u *Daru*, koji se izravno vezuje za Nabokova: "Život nije cesta, tako se to uvriježilo tvrditi. Mi sjedimo kod kuće. Onostrano nas okružuje uvijek, a nije na kraju putovanja" (Nabokov, 1952: 347). Spomenuto gledište tumači nastanak zamalo istovremeno mnogih osnovnih tema Nabokovljeve poezije. "On kao da je sam sebe progledavao uz'vlastito sudjelovanje', gonetajući 'kôdove' vlastitoga stvaralaštva" (Broude, 1990 : 81).

Povratak životu i svjetlu kroz spajanje vremena očituje se poglavito u temi stvaralaštva, koja se nije pojavljivala u opisnim pjesmama niza "Rusija–svjetlo–sreća", u snovima, kao niti u stihovima "dvostrukoga viđenja". Broudeova to tumači okolnošću da se u ovim tipovima pjesama autor eksponirao kao "subjekt", to jest kao potčinjeni, sudionik u radnjama koje je potaknulo pamćenje (usp. Broude, 1990). Tek od trenutka kad je došlo do uravnoteživanja vremena i autor se oslobodio njegova pritiska, u mogućnosti je vladati događajima, proizvoditi ih.

Kao točka iz koje se može motriti cijeli svijet u svim vremenskim kategorijama (točnije: prošlost – sadašnjost – vječnost) izabrana je Rusija. Primjer je pjesma "Proljeće" (*Vesna*) iz 1925. godine:

Verhi berez v lazuri svežej,
uasd'ba, solnečnye dni
– vse obrazy odni i te že,
vse soveršennee oni.
Vdali ot ropota izgnan'ja
živut moi vospominan'ja
v kakoj-to nezemnoj tiši:
bessmertno vse, čto nevozvratno,
i v ètoj večnosti obratnoj
blaženstvo gordoe duši.

(Nabokov, 1992 - 39)

(Vrhovi breza u plavetnilu svježem / majur, sunčani dani / – sve slike su iste / sve su savršenije. / Daleko od mrmljanja progonstva / žive moja sjećanja / u nekakvoj nezemaljskoj tišini: / besmrtno je sve što je nepovratno / i u toj vječnosti povratnoj /blaženstvo je gordo duše.)

Prošlost, kao nešto što vječno živi, što hrani sadašnjost, što otvara put budućnosti, oblikuje temporalno presjecište "svevremene istovremenosti": u njemu je autor gospodar i eksploatator pamćenja, kao što je to naznačeno u pjesmi "Večer u pustari" (*Večer na pustyre*, 1932).

Oblokotivšis' na perila
stiha, plyvuščego kak most,
uže duša voobrazila,
čto dvinulas' i zaskol'zila
i doplyvet do samyh zvezd.
No perepisannye načisto,
lišas' mnogovenno volšebstva,
bessil'no drug za druga prjačutsja
otjaželevšie slova.

(Nabokov, 1962 : 14)

(Naslonivši se na ogradu / stiha, što ide kao most / već duša je zamislila / da krenula je i kliznula / i da će doplivati do samih zvijezda. / No prepisane čisto / lišeći se trenutne čarolije / nemoćno se jedna iza druge skrivaju / otežale riječi.)

Prostor u toj pjesmi je ispražnjen (tj. znakovito je obilježen kao prazno smetlište), lirski subjekt najprije klizi na periferiju, potom posve gubi tjelesnost ("Gubim se, rastvaram se u zraku, u večernjem rumenilu; mrmljam i obamirem u večernjoj pustari") i naposljetku prelazi u novu realnost (prostor pjesme postaje druga realnost).

III. "Prostor služi kao metafora vremena" (Vajl' 1995: 412). I obratno, vrijeme se pojavljuje kao metafora prostora. Pjesma "Slava" (*Slava*, 1942) vrhunac je Nabokovljeva "metafizičkog traganja i potvrde nađenoga" (Setschkareff, 1980 : 77), završetak putovanja "zračnim mostom" u domovinu, gdje

Ja božkom sebja vižu, volšebnikom s ptičej
golovoj, v izumrudnyh perčatkah, v čulkah
iz lazurnyh češuj. Prohožu. Perečtite
i ostanovites' na ètih strokah.

(Nabokov, 1962 - 40)

(Vidim sebe kao maloga idola, čarobnjaka s ptičjom / glavom, u smaragdnim rukavicama, u čarapama / od azurnih ljuski, Prolazim. Ponovno pročitajte / i zaustavite se na ovim recima.)

Subjekt sebe doživljuje kao stvaraoca (čarobnjak i idol, pritom s ptičjom glavom, što je aluzija na autorov literarni pseudonim Sirin[1], koji je koristio upravo do četrdesetih godina), locirana u Srebrnom vijeku ruske književnosti.

1 Sirin - mitološka ptica sa ženskim licem. Ujedno i naslov ruskog almanaha s početka stoljeća, op. I.L.

Srebrni vijek razdoblje je ruske književnosti koje je omeđilo, od 90-ih godina XIX. stoljeća, objavljivanje pjesničkih zbirki Bunina i Merežkovskog, brošuru D. S. Merežkovskog *O uzrocima nazadovanja ruske književnosti (O pričinah upadka russkoj literatury*, 1892), sustavno objavljivanje pjesnika simbolista u časopisu *Severnyj vestnik* (Minski, Sologub), publiciranje Baljmontovih zbirki pjesama, izdanja *Ruski simbolisti* (*Russkie simvolisty*) te pojava pjesničkih zbirki N. Minskog, Z. Gippius i F. Sologuba. Vrhunac Srebrnog vijeka prelomio se kroz stvaralaštvo Bloka, Brjusova, Vjač. Ivanova, Bjelog, Gumiljova, Mandeljštama, Ahmatove, Pasternaka, Hljebnikova, Majakovskog, Jesenjina, Hodaseviča, Vološina. Godina 1915. drži se završetkom epohe, koju je poglavito obilježila dominacija poezije: "Pjesnici nikada nisu toliko razmišljali o riječi - o njenoj korelaciji s mišlju, emocijom, vjerom, kulturom - kao u tih petnaest godina" (Ètkind, 1989 : 191). Razmišljanja su bila vrlo različita, često proturječna, međutim, spajali su ih mnogi bitni zajednički elementi: spajala ih je ponajprije uzvišena predodžba o poeziji, stalno zanimanje za funkciju i strukturu pjesničke riječi i težnja prema opažljivosti materijala, 'tvari' stiha. Sve je to naposljetku povezano sa shvaćanjem umjetnosti kao najvažnijega aspekta života, razumijevanja svijeta i čovjeka. Povišena valorizacija umjetnosti neizbježno je povlačila za sobom strast prema isticanju specifičnosti svake od njih ponaosob" (Ètkind, 1989 : 191-192).

Na ovaj kontekst Nabokov je uputio i u pismu kritičaru Edmundu Wilsonu: "Ja sam proizvod toga razdoblja, odgojen u tom ugođaju" (*The Nabokov-Wolson Letters*, 1979 : 220). Vladimir E. Aleksandrov u tom je smislu posebno akcentuirao piščeve veze sa simbolizmom, poglavito Blokom i Bjelim, te Gumiljovom kao predstavnikom suprotne "škole" – akmeizma. Gumiljov je, smatra Aleksandrov, "igrao najočitiju i možda najzanimljiviju ulogu u Nabokovljevu opusu" (Alexandrov, 1991 : 223), navodeći kao primjere rane radove "Jasnooki, kao vitez vojske Kristove" (*Jasnookij, kak rycar' iz rati Hristovoj, 1922)*, "Autobus" (*Avtobus*,

1923) i "Ja Indijom nevidljivom vladam" (*Ja Indiej nevidimoj vladeju*, 1923). Godine 1972. Nabokov je, navodi Aleksandrov, napisao pjesmu o Gumiljovu ("Kako sam volio pjesme Gumiljova!" / *Kak ja ljubil stihi Gumileva*), a spomenuo ga je i u tekstu predavanja "Književna umjetnost i zdrav razum" (*The Art of Literature and Commonsense*)[2] kao otjelovljenje svih ljudskih osobina koje cijeni, što naposljetku navodi Aleksandrova na zaključak da je Gumiljov nadahnuo Nabokova kod stvaranja nekih likova u romanima *Pothvat* (*Podvig*, 1932) i *Dar* (*Dar*, 1937) te teme smrti i sna u romanu *Poziv na smaknuće* (*Priglašenie na kazn'*, 1936) (usp. i *Tammi*, 1992). U drugim Nabokovljevim tekstovima predavanja Gumiljovljevi su se radovi, nastavlja Aleksandrov, pojavili u ulozi podteksta[3] - npr. definicija zdravog razuma te osobito duh eseja "Čitatelj" (*Čitatel'*, 1923), gdje je formulirana pjesnička kreacija kao specifičan osjećaj pobjede, svijest da čovjek stvara savršene kombinacije riječi, slične onima koje su nekada uskrisivale mrtve i rušile zidove, što je Nabokov interpretirao kao svoje shvaćanje epifanijskoga trenutka. Paralele se mogu otkriti i u koncepciji pojmova trenutak – vječnost, koji za pisce nisu temporalni, jer se mogu uhvatiti u bilo kojem odsječku vremena, s obzirom da sve ovisi o sintetizirajućem zamahu kontemplacije. Naposljetku, svijet onostranog, zagrobnog, upravo opsesivni motiv Nabokovljeva stvaralaštva, iznjedren je iz Gumilovljeva programatskog članka "Naslijeđe simbolizma i akmeizam" (*Nasledie simvolizma i akmeizm*): "Uvijek pamtiti nespoznatljivo, ali ne ponižavati svoja razmišljanja o tome manje ili više vjerojatnim nagađanjima - to je princip akmeizma. To ne znači da on odbacije pravo prikazivanja duše u trenucima kad treperi

2 Obj. u Vladimir Nabokov, *Lectures on Literature*. New York, 1980.

3 Prema tipologiji K. Taranovskog - kao jednostavan poticaj stvaranju neke slike ili razvijanju misli. Isp. *Taranovsky, Essays on Mandel'štam*, Cambridge and London, 1976.

približavajući se drugome; ali tada ona mora tek zadrhtati" (*Russkaja literaturnaja kritika*, 1982 : 345).

IV. "Slava" je na svim razinama svoje opstojnosti (ikoničko-formalnoj, sadržajnoj, gramatičkoj) obilježena gustom mrežom metajezičnih izričaja i signala, s pomoću kojih autor osvještava vlastiti poetički koncept i daje potrebite naputke svojemu čitatelju. Potonje se, primjerice otkriva čak i u etimologiji naslova pjesme, koja u svojim dubinskim slojevima bitno proširuje semantiku časti, štovanja i hvale prema staroindijskom *"sraváyati"* (objaviti), kašmirskom *"hawun"* (objasniti, pokazati), srednjoperzijskom *"sray"* (pjevati) te, naposljetku, prema indoeuropskom korijenu *"kleu"* (slušati, slovo) (usp. Gluhak, 1993). Jezikoslovno i poetičko nazivlje, primjetno zamalo u svakom stihu, upućuje na naročit odnos prema jeziku i s time u vezi mogućnost adekvatnoga organiziranja teksta: "kao utjecaj u balkanskoj noveli", "kao parodija savjesti u nedarovitoj drami", "razmotati obrazac tvoje proze", "maštanja o čitatelju", "kao Prilog", "i odjednom s pera moj omiljeni slijeće anapest". Riječ je prezentirana kao jedina realnost teksta i autor joj je pribavio originalan status. Ona je, naime, prirodna reakcija na uvjete u kojima je stvarao:

Ja bez tela razrossja, bez otzvuka živ,
i so mnoj moja tajna vsečesno.
Čto mne tlenie knig, esli daže razryv
meždu mnoj i otčiznoju - častnost"?
Priznajus' horošo zašifrovana noč',
no pod zvezdy ja bukvy podstavil
i v sebe pročital čem sebja prevozmoč',
a točnee skazat' ja nevprave.
Ne doverjas' soblaznam dorogi bol'šoj
ili snam, osvjaščennym vekami,

ostajus' ja bezbožnikom s vol'noj dušoj
v ètom mire, kišaščem bogami.
(Nabokov, 1962 : 44)

(Bez tijela sam se razvio, bez odjeka živim / i sa mnom je moja tajna stalno. / Što je truljenje knjiga, ako je čak i raskid / između mene i domovine – sitnica? / Pravo da kažem, dobro je šifrirana noć / no ispod zvijezda slova sam podmetnuo / i u sebi sam pročitao kako nadjačati sebe / točnije – nisam u pravu. / Ne prepuštajući se iskušenjima velikog puta / ili snovima, koje osvijetlila su stoljeća / ja ostajem bezbožnik slobodne duše / u ovom svijetu, prepunom bogova.)

1. Načela ovakvog shvaćanja i organizacije teksta – semantičke poetike – formulirao je Mandeljštam. Ona počiva na svijesti da jezik nije samo materijal, nego i cilj stvaralaštva: "Zamislimo spomenik od granita ili mramora koji u svojoj simboličkoj tendenciji nije usmjeren na slikanje konja ili konjanika, već na otkrivanje unutrašnje strukture samoga mramora ili granita. Drugim riječima, zamislite spomenik od granita podignut u čast granita i tobože za otkrivanje njegove ideje – i tako ćemo dobiti prilično jasan pojam o tome u kakvom su odnosu kod Dantea forma i sadržaj" (Mandel'štam, 1966 : 413). Nabokovljev mramor i granit otkrivaju metafore identifikacije, koje izjednačuju riječ i stvar/biće:

I togda ja smejus', i vnezapno s pera
moj ljubimyj sletaet anapest,
obrazujy rakety v noči – tak bystra
zolotaja stanovitsja zapis'.
(Nabokov, 1962 : 44)

(I onda se smije, i odjednom s pera / moj omiljeni slijeće anapest / stvarajući rakete u noći – tako brz / zlatni postaje zapis.) Metafore ovoga tipa orijentirane su poglavito na logičko dekodiranje, a ne na vizualnu i slušnu percepciju. Njihova je zadaća razotkrivanej bitnih obilježja pojma (usp. Poluhina, 1986).

2. U akmeističkoj organizaciji pjesničkoga teksta upada u oči ukidanje granica između poezije i proze te poezije/proze i života, kao izvantekstovne realnosti koja se "odigrava" u djelu. U prostor pjesme interiorizirani su elementi prozne organizacije (fabula, likovi), kako bi se svijet djela maksimalno kondenzirao, jer je proza u stanju "maksimalno upiti i na vlastitome jeziku adekvatno prenijeti sadržaj trećega člana trijade – izvanjskoga svijeta" (Levin, etc., 1974 - 54). "Slava" Vladimira Nabokova prezentira elemente sižeja kroz proces razvijanja kroz dijalogizaciju, upravni govor, razgovorni ton, različita gramatička vremena i geste itd. Proces razvijanja izvire iz stilske figure, koja se pretvara u priču što raste i dobiva tijelo:

I vot kak na kolesikah vkatyvaetsja ko mne
nekto
voskovoj, podžaryj, s kopot'ju v krasnyh
mozdrjah,
i sižu, i rešit' ne mogu: čelovek eto,
ili prosto tak - razgovorčivyj prah.

(Nabokov, 1962 - 38)

(I evo, kao na kotačićima ulazi k meni netko / voštan, mršav sa crvenim nozdrvama / i sjedim i zaključiti ne mogu: je li to čovjek / ili jednostavno govorljiv prah.)

Prozaizacija pjesme primjer je "romaniziranog žanra" (usp. Bahtin, 1975), koji otvara prostor složenijim obilježjima proze – uvođenju tuđega glasa, dramatizaciji, polifoniji itd. Tako se stvara mogućnost prenošenja cijelih kompleksa poetskoga značenja s pomoću istih elemenata teksta. Ovaj postupak osobito je zanimljiv u svezi s fenomenom citatnosti i autocitatnosti, jer ga autor vješto aranžira kao dijalog različitih glasova. Citati iz klasične ruske književnosti ("korov govora" – N. V. Gogolj), asocijacije ("postoji staza sva u ljubičastoj javorovoj krvi" – I. Bunjin), aluzije ("Ne, nitko nikada na prostoru velikom niti jednu neće spomenuti stranicu tvoju" – A. Puškin) te reminiscencije iz vlastite novelističke prakse

("I onda se smijem, i odjednom s pera moj omiljeni slijeće anapest, stvarajući rakete u noći – tako brz zlatni postaje zapis. I ja sam sretan" – V. Nabokov "Teški dim" (*Tjaželyj dym*)) – pridonose zgušnjavanju plana psiholoških asocijacija i obogaćuju repertoar mogućih kombinacija značenja.

S ovom temom dolazi i metapoetski komentar (autometaopis), koji se sastoji u tome da "autor svjesno ili čak specijalno u pjesnički tekst uvodi razinu formalne analize tog istog teksta. Efekt autometaopisa nastaje kao posljedica identificiranja različitih vremenskih i prostornih parametara pjesničkoga teksta: vremena pisanja, narativnog vremena, vremena čitateljske recepcije" (Levin etc., 1974 : 73).

Prihvatimo li Nabokovljevu pjesmu kao "žanr putovanja u kojemu se odvija realizacija metafore 'životni put' a to je raspoređivanje putokaza u pamećenju" (Vajl', 1955 - 412), suočit ćemo se s temeljnom (sudbinskom) autorovom strategijom uporabe betateksta: "Slava" je exegi monumentum "svevremene istovremenosti", spomenik od mramora ili granita, čiji je opis strukture tvari upućen budućem čitatelju:

V dlinnom stihotvorenii "Slava" – pisatelja
tak skazat' zanimaet problema, gnetet
mysl' o kontakte s soznan'em čitatelja.

(Nabokov, 1962 : 42)

(U dugačkoj pjesmi *Slava* – pisca / takoreći zanima problem, pritišće / misao o kontaktu sa sviješću čitatelja.)

V. U situaciji rascijepljenosti jedinstvenoga korpusa ruske književnosti (tragične povijesne zbilje), Nabokov s pomoću postupaka karakterističnih za akmeističku poetiku ("To je tajna ta-ta, ta-ta-ta-ta, ta-ta") uspostavlja kontinuitet: tkivo, naime, zatvara i sebe i život čitatelja, tj. proizvodi tekst koji vlastitim snagama (sredstvima) uskrisuje život koji je ubila druga kultura (socrealistička paradigma).

Uporaba znanosti o književnosti (filologije) ima određenu tradiciju u ruskoj kulturi. Poznato je, primjerice, da je za V. Rozanova i filološki orijentirane stvaraoce prvih godina XX. stoljeća mogućnost govorenja o književnosti bila ponajprije mogućnost govorenja o ruskom životu, o onom što se nije moglo izravno imenovati. "Smisao njihova života sastojao se u učvršćivanju – kroz književnost i razgovor o književnosti – određenih životnih načela, te se često i sama biografija izgrađivala prema književnim zakonima (npr. K. Leontjev) kao demonstracija, *živa fabula* tog životnog načela" (Segal, 1979 : 15). Rozanov u *Apokalipsi* (*Apokalipsis*) nakon fizičkoga nestanka materijala prijašnjega života prošlost drži nečim bez čega se ne može živjeti. Ovakvim se pristupom iskazuje štovanje spram riječi kao "realnog instrumenta i produkta kulture s težnjom prema znanstvenoj utemeljenosti metoda i rezultata istraživanja. Istovremeno – svjesno ili, prije, nesvjesno – slijedeći Rozanovljev duh – flologija odavno nastoji biti ne samo opis, nego i *način života*, ne samo instrument *razumijevanja* nego i *život*" (Segal 1979 : 17).

Kad je kulturna tradicija prekinuta, slike, muzeji i strojevi uništeni, filologija postaje "privremeni izvršitelj obveze cijele ostale kulture, često i cjelokupnoga ostalog života u uvjetima maksimalne redukcije kulturnogradbenih mogućnosti. Filologija je kultura *poslije* kraja svijeta" (Segal, 1979 : 18). Slično je uostalom, tvrdio i Mandeljštam: "Književnost je pojava društvena, filologija pojava domaća, kabinetska. Književnost – to je predavanje, ulica; filologija – sveučilišni seminar, obitelj. Da, upravo sveučilišni seminar, gdje pet studenata, međusobno dobro poznatih, koji se oslovljavaju po imenu i očevu imenu, slušaju svojega profesora, a kroz prozor se provlače grane poznatog drveća iz sveučilišnog vrta. Filologija je obitelj, jer svaka se obitelj drži na intonaciji i na citatu, na navodnicima" (Mandeljštam, 1989 : 177).

Paradigmu filološke svakodnevice nastavio je Gumiljovljev *Ceh poètov*, te Mandeljštam i Ahmatova. Književnost i filologija prestali su biti instrument razumijevanja života te su prijelazom u život sam izbrisale granice između "primarne" i "sekundarne" literature, između književnosti i filologije.

Ovaj fenomen dio je, dakle, ruske kulturne tradicije; no on je istovremeno i znanstvena metoda, jer posjeduje stanovitu logičnost, eksplicitnost i neproturječnost. Svojom pak gradbom odgovara književnosti s pomoću koje se opisuje.

Crpeći sokove prošlosti i pogledom okrenut budućnosti, Nabokov kao ruski pisac u emigraciji "iznosi poput čarobnjaka, zapanjujući gledatelje, laboratorij svojih čuda. Ovo je, čini mi se, ključ za cijeloga Sirina. Njegova su djela napučena ne samo likovima, nego i nebrojenim mnoštvom postupaka koji poput trola ili patuljaka, trčkarajući među likovima, rade naveliko: pile, režu, zabijaju, liče ... Oni grade svijet djela i sami postaju neizostavno važni. Sirin stoga ne krije da je jedna od glavnih njegovih zadaća – upravo pokazati kako žive i rade postupci" (Hodasevič, 1954 : 252–253). "Slava" tako ne problematizira samo slavu Vladimira Nabokova, nego pronosi i duboko simbolički smisao stvaralaštva u egzilu – "preobraženje, muku, križ i uskrsnuće" (*Biblijski leksikon*, 1972 : 294).

IZVORI

Nabokov, V.
1952 *Dar*. New York.
1962 *Poesie*. Milano.
1992 "Vesna", *The Nabokovian*, 28, Spring.

LITERATURA

Alexandrov, V, 1991 *Nabokov's Otherworld*. Princeton.

Bahtin, M, 1975 *Voprosy literatury i èstetiki*. Moskva.

Biblijski leksikon, 1972 Zagreb.

Broude, I, 1990 *Ot Hodaseviča do Nabokova*. Tenafly.

Ètkind, E, 1989 "Edinstvo 'Serebrajnogo veka'". *Zvezda*, 12.

Gluhak, A, 1993 *Hrvatski etimološki rječnik*. Zagreb.

Hodasevič, V, 1954 "O Sirine". u: *Literaturnye stat'i i vospominanija*. New York.

Levin, Ju, etc, 1974 "Russkaja semantičeskaja poètika kak potencial'naja kul'turnaja paradigma." *Russian Literature*, 7/8.

Lukšić, I, 1995. "Nadpisi pod kalifornijskimi fotografijami Mariny Temkinoj", Referat na simpoziju *Vizualnost* (ms). Zagreb.

Mandel'štam, O, 1966 "Razgovor o Dante". u: *Sobranie sočinenij v dvuh tomah*, t. II. New York.

Mandeljštam, O, 1989 "O prirodi riječi". Prev. J. Užarević. u: *Pjesme i eseji*. Zagreb.

Medarić, M, 1989 *Od Mašenjke do Lolite*. Zagreb. The Nabokov-Wilson Letters. 1979 New York.

Poluhina, V, 1986 "Grammatika metafory i hudožestvennyj smysl." u: *Poètika Brodskogo*. Tenafly.

Russkaja literaturnaja kritika, 1982 Moskva.

Segal, D, 1979 "Literatura kak vtoričnaja modelirujuščaja sistema". *Slavica Hierosolymitiana*, IV.

Setschkareff, V, 1980 "Zur Thematic der Dichtungs Vladimir Nabokov". *Die Welt der Slaven*, XXV, 1.

Struve, G, 1984 *Russkaja literatura v izgnanii*. Paris.

Tammi, P, 1992 "On Notaries and Doctors (Glory; and Gumilev)". *The Nabokovian*, 28. Spring.

Vajl', P, 1995 "Prostranstvo kak metafora vremeni: stihi Iosifa Brodskogo v žanre putešestvija". *Russian Literature*, XXXVII.

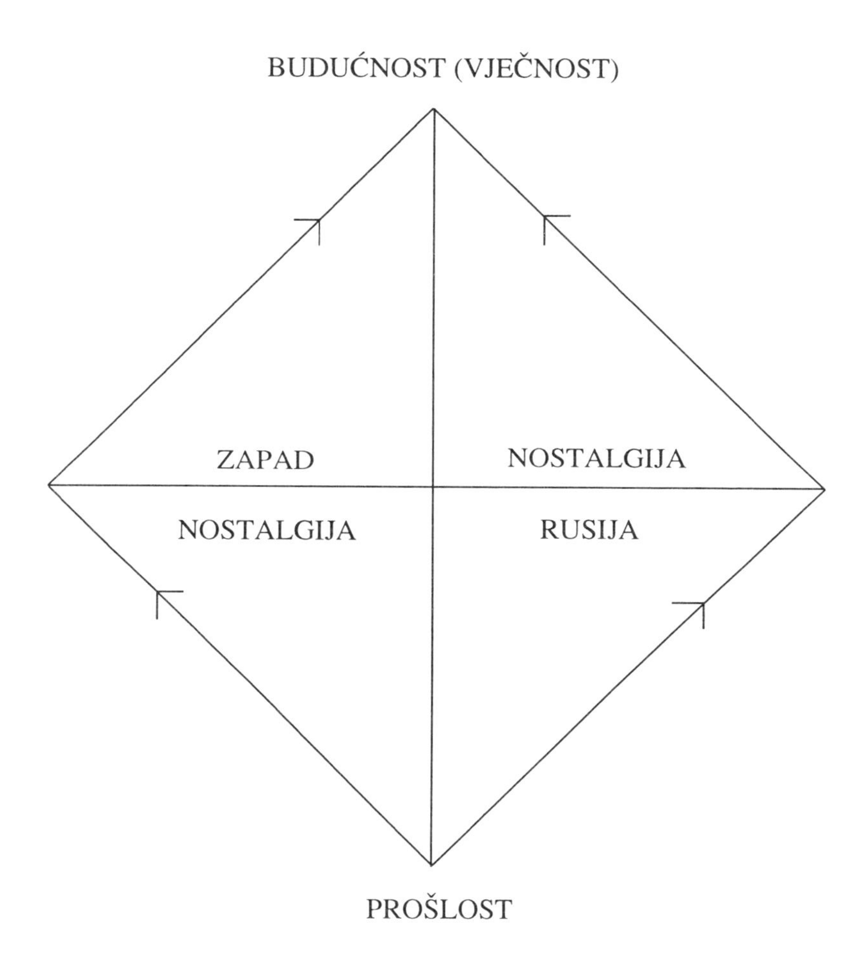
BUDUĆNOST (VJEČNOST)
ZAPAD
NOSTALGIJA
NOSTALGIJA
RUSIJA
PROŠLOST

SUMMARY

Irena Lukšić

Vladimir Nabokov's "Fame"

Vladimir Nabokov is an author oriented toward a text and his text - toward another text. His poem "Fame" (1942) shows the main characteristic of acmeistic poetics i.e. that one and the same element of a language bears different meanings. functions and relations. Particularly emphasized, in the meaning structure of the poem are quotations, reminiscences, autoquotations and allusions, presented through the poet's dialogue with a multivoiced Someone-Something. Along with the phenomena of citation and autocitation appears another crucial aspect of acmeistic poetic - metapoetic commentary, which implies that the author introduces into the poetic text a level of formal analysis of the very same text. The effect of the autometadescription is the result of the identification of various temporal and spatial parameters of a poetic text (the time of readers' reception). Such a semantic organization of the text is an instrument of the author's approach to the cultural paradigm with a clearly distinct historical task in the conditions of infeasible vertical and horizontal realization of a literary work. The funciton of metapoetic commentary of the poem "Fame" is above all an attempt towards contextualization of the author's entire opus in the position of absolute cultural dislocation (emigration).

(AUTO)TEMATIZIRANJE KAO FORMA SUPSTANCIJALIZACIJE TEKSTA-KÔDA I EKSPERIMENTALNI ŽANROVI

NIRMAN MORANJAK

"'Predmet' nauke o književnosti", kao što kaže S. Petrović, "umije govoriti, i to govoriti sa smislom za suvislu samoanalizu; naš 'predmet', uz to, voli koji put sam zamisliti svoje ime, voli nastupati s teoretski obrazloženim programom vlastite aktivnosti, voli se ispovijedati o svom postupku i o svojoj svrsi. Različito od minerala ili mikroba, različito čak od jezika kakav zanima lingvista, naš je 'predmet' rječit, i to redovito rječitiji od naše nauke same. Velik i značajan dio terminologije naše nauke nastao je samodjelatnošću našeg 'predmeta', nastao je dakle u osjetljivoj ovisnosti o specifičnim zakonima stvaranja ove ili one specifične ljepote; nije stvoren i nije ni u intenciji imao biti stvoren prema potrebama djelatnosti koju zovemo naukom o književnosti" – (Petrović, 1972:212–213). Petrović u biti ovdje govori o istoj temi kojoj je posvećen ovaj naš rad – o metatekstualnosti, i to metatekstualnosti kao načelnom elementu i instanciji umjetničkog oblikovanja. Metatekstualne relacije ("nešto o nečemu") prisutne su, kao što smo već rekli, i u vidu autorefleksivne strukture svakog teksta, ali smo iz naših dosadašnjih analiza vidjeli da metatekstualni signali mogu biti "rasuti" po tekstu i rekonstruirati se samo hipotetički kao fragmenti nekog apstraktnog cjelovitog teksta, koji bi mogao poslužiti za opisivanje danog teksta. Ali, ako se unutar teksta konstruira i "vidljiv" tekst-kôd (sam tekst je tada organiziran kao "dvotekst" u smislu kako taj pojam upotrebljava Wierzbicka, to jest, sastoji se od teksta i njegova komentara), onda upotrebljavamo pojam (auto)tematiziranja, kojim označavamo jednu od veoma značajnih metatekstualnih operacija. U tim slučajevima svaki strukturalni element teksta ima i svoj teoretsko-metodološki pokazatelj, pa nije teško uočiti neposredan odnos povratne veze teoretiziranja / umjetničke realizacije i tematiziranja. U oba slučaja metatekstualnost je u funkciji neke vrste "laboratorijskog eksperimenta" i subjekt metateksta razvija svoju strategiju kao (auto)tematiziranje teksta-koda, predstavljajući ga ili kao inovativni akt, ili kao ironični iskaz i parodiju. Ne može biti prožimanja teoretiziranja s umjetničkom realizacijom, a da se intratekstualno ne konstituira neki tip "komentirajućeg teksta." Međutim, (auto)tematiziranje strukture potrebno je donekle razlikovati od samog prožimanja teoretiziranja i realizacije. U ovom je drugom slučaju "teorijska svijest" posredovala miješanje i nastajanje graničnih žanrova (poput teorijsko-književnih žanrova, umjetničke biografije, književnosti činjenice i sl.), dok se u slučaju postupka autotematiziranja svijest o tradicionalnim žanrovima nastoji sačuvati, bez obzira na stanovitu mjeru parodične i eksperimentalne "antižanrovske" aktivnosti, koja uglavnom rezultira žanrovskim transformacijama, to jest funkcionalnom revalorizacijom žanra. Uspostavljajući ovu distinkciju, odmah smo doveli u sumnju naše svrstavanje francuskog "novog romana" u metatekstove nastale kao produkt prožimanja teorije i prakse, jer je "novi roman" ipak još roman. Pa ipak je ovo kolebanje između dviju klasifikacija zakonito: s jedne strane je tu odnos prema diskurzivno formuliranoj teoriji i shvaćanje književnosti kao epistemologije, a ne ontologije, a s druge strane, u pitanju je privilegiran položaj naracije u romanesknoj metodologiji romana, u kojoj je načelni element sadržaj naratorove svijesti.

Tematiziranjem ćemo zvati pojavu intratekstualne supstancijalizacije hijerarhije metatekstualnih signala – formiranje vlastitog interpretativnog teksta-koda, koji može postati sadržajem poruke u cjelini, a to znači da može i realizirati odgovarajuću žanrovsku koncepciju. Shvaćen kao žanrovska koncepcija, problem tematiziranja vlastite strukture postaje problem napetosti između inteksta (interpretativnog teksta-koda) i teksta u cjelini: interpretacija se nameće kao sam sadržaj poruke, ali u tome uvijek ne uspijeva do kraja, pa umjesto žanrovske transformacije imamo samo jednokratnu inovaciju. "Tekstom-kodom" (intekstom, koji samom svojom prisutnošću unutar teksta postaje njegovom interpretacijom – metatekstom) zovemo, dakle, semantički prostor na prijelazu između jezika i teksta, koji "nije apstraktni skup pravila za tekstualnu izgradnju, već sintagmatski organizirana cjelina, odnosno organizirana struktura znakova" (Lotman, 1981: 6). Supstancijalizacija interpretativnog koda i metatekstualnih signala jedan je od najdojmljivijih načina da se demonstrira heterogenost i višejezičnost teksta i da se, istodobno, ona upotrijebi kao generator smisla, u čemu se sastoji njegova metatekstualna funkcija. Metatekstualna refleksija na račun vlastite strukture, sa semantičko-pragmatskog aspekta razmatra se kao nastojanje da se čitalac "obuči" upotrebi teksta-koda, zbog čega i sam mora biti uvučen u eksperiment koji provodi autorska svijest. "Takva izgradnja, prije svega, zaoštrava moment igre u tekstu: iz pozicije drugog načina kodiranja, tekst poprima crte pojačane uvjetovanosti, podvlači se njegova dvosmislenost, njegov ironični, parodijski, teatralizirani smisao" (Lotman, 1981:13). Sa stajališta naše trijade – intertekstualnost / metatekstualnost / alteritet, tematiziranje je osviješten postupak stvaralačke igre s postojećim književnim klišejiziranim formulama različitog tipa, odnosno, jedna veoma intenzivirana distribucija invarijanata na modelativnom principu. Tematiziranje je također autorska strategija kojom se, premda se daju određene "upute o čitanju", uvijek potiče generiranje novih tekstualnih smislova, jer eksperimentalni karakter ovih tekstova podrazumijeva i neočekivane rezultate (različite alternacije teksta), a njihova heterogena i višejezična struktura ih sama po sebi i osigurava.

Roman je osobito pogodan žanr za ovakve vrste eksperimentiranja žanrovskim, stilističkim, kompozicijskim i tematskim klišejima. U tom smjeru kreće se svaka upotreba tradicionalnih postupaka u parodične svrhe, ili gotovo svako uvođenje inovativnih postupaka, autorefleksije i problematiziranja samog načina pisanja, dakle, takvih postupaka kao što su: uvođenje implicitnog autora, igra kodova, uvođenje različitog tipa okvira, intelektualne rasprave o književnom postupku, liku, fabuli, ironiziranje i parodija klišejiziranih postupaka ili motiva, uvođenje lika pisca, dehijerarhizacije žanrovskog sistema suvremene literature, poigravanje žanrovskim konvencijama, variranje sižejnih momenata, metatekstualno reflektiranje o drugim tekstovima i sl. Primjeri romana u kojima ovakve autorske strategije dovode do konstituiranja teksta-koda, ili bar omogućuju da se on hipotetički zamisli kao metatekstualni opis samog teksta, doista su mnogobrojni: od Joycea, Borgesa, Gidea, Huxleya, Piljnjaka, Nabokova, Bitova, do Dubravke Ugrešić.[1] Pri tome veoma često metatekstualne razine pojedinačnih djela upućuju na tekst-kôd koji je formiran na razini "teksta stvaralaštva" i o tome se u analizama također mora voditi računa.[2] Vidljivo je da

1 Naravno, ovaj je napis mnogo širi i ne obuhvaća samo modernu literaturu. Dovoljno je u tom smislu spomenuti termin "sternijanstva", koji se direktno odnosi na pojavu koju opisujemo i vezuje se s narativnim postupcima poznatim još od L. Sternea.

2 O tekstu-kodu kod Piljnjaka možemo tako govoriti samo na razini "teksta stvaralaštva", jer autotematiziranje u neutralnom stilu (kako Piljnjakov stil određuje Hofman), nije dovoljno stilistički markirano da se shvati kao tekstotvorno, u smislu obrazovanja implicitnog teksta-koda, nego se on formira tek naknadno, povezivanjem Piljnjakovih djela u jedinstven tekst, u kome se navedeni postupci (posebno stalno premontiranje i prekodiranje vlastitih tekstova, uloga implicitnog autora i tematiziranje lirskih pasaža – lajtmotivskih tema) supstancijaliziraju zahvaljujući kvantitativnom narastanju. O istom problemu može se govoriti i u slučaju Borgesa (okviri, rekurentne strukture, metanaracija i metanaslovi, "tekstovi-matrjoške", labirint, "utopija knjige"), s tim što je implicitni tekst-kôd često "vidljiv" i u pojedinačnim tekstovima.

formiranje teksta-koda direktno ovisi o autorskoj orijentaciji na literarnost, intenzivnu metajezičnu aktivnost i ludičnost. A ludička funkcija implicira blizak kontakt s čitaocem bez čije direktne uključenosti u samu tekstualnu stvarnost, na ovaj ili onaj način, igralački pristup i ne može biti ostvaren.

Kao reprezentativni primjer ovakvog tipa metatekstualne literature odabrali smo roman suvremenog sovjetskog pisca A. Bitova – *Puškinov dom*, jer tu već i sam naslov upućuje na autorovu naglašenu orijentaciju na metatekstualnost. Taj je naslov prva u nizu provokacija, koje doživljava čitalac u kontaktu s ovim romanom: on se istodobno dešifrira kao ime institucije (Akademija znanosti), kao znak za rusku kulturu u cjelini i kao oznaka za "jezik" kojim autor želi pisati svoj tekst. Taj je "jezik" sistem koji je stvorila ruska literarna tradicija i Bitov ga sad rabi kao "prvostupanjski" modelativni sistem,[3] što je veoma važno zapaziti, jer bismo inače trebali u prvom redu govoriti o ovom romanu kao metatekstu u odnosu na nacionalnu tradiciju koja se modelira. Taj aspekt Bitovljeva teksta naša analiza ne isključuje, ali smatramo da bi takva analiza jednostavno bila osiromašena ako bi zanemarila formiranje teksta-koda i distribuiranje njegove invarijante na različitim nivoima romaneskne strukture.

U jednom od autorskih kurziva nalazimo sljedeći iskaz implicitnog autora: "I naslov ovog romana je ukraden. Pa to je ustanova, a ne naslov za roman. S tablama pred svakim odjelom: Brončani konjanik, Junak našega doba, Očevi i djeca, Što da se radi itd., po školskom programu... Ekskurzija u roman-muzej... Table nam pokazuju put, epigrafi nas podsjećaju..." (Bitov, 1978:154). Već sam taj iskaz signalizira interpretativni tekst-kôd, koji će postati

3 Prirodni jezik, kao nulti semantički stupanj, Bitov u principu ne uzima u obzir kao umjetnički materijal. On, naime, bar u ovom romanu, polazi kao i Borges od pretpostavke da ne postoji ništa što već ne pripada sferi govora, to jest, što već nije ušlo u neki tekst kulture.

osnovni sadržaj poruke u cjelini, čija se invarijanta distribuira od "sadržaja" stavljenog na početak romana (što je za narativni tekst "oneobičavajući" postupak), preko pojedinačnih poglavlja, do hiperteme ("svi mi imamo svoje račune s Puškinom"). Iz "sadržaja" ("table pred svakim odjelom" u "romanu muzeju"), već u samom početku saznajemo o čemu govori ovaj roman: tri dijela romana nose naslove velikih djela ruske klasike – "Očevi i djeca", "Junak našega doba" i, umjesto brončanog, "Bijedni konjanik". "Brončani konjanici" i "Bijedni ljudi" svekolike ruske književnosti persiflaža su u ruskoj književnoj tradiciji mitologiziranog lika iz Puškinove poeme. Bitovljev junak Lav Odojevcev je, kao što nam kaže naslov drugog dijela, "junak našega doba", a istodobno je i komična antiteza tragičnog Evgenija (umjesto brončanog konjanika, njega, pijanog, progoni milicionar u metalnoj kacigi, a njegovi kolege iz Puškinova doma označeni su kao "brončani ljudi").

Odojevcev se kao književni lik najprije realizira u svjetlu vječnog sukoba "očeva i djece", klišejizirane teme i u njezinoj povijesnoj i u njezinoj psihološkoj perspektivi. U romanu je to motivirano vremenom postepene destaljinizacije, a datum Staljinove smrti za Ljovu je granica između "dječaštva" i "mladosti".[4] U njegovim odnosima s ocem, djedom i strikom Mitjom (ova posljednja dvojica su logoraši-povratnici), ta smrt postaje i znak novog prevrednovanja Ljovina odnosa prema svijetu uopće.

Siže ovog romana unaprijed je dan u naslovima triju dijelova romana, kao i u naslovima poglavlja koja te dijelove čine, dok se fabula romana počinje istinski razvijati tek u posljednjem dijelu pod naslovom "Bijedni konjanik" (poglavlja "Dežurni", "Očima nevidljivi demoni", "Maskarada", "Dvoboj" i "Pucanj" – dakle, opet sve sama poznata djela nacionalne tradicije). U "Pucnju" počinje

4 Usp. Tolstojevu autobiografsku trilogiju. I sam je junak junak – znak, što potvrđuje i njegovo ime: Lav.

epilog, koji pisac varira u nekoliko varijanti, kao i sve ostale dijelove romana. Reference dane u naslovima (od naslova romana u cjelini, do naslova pojedinačnih poglavlja), kao i činjenica da je siže konstruiran prije nego se počne razvijati fabula (u "sadržaju" danom na početku teksta, siže je dan kao unaprijed zadana konstrukcija, "kuća" – "dom, domište" – u koju treba da se "useli" junak, kako bi ona postala romanom), nisu samo metatekstualne razine, već i eksplicitno konstituiran i konstruiran tekst-kôd. U sistemu tekstualnih kodova, taj cjeloviti opisni metatekst sadržava receptivne instrukcije i pravila na osnovi kojih receptivna svijest treba da s autorom i junakom stupi u igru višekratnog prekodiranja, razgradnje i ponovne izgradnje teksta. Unaprijed zadani tekst-kôd klopka je u koju treba uhvatiti čitaoca: njemu će se učiniti da mu je "jezik" teksta poznat i da samo treba slijediti to mitsko Arijadnino klupko, koje mu je dodao autor. Taj "jezik", autorski subjekt (čija se manipulativna svijest podudara sa subjektom metateksta – autorom-demijurgom, a ne implicitnim autorom, koji i sam "igra igru" zajedno s virtualnim i konkretnim čitaocem) stvara od posebne vrste znakova: "muzejskih eksponata", naslova, citata, aluzija i reminiscencija iz bogate književne baštine. Aluzivni kontekst u cjelini izabran je na principu komunikacijskih stereotipa. Tako svi spomenuti naslovi za Bitova imaju vrijednost razgovorne frazeologije, istrošene forme, koju treba ispuniti potpuno novim sadržajem, ali se autor u autorskim kurzivima uvijek dvoumi kako to treba izvesti i kakav sadržaj odabrati. Na istom principu kao i aluzije i citati iz "školske lektire", funkcioniraju i epigrafi koji su tu da "podsjete", da pozovu na uspoređivanje, dijalog ili polemiku s tradicijom.

To što je autor odabrao "školski program" kao kôd romana, trebalo bi da znači da je sporazumijevanje s čitaocem toliko pojednostavnjeno da i ne zahtijeva veće intelektualne napore. Ali je on već tada uhvaćen u zamku: put je poznat, ali može li se dospjeti u svaki kutak labirinta? Bitovljevo inzistiranje na destrukciji tajne, na komunikacijskim stereotipima i istrošenim formama kulture, zapravo je orijentirano na provokaciju čitaočevih asocijativnih sposobnosti. Bitov kao da računa s nekim idealnim čitaocem, iako je i u tom pogledu, kao i u svemu ostalom, izuzetno skeptičan: u američkom izdanju roman je ostao nedopisan, a u skorašnjem ruskom izdanju, "akademik Lav Odojevcev" u povodu jubilarnog izdanja romana treba da napiše svoj komentar. Pretvarajući se da nam olakšava komunikaciju s tekstom, Bitov nas sve dublje upleće u mrežu naših vlastitih asocijacija, koje uspostavljaju dinamičnu mrežu relacija između junaka i autora, autora i čitaoca, čitaoca i junaka, teksta i žanra, prošlosti i sadašnjosti.

Princip konstantnog uspostavljanja i, odmah zatim, razgrađivanja vlastite strukture, čini da se ovaj roman može nazvati eksperimentalnim romanom. Eksperimentiranje se zbiva na svim razinama konstrukcije i autorefleksivno tematiziranje i indeksna struktura teksta izuzetno su kompleksno isprepleteni i nude niz modela za dešifriranje. Postupci koje autor svjesno isprobava u svom tekstu imaju vrijednost istraživanja najrazličitijih konstruktivnih odrednica romanesknog žanra od junaka i sižea do narativnog stila. Kao podloga za eksperimentiranje služi mu poezija ruskog simbolizma, avangarda, a posebno konvencije realističkog romana, kao najrasprostranjenije vrste u okvirima ruske kulture. Bitov parodira konvencije realističkog romana, baš kao što parodira i tipske formule normativnog socrealističkog romana (junak – znanstvenik i njegov oponent). Njegov junak kao da pokušava pronaći svoj siže u različitim shemama, ali se one raspadaju pod pritiskom višeznačnih odnosa junaka i antagonista – Odojevceva i Mitišatjeva, obilježenih "aristokratizmom" i "plebejstvom". Tema suparništva razvija se u romanu na ljubavnom, ali i na ideološkom planu, pa su Odojevcev i Mitišatjev predstavljeni kao lice i naličje svog povijesnog vremena, ali su na simboličnom planu predstavljeni i kao junak i njegov dvojnik (Mit o Mitišatjevu). Antiteza Ljova – Mitišatjev izgrađena je po klišeju realističkog romana uz tradicionalnu primjenu karakterološkog paralelizma, a realističkom se čini i motiviranost uvođenja Ljovinih književnih eseja u heterogenu strukturu romana (junak profesionalno proučava književnost kao suradnik u Puškinovu domu). Međutim, Ljovin esej o Puškinu, Ljermontovu i Tjutčevu ("Tri proroka") tek je prepričan od autora, i to sa stanovitom dozom ironije. Heterogenost strukture kao generator smisla teksta, još više se potencira uvođenjem i drugih umetnutih publicističkih i "kvaziliterarnih cjelina", poput članaka djeda Odojevceva i proze strike Dickensa.

"Puškinov dom" pokušava se konstituirati i kao roman karaktera, imajući pri tome za uzor Ljermontovljeva "Junaka našega doba". Djelomično se čak reproducira struktura ovog prototeksta, pa se Odojevcev kao karakter konstruira u odnosu prema trima ženama: Faini (Blokovoj sudbinskoj ženi), Albini (kao i Ljova, ona je socijalno determinirana aristrokratskim podrijetlom) i Ljubaši (*ljubimuju, neljubimuju, ljubuju* – voljenu, nevoljenu, bilo koju). Svoga junaka autor, međutim, ne daje kao Ljermontov "očima" njegovih žena[5] i prijatelja, nego umjesto toga sve ove ličnosti postoje tek u odnosu na Ljovu. Na kraju čak ostaje dojam da u ovom "romanu-kući" obitavaju svega dvije osobe: autor i njegov junak. Autor je istodobno realan i fiktivan lik, demijurg i komentator, junakova sjena i istraživač vlastite konstrukcije-labirinta. Kako se roman karaktera kao model konstrukcije parodira u njegovoj specifično ruskoj varijanti o "suvišnom čovjeku", autor s junakom postupa čas kao da je konkretan čovjek, koji se može sresti na ulici, a pogotovu u instituciji poput Puškinova doma, čas kao s "instrumentom za ispitivanje žanra". Jedan od osnovnih zaključaka ovakvog eksperimenta jest da je junak prije svega socijalna struktura: u koji god ga je siže puštao autor, on je djelovao po zakonima svoje "aristokratske prirode", mada se u susretu s autorom "junakova socijalna struktura pokolebala", jer je autor u njemu prepoznao i neke crte vlastitog lica.

5 Usp. kod Piljnjaka naslove poglavlja u *Goloj godini*: "Irininim očima", "Natalijinim očima"...

Tekst-kôd kojim opisujemo Bitovljev roman, i koji nam je Bitov eksplicitnim tematiziranjem ponudio kao interpretativni metatekst, svoju koherentnost osigurao je upravo zahvaljujući činjenici da mu je u osnovi ispitivanje odnosa autora prema vlastitoj građi. Bitov slobodno eksperimentira s odnosom suvremene književnosti prema književnoj tradiciji, a polazna mu je točka teorija proze (stoga je teoretiziranje osnova modeliranja likova i situacija), čije operativne pojmove rabi kao "upute" o montiranju materijala, ali se njima i poigrava, pretvarajući ih u klišejizirane, modom ispražnjene formule.[6]

Osnovna odlika Bitovljeva stila jest ironija – Ecov iskaz na kvadrat. Njezinim posredstvom dolazi do istodobne realizacije praktičnog i uvjetovanog ponašanja i autora i junaka. Autorskom ironijom mjeri se i distancija između autora i junaka, koja se ukida pred sam kraj romana njihovim susretom. U vezi s problemom distancije jest i piščeva rasprava o problemu vlasti autora nad junakom (o "psihologiji stvaranja"), koja je po Bitovu pitanje autorove savjesti.

Pročitavši roman do kraja, čitalac će otkriti da je iza njega ostao još niz tajnih pretinaca, čije šifre tek treba otkriti. Od poglavlja do poglavlja, od aluzije do aluzije, ovdje se neprekidno realiziraju novi i pri tome polisemični odnosi, u okvirima prvobitnog, naslovima i epigrafima zadanog značenja. Roman *Puškinov dom* nije samo "muzej" nastanjen takvim eksponatima kao što su Puškin, Ljermontov, Dostojevski, Turgenjev, Černjiševski, Tjutčev, Blok... To je i roman o "vrtuljku vremena" i "kotaču povijesti", obrubljen pitanjima koja je postavilo 20. stoljeće. Ovo je roman-poetika romana i roman-rasprava, ali mu ne nedostaje, iako je na neuobičajen način dana, i vlastita anegdota, priča koja zapleće i raspleće sve aspekte

6 Poput ironičnog iskaza o karnevalizaciji: "Eto, i mi platismo danak sveopćoj karnevalizaciji pripovijedanja", kada se pijani Ljova priključuje manifestacijama u povodu godišnjice Oktobra.

ove izvanredno složene proze.

Sličnu analizu mogli smo provesti i na prozi nekih drugih autora koje smo spomenuli. Recimo, na sličan smo način na drugome mjestu analizirali prozu Dubravke Ugrešić,[7] a metatekstualnost Nabokovljeve proze, proslijeđena je u monografiji M. Medarić.[8] Bitovljev primjer je, međutim, najilustrativniji za naš aspekt rasprave, jer je konstituiranje teksta-koda, kao načina samoreguliranja komunikacijskog procesa, u njemu ostvareno ne samo u funkciji upravljanja recipijentskim dekodiranjem, nego i u funkciji sadržaja poruke. Kod Bitova taj tekst-kôd ne prati "kao matrica" osnovni tekst romana, nego varijacije internog metanivoa postaju i konstitutivni i konstruktivni faktor naracije. Osim toga, ono što smo označili pojmom "vidljivosti" ("obnaženost") teksta-koda, ovdje je posebno relevantno, jer je jedna od varijanata interpretativnog koda dana u obliku predteksta – teksta "sadržaja" romana, koji je prvi u nizu ključeva za njegovo čitanje.

7 Moranjak-Bamburać, N. 1990. "Prefinjene igre". *Odjek* br. 13–14, str. 26–27. Sarajevo.

8 Medarić, M. 1989. *Od Mašenjke do Lolite*. Zagreb.

LITERATURA

Bitov, A, 1978, *Puškinskij dom*, Ann Arbor.

Lotman, J. M, 1981, "Tekst v tekste". u: *Tekst v tekste*, Tartu.

Petrović, S, 1972, *Priroda kritike*, Zagreb.

Wierzbicka, A, 1978, "Metatekst v tekste". u: *Novoe v zarubežnoj lingvistike*, Vyp. 8. Moskva.

Wierzbicka, A, 1982, "Deskripcia ili citacia". u: *Novoe v zarubežnoj lingvistike*. Vyp. 13. Moskva.

РЕЗЮМЕ

Nirman Moranjak

Автотематизирование как форма субстанциализации текста-кода и экспериментальные жанры

В настоящей работе рассматривается авторефлексивность как метатекстуальная операция, которой приписывается метакреативность, хотя она в определенных условиях может приобретать и метаописательные функции. Метатекстуальность выполняет в принципе функцию авторегуляции текста и тем самим является условием смысловой когерентности, рецептивности и информативности текста. Но, кроме того, она еще обладает огромными жанрообразующими потенциалами, на что указывает и типология метатекстов, которая считается из-за этого принципиально открытой.

Авторефлексия и тематизирование конструированного текста - кода представляет собой явление внутритекстуальной субстанциализации совокупной иерархии метатекстуальных сигналов, то есть формирование обособленного внутри текста собственного интерпретативного текста, который способен стать содержанием сообщения в целом и, тем самым, реализовать определенную жанровую концепцию. Понятая как жанровая концепция, проблема тематизирования собственной структуры, становится проблемой напряжения между интекстом (интерпретативным текстом-кодом) и самим текстом.

Обнаженная авторефлексивность текста обнаруживает такую авторскую стратегию, с помощью которой всегда возможно получить кроме рецепционных инструкций, еще и совсем новые, неожиданные значения, в чем и заключается экспериментальный характер использованных приемов. Так как роман считается наиболее открытой формой для всех видов експериментования, в статье предлагается роман Битова "Пушкинский дом", в качестве образцового примера.

KAZALO IMENA

C

Č

D

Dž

E

F

G

J

K

L

M

N

O

P

R

S

Š

T

U

V

Kazalo sastavila
Sonja Ludvig

KAZALO

Izdavač:

Zavod za znanost o književnosti
Filozofskog fakulteta Sveučilišta u Zagrebu

Za izdavača:

Dubravka Oraić Tolić

Korektura:

Jadranka Brnčić

Likovno rješenje:

Alan Brežanski

Naslovna stranica:

René Magritte, *Reproduktion verboten* (*Portrait Edward James*), 1937.

Grafička obrada i računalni slog:

Siniša Mikulić

Tisak:

"Hermes izdavaštvo", Zagreb

Tisak dovršen u travnju 1996.

Dosada objavljeno:

BARČEV ZBORNIK

JAGIĆEV ZBORNIK

SUVREMENO HRVATSKO PJESNIŠTVO

KNJIŽEVNI BAROK

INTERTEKSTUALNOST & INTERMEDIJALNOST

HRVATSKO-TALIJANSKI KNJIŽEVNI ODNOSI

INTERTEKSTUALNOST & AUTOREFERENCIJALNOST

TROPI I FIGURE